Werner Catrina
Die Rätoromanen
zwischen Resignation und Aufbruch

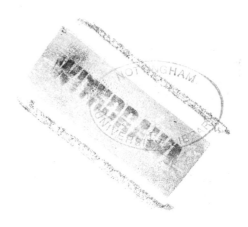

Orell Füssli

Umschlag
Vorderseite: Kirche Giarsun, Engiadina bassa
Rückseite: Fassadenmalerei in Guarda, Engiadina bassa

Fotos: Werner Catrina

Für die großzügige Förderung dieses Buches
danken wir der
Schweizerischen Bankgesellschaft

Weitere Zuwendungen:
Dr. Stephan Schmidheiny
Stiftung «Pro Laax»
Walter und Ambrosina Oertli-Stiftung

An dieser Stelle dankt der Verlag
auch für alle andern nach der Drucklegung
eingegangenen Unterstützungsbeiträge

Dieses Buch entstand in Zusammenarbeit
mit der «Lia Rumantscha»

Lektorat: Ernst Halter
Herstellung: Peter Schnyder/Walter Voser

© Orell Füßli Verlag Zürich und Schwäbisch Hall 1983
Grafik: Heinz von Arx, Zürich
Lithos, Satz und Druck: Condrau SA, Disentis
Einband: Buchbinderei Burkhardt AG, Zürich
Printed in Switzerland
ISBN 3 280 01345 3

333047

Inhaltsverzeichnis:

7

1. Vorwort

51 100 Schweizer sind Rätoromanen, 0,8 Prozent der Landesbewohner. Die kleine Sprachgruppe lebt in einem Staat, in dem es keine Minderheiten, sondern nur gleichberechtigte Volksteile gibt. Die Sprache in den Bündner Bergen genießt landauf, landab fast ungeteilte Sympathien. Doch trotz der guten staatlichen Bedingungen, trotz des umfassenden Wohlwollens steht das Rätoromanische am Abgrund. Wer sie wirklich sind, diese Rätoromanen, wissen die meisten Schweizer nicht, denn man begnügt sich in der Regel mit ein paar wirkungsvollen Klischees, um die Angehörigen der vierten Landessprache zu etikettieren. Daß hinter sgraffittogeschmückten Häusern, hinter reich bestickten Trachten und gefühlvollen Liedern eine sehr schwierige Realität stehen könnte, wird kaum zur Kenntnis genommen, ja verdrängt. Dieses Buch entstand auf der Basis von 300 Gesprächen mit Rätoromanen aus allen Bevölkerungsschichten in den romanischen Tälern, in Chur und außerhalb Graubündens, ja sogar in Übersee; zudem berichteten mir anderssprachige Einwanderer von ihren Erfahrungen und Empfindungen. Was anfänglich als knappe Übersicht geplant war, wuchs sich bald zu einem viel umfassenderen Projekt aus. Obwohl ich mir bewußt bin, daß jeder einzelne Rätoromane wichtig ist, mußte ich die Zahl der Gesprächspartner notgedrungen beschränken. Es ist durchaus möglich, daß ich einen Exponenten der romanischen Sprachbewegung zugunsten einer Hausfrau, eines Mechanikers oder eines Hoteliers nicht besuchte. Es lag mir daran, diesen Situationsbericht auf die Aussage eines umfassenden Bevölkerungsquerschnittes zu stützen.

Das Ergebnis ist ein Spiegel des Dilemmas, in dem die Rätoromanen stehen, einer Situation, welcher keine der großen Landessprachen ausgesetzt ist. Das Buch soll anhand möglichst vieler realer Situationen die Kräfte aufzeigen, welche auf die Kleinsprache wirken, es soll Widersprüche aufdekken, Denkanstöße vermitteln.

Die Recherchen erstreckten sich über den Zeitraum Sommer 1981 bis Herbst 1982; das Buch zieht eine Bilanz und ist anderseits eine Momentaufnahme. Die Entwicklung ist im Fluß. Ausgewogen oder gar vollständig kann und will dieser Bericht nicht sein.

Weil es unmöglich ist, an dieser Stelle allen persönlich zu danken, die mir in teils sehr langen und intensiven Gesprächen Rede und Antwort standen, verzichte ich darauf, einzelne herauszuheben. Ohne die große Offenheit und Ehrlichkeit der allermeisten Gesprächspartner hätte dieser Report nicht entstehen können. Ich danke allen herzlich, die mir ihr Vertrauen geschenkt haben.

Bernard Cathomas, einst Studienkollege, jetzt Sekretär der «Lia Rumantscha», verdanke ich die Idee zu diesem Buch, das für mich ein Stück Vergangenheitsbewältigung mit sich brachte; bin ich doch selber gebürtiger Rätoromane, jedoch vollständig deutschsprachig in Chur aufgewachsen. Der «Lia Rumantscha», ihrem Präsidenten Romedi Arquint, dem Vorstand, aber auch den Sekretärinnen danke ich herzlich für die freundschaftliche Zusammenarbeit. Ebenso Mariano Tschuor, der den Anhang zu diesem Buch zusammengestellt und verfaßt hat. Ohne die Dokumentation durch die Dachvereinigung der Rätoromanen in Chur hätte das Buch nicht entstehen können. Anderseits beanspruchte ich freie Hand beim Beschreiben und Werten der Sachverhalte, denn nur so konnte eine unabhängige Darstellung der komplizierten Thematik entstehen.

2. Seufzer eines Rätoromanen

«Manchmal packt mich so eine Stimmung, dann möchte ich am liebsten alles hinschmeissen und in ein Land wie Spanien oder Brasilien auswandern», seufzt der Lehrer Bartholome Tscharner, «in ein großes Land, wo das Volk eine romanische Sprache ganz selbstverständlich ohne ‹Wenn und Aber› spricht, wo die Menschen in Übereinstimmung mit ihrer Muttersprache leben und die sprachliche Identität unversehrt ist.»

Bartholome Tscharner, 1949 geboren, wuchs in Trans im Domleschg auf, in diesem Bauerndorf ist die romanische Sprache am Verbleichen, ausgewaschen wie die satte, natürliche Farbe aus einem kostbaren Stück Tuch. Sein Vater, ein Bauer, der eisern an der alten Sprache festhält, hat dem Sohn manchmal von einem ganz und gar romanischen Trans erzählt mit einem Dorfchor, der im Schulhaus die schönen sutselvischen Lieder probte, mit einer uniformierten Blechmusik. Das Schulhaus steht noch; seit 1970 sind seine Läden geschlossen, die paar Transer Schüler müssen ins deutschsprachige Paspels in den Unterricht. Das spielt auch keine große Rolle mehr, denn die hoch über dem Hinterrhein liegende Gemeinde ist in den letzten Jahrzehnten umgekippt: Romanisch reden fast nur noch die Alten. Angefangen hat der Germanisierungsprozeß in den Nachkriegsjahren, als fast alle heiratsfähigen Männer des Dorfes deutschsprechende Frauen heirateten. Die Kinder wuchsen im glücklichen Fall zweisprachig auf, manche lernten Romanisch nicht mehr. Mit dem Chor und der Musik verschwand auch die Junggesellschaft; für Bartholome Tscharner ist klar, «daß mit dem Verlust der Sprache auch die Gemeinschaft Schaden genommen hat».

Der Transer Werklehrer erteilt jetzt Unterricht in der Gemeinde Zillis im Schamsertal, doch auch hier herrschen sprachlich so wenig eindeutige Verhältnisse wie in Trans. Er leidet privat und in seinem Beruf als Lehrer an diesem sprachlichen Interregnum. Die Reste des Romanischen halten sich zwar zäh gegen das übermächtige Deutsche, doch die Menschen fühlen sich in keiner der beiden Sprachen wirklich daheim.

Trans und Zillis als Symbol für den Untergang des Rätoromanischen? Die Wirklichkeit der vierten Sprache der Schweiz im Zeitalter der Autobahnen, der Computer, des Massentourismus und der Eurovisionssendungen ist komplizierter. Sie läßt sich nicht auf einen Nenner bringen. Zum Glück gibt es sie noch, die Regionen in Graubünden, wo man romanisch (fast) so selbstverständlich spricht wie anderswo spanisch oder portugiesisch. Im Unterengadin, im Bündner Oberland und in seinen Seitentälern lebt das Rätoromanische noch. Bartholome Tscharner hat als junger Schulmeister in Curaglia unterrichtet, einem sprachlich unversehrten Bauerndorf vor der Felskulisse des Piz Medel. «Da erlebte ich eine intakte Sprachgemeinschaft», erinnert sich der Domleschger, «und das wirkte auf mich sehr wohltuend. Da redete jeder schlicht und einfach romanisch, als ob es weit und breit keine andere Sprache gäbe.»

3. Das Rätoromanische – seit 1500 Jahren auf dem Rückzug

Die Realitäten des Rätoromanischen im letzten Fünftel des 20. Jahrhunderts versteht nur, wer in den Geschichtsbüchern weit zurückblättert: Die Gründerväter unserer vierten Landessprache sind immerhin die alten Römer! Als sie im Jahre 15 vor Christi Geburt unter den Feldherren Drusus und Tiberius in Rätien einbrachen, lebte hier eine größere Zahl verschiedener Volksstämme. Abgesehen von zahlreichen Orts- und Geländenamen wissen wir kaum etwas von diesen frühen Bewohnern des Alpenraumes. Bezeichnungen wie Ilanz, Breil oder Mundaun sind nicht etwa romanisch, sondern retteten sich aus vorrömischen Tagen in unser Zeitalter hinüber.

«Räterfrage ungelöst», müßte man ehrlicherweise jede Abhandlung über die vorrömischen Bewohner Graubündens betiteln, denn die bekannt gewordenen Bruchstücke ergeben kein vollständiges Bild. Nach dem heutigen Forschungsstand gelten die *Räter* als im Kern *nicht indogermanisch,* ihre Sprache war also unseren heutigen europäischen Sprachen nicht verwandt. Als sicher gilt freilich, daß die südlichen Nachbarn, die in der Poebene lebenden *Etrusker,* die Sprache der alten Räter beeinflußten. Auch die *Kelten,* ein indogermanischer Volksstamm in Mittel- und Westeuropa, wirkten sprachlich und kulturell auf das Rätien vor dem Einmarsch der Römer ein. Eine neue Untersuchung filterte gar semitische Elemente aus rätischen Inschriften! Wenn sich diese Theorie erhärtet, dann wäre die versunkene Alpensprache verwandt mit Arabisch, Hebräisch und Akkadisch (der Sprache Babylons und Assyriens!). Eine einheitliche Sprache redeten die Volksstämme im alten Rätien mit größter Sicherheit nicht. Römische Sprache, römisches Wesen und Brauchtum überlagerten und durchdrangen nach und nach das alte Volkstum und die rätischen Ur-Dialekte.

Latein als neue Verkehrs- und Verwaltungssprache gewann zwar entlang der Paßwege rasch an Bedeutung, doch die Romanisierung des ganzen Alpengebietes dauerte mehrere Jahrhunderte. Am Spöl und am Vorderrhein erklang nicht das Latein der Metropole Rom und schon gar nicht die Hochsprache eines Vergil oder Caesar. Bis die Sprache in die abgelegenen Bergtäler eingesickert war, hatte sie sich längst in ein Volkslatein verwandelt. Hinter jeder Felsnase, nach jeder Flußbiegung entwickelte die Sprache, die wir heute mit dem Sammelnamen «Rätoromanisch» bezeichnen, andere Färbungen. Dies nicht zuletzt, weil die sprachliche Unterlage, also die vorrömischen Dialekte, von Tal zu Tal, von Ort zu Ort wohl stark differierte.

Das Rätoromanische entstand erst, als das Römerreich den Zenit seiner Macht überschritten hatte. Darum sah sich die Sprache, kaum entstanden, bereits den ersten zerstörerischen Kräften ausgesetzt. Die Bedrohung gehört von Anfang an bis zum heutigen Tag zum Klima, in dem sich die rätoromanische Sprache behaupten muß. Bürgerkriege und soziale Unrast erschütterten drei Jahrhunderte nach der Eroberung Rätiens das Römische Reich und ließen es schließlich unter dem Ansturm aus dem Norden auseinanderbrechen. Rom, in die Enge getrieben, spaltete die Provinz Rätien in zwei Teile. *Alemannen* und *Bajuwaren* germanisierten die *Raetia secunda* (das Gebiet umfaßte die nördlichen Teile Tirols und die bairisch-schwäbische Hochebene im Norden des Bodensees), während sich die romanische Sprache in der *Raetia prima* mit der Hauptstadt Chur halten konnte. Im 5. und 6. Jahrhundert begannen auf dem Gebiet der heutigen Schweiz alemannische Stämme über den Rhein nach Süden vorzudringen und sich im Mittelland neben den gerade erst romanisierten Helvetiern Wohnraum zu verschaffen. Damit schnitten sie das rätoromanische Gebiet von den verwandten Mundarten des Keltenlateins (aus dem sich später das Französische entwickelte) vollständig ab.

Als bedrohlicher für die Alpensprache erwies sich der politische, wirtschaftliche und kulturelle *Kurswechsel in Richtung Norden*. Mit dem Abstieg der römischen Macht kam Rätien im 6. Jahrhundert in den Herrschaftsbereich der germanischen Frankenkönige. «Churwälsch» nannten die Franken die Sprache in der südlichen Bergprovinz, die bis zur Jahrtausendwende immerhin noch vom Bodensee bis ins heutige Kärnten und vom Furkapaß bis nach Triest am adriatischen Meer die Szene beherrschte. Doch die weiteren Einbrüche ins Sprachgebiet waren sozusagen vorprogrammiert. Im Jahre 843 wird das Bistum Chur von der Erzdiözese Mailand losgetrennt und dem Erzbistum Mainz unterstellt. Zwar dekretiert der Mainzer Erzbischof in einem bemerkenswerten Erlaß, daß das Volk in seiner Muttersprache zu unterrichten sei, doch die langfristigen Folgen des Anschlusses an das alemannische Erzbistum lassen für die rätoromanische Sprache nichts Gutes ahnen. Die *Raetia curiensies (Churrätien)*, ein Bruchstück der ehemaligen römischen Raetia prima, geriet kurz vor der Jahrtausendwende in den Herrschaftsbereich des Herzogtums Schwaben. Alemannische Feudalherren und ihre Vasallen zogen mit den Angehörigen in die Bergtäler und redeten natürlich in ihren Burgen nicht Churwälsch, sondern brachten Deutsch als Verwaltungssprache in das rätoromanische Land.

Stück um Stück wich das Romanische zurück; die deutsche Sprache eroberte Gebiet um Gebiet. Quinten, Quarten und Terzen heißen drei Gemeinden am Walensee (= Walchensee, See der «Welschen»). Auch wer

In den steinigen, von Bergbauern genutzten ▷ Tälern Graubündens hält sich die rätoromanische Sprache seit bald 2000 Jahren.

nicht Romanisch versteht, hört sofort, daß es sich um Bezeichnungen mit romanischer Wurzel handelt, nämlich um die Zahlen fünf, vier und drei. Als die Vertreter von Uri, Schwyz und Unterwalden auf dem Rütli den Grundstein zur heutigen Schweiz legten, da redeten die Bewohner von Quinten, Quarten und Terzen noch romanisch. Doch die Sprachgrenze rückte im Laufe der Jahrzehnte und Jahrhunderte unerbittlich in Richtung Süden. Geschichtlich überlieferte Fakten und die Ergebnisse moderner Sprach- und Namenforschung lassen den Schluß zu, daß man im Raum Sargans bereits im 15. Jahrhundert nur noch deutsch redete.

Für *Chur* gilt der 27. April 1464 als Wendepunkt: an diesem Tag äscherte ein Großfeuer fast die ganze Stadt ein. Nach dem Brand strömten viele deutsch sprechende Handwerker in die Bündner Kapitale. Innert weniger Jahrzehnte verschwand das Churwälsch aus den Gassen der Stadt, verdrängt vom Churerdeutschen, einer Mundart, in der die romanische Komponente auch heute noch durchschimmert.

Die *Walser* schließlich, deutsch sprechende Einwanderer aus dem Wallis, besiedelten im 13. und 14. Jahrhundert hochgelegene Täler und schufen mitten im romanischen Gebiet deutschsprachige Inseln.

Das rund 300 Kilometer lange und etwa 150 Kilometer breite Band von den rätischen Alpen zur Adria, welches ums Jahr 1000 romanisches Territorium war, präsentierte sich fünfhundert Jahre später zerrissen und von deutschsprachigen Zonen durchsetzt. Heute ist das rätoromanische Sprachgebiet auf drei Inseln zusammengeschmolzen: im *Friaul* am Golf von Triest reden noch 500 000 Menschen *Furlan,* den lokalen romanischen Dialekt, in den *Dolomiten* und im *Adamello-Gebirge* haben, getrennt durch den deutschsprachigen Straßenzug des Brenners, noch etwa 25 000 Menschen Rätoromanisch in das ausgehende 20. Jahrhundert gerettet, während 1980 bei der letzten Volkszählung 51 128 Schweizer das Romanische als ihre Muttersprache angaben.

*

Der Zeitraffer zeigt das Aufblühen einer variationsreichen unverwechselbaren Sprache im Alpenraum. Und er veranschaulicht auch den stetigen Rückzug dieser Sprache seit bald 1500 Jahren!

Wenn sich heute Rätoromanen für ihre Sprache wehren, dann schwingt immer auch etwas Resignation mit. Das Wissen, daß die eigene Muttersprache seit Dutzenden von Generationen an Boden verliert, prägt – bewußt oder unbewußt – das Verhältnis zu dieser Muttersprache.

Trotzdem: das Rätoromanische lebt noch, hält sich zäh und beharrlich in sprachlichen Rutschgebieten, ja in vollständig fremdsprachiger Umgebung. In St. Moritz zum Beispiel, in den Emserwerken, an Zürcher Stammtischen oder in New York.

4. Sprachen-Kaleidoskop

a) Fünf Hauptidiome, Dutzende von Ortsdialekten

«Wäre Graubünden so flach wie Kansas, dann existierten die romanischen Dialekte bestimmt nicht mehr», kommentiert ein amerikanischer Professor, der seine Ferien am liebsten in einer Maiensäßhütte über dem Hinterrhein verbringt, die sprachliche Vielfalt im Bergkanton. Er lebt in einem Land, wo sich Menschen problemlos verständigen können, auch wenn sie 3000 Kilometer auseinander wohnen, denn von Washington bis San Francisco wird Amerikanisch gesprochen.

Graubünden ist nicht so flach wie der Staat im amerikanischen Mittelwesten, sondern ein Land mit (mindestens) 150 Tälern, in dem sich ein wahrhaft erstaunliches sprachliches Kaleidoskop entwickeln konnte. Im Schutze der Bergmassive haben sich in Rätien fünf romanische Hauptidiome herausgebildet: die Bündner Oberländer, zahlenmäßig die bedeutendste Gruppe, reden *Surselvisch*. Im Unterengadin wird *Vallader,* im Oberengadin *Puter* und im Oberhalbstein, im Albulatal sowie in Teilen Mittelbündens das *surmeirische* Idiom gesprochen. *Sutsilvan* schließlich redet ein Teil der Bewohner Mittelbündens.

Die fünf Idiome gelten als rätoromanische Schriftsprachen; das gesamte Spektrum aller lokalen Mundarten können diese Schriftsprachen allerdings bei weitem nicht einfangen. Dutzende von Ortsdialekten machen die romanische Sprachlandschaft zu einem verwirrenden Mikrokosmos.

b) Sprache im Kraftfeld zwischen Nord und Süd

«Rätiens Sprache gleicht einem Janus», erklärte Wilhelm Ludwig Christmann, ein Württemberger, der zur Zeit der Aufklärung lebte, «einem Januskopf, der mit einem Gesicht nach Norden und mit seinem zweiten gegen Süden schaut.» Graubünden, seine Kultur, seine Sprachen standen seit frühester Zeit im Kraftfeld zwischen Nord und Süd. Die römische Herrschaft dauerte rund 400 Jahre; Latein verschmolz mit rätischen, keltischen und etruskischen Elementen zu einer eigenständigen romanischen Tochtersprache, die freilich nie die Bedeutung des Italienischen, Französischen oder Spanischen erlangte. Mit dem Verfall der römischen Macht begannen germanische Worte und zum Teil auch deutsche Satzstrukturen ins rätische Volkslatein einzufließen. Das lateinische Element, so versichern Linguisten, macht im Wortschatz des Romanischen trotzdem rund 80 Prozent aus. In nördlichen Regionen des Kantons, zum Beispiel im Bündner Oberland, wirkte das Deutsche stärker auf die romanische Sprache ein, während im Engadin die benachbarten italienischen Dialekte die Sprache des Tales beeinflußten.

Wortstämme aus dem Alemannischen sind im Rätoromanischen häufig; im Laufe der Jahrhunderte sind sie freilich meist so gut assimiliert worden, daß selbst überzeugte Kämpfer für die Reinheit der Sprache in solchen Vokabeln keine Fremdkörper sehen. «Uaul» beispielsweise, das surselvische Wort für Wald, ist ebenso alemannischen Ursprungs wie «stiva» (Stube) oder die Wörter «baul» (bald), «manegiar» (meinen). Ungezählte Begriffe sind von Norden her in die romanischen Dialekte eingesickert und lautlich sozusagen romanisch verpackt worden; nicht selten perfekt, manchmal jedoch so oberflächlich, daß sie sich auf den ersten Blick als Germanismen verraten. Um «hefti» als deutsch «heftig» zu enttarnen oder hinter dem surselvischen Wort «fiechtadad» den deutschen Begriff «Feuchtigkeit» zu erkennen, muß man nicht Sprachwissenschaft studiert haben.

Alle europäischen Sprachen haben im Laufe ihrer Entwicklung fremde Elemente aufgesogen, die rätoromanischen Idiome zeigten sich, geographisch, wirtschaftlich und geschichtlich bedingt, als besonders aufnahmefreudig. Paradoxerweise haben sich in den rätischen Tälern auf dem Schnittpunkt der Kulturen jedoch viele lateinische Ausdrücke fast unverfälscht halten können; Begriffe, die im Italienischen, Französischen oder Portugiesischen längst verformt oder ersetzt worden sind. Fast 2000 Jahre nach dem Einbruch der Römer sagen Rätoromanen immer noch «cudesch» für «Buch» (Lateinisch: codex) oder «alb» für «weiß» (Lateinisch: albus).

Das Rätoromanische ist zwar für Romanisten kein «unbekanntes Wesen» mehr, es gibt jedoch den Wissenschaftern immer wieder Rätsel auf.

c) Der *Dicziunari Rumantsch Grischun:*
Denkmal oder Impuls für die Zukunft?

In Chur arbeitet ein Team von Romanisten am *Dicziunari Rumantsch Grischun,* einem Wörterbuch, das den gesamten rätoromanischen Sprachschatz erschließen soll, ähnlich wie das *Deutschschweizerische Idiotikon* alle Dialekte der deutschen Schweiz, das *Glossaire des patois de la Suisse Romande* den Sprachschatz des Welschlandes und das *Vocabolario della Svizzera Italiana* die Tessiner Mundarten wissenschaftlich zugänglich macht. Professor Alexi

Decurtins führt mich in die «cartoteca maistra», die Hauptkarthotek, wo das romanische Sprachgut, in 725 Schachteln gestapelt, seiner Verarbeitung durch die Fachleute harrt. Alexi Decurtins nimmt eine der Schachteln heraus. Ein ganzer Bund von Zetteln allein zum Stichwort «gonda» (Geröllhalde, Steinwüste) veranschaulicht, wie viele romanische Varianten dieses Wortes existieren und wie verzweigt die Anwendungsbereiche sind: «Etwa 40 000 Wörter müssen erfaßt werden, dann ist die letzte Schachtel verarbeitet», sagt Alexi Decurtins. «Manchmal macht es mir Angst, wenn ich daran denke, welche Arbeit noch vor uns liegt.»

Die Redaktoren handeln jedes Wort in einem Artikel ab, der bei wichtigen Begriffen seitenlang werden kann. Auffallend ist, daß die romanische Sprache die Natur und den bäuerlichen Alltag äußerst differenziert zu beschreiben vermag. Das Stichwort «dschelpcha» beispielsweise, das, auf Vallader, «Alpentladung» bedeutet, beansprucht neun Spalten im romanischen Mundartwörterbuch! Bereits kurz nach der Jahrhundertwende begann die «Societad Retorumantscha», eine 1885 gegründete Vereinigung, die sich zum Ziel setzte, die rätoromanische Sprache zu erforschen, mit dem Sammeln des Materials. Einer der Initianten des *Dicziunari,* der Engadiner Florian Melcher, schreibt, daß es die Rätoromanen unternommen hätten, «ihren zahlreichen und ebenso wichtigen wie interessanten Mundarten ein würdiges sprachliches Denkmal zu setzen». Pessimistisch fährt er fort: «Noch ehe die beste Auskunftsquelle, die lebendige romanische Rede, versiegt, wollen sie den von den Vätern ererbten Sprachschatz in möglichster Vollständigkeit sammeln und ihn der Nachwelt in einem Werke überliefern, das nicht nur das nackte Wortmaterial vor der allmähligen Vergessenheit und schließlichen Vernichtung bewahren, sondern zugleich ein treues Bild des ebenfalls bedrohten rätoromanischen Volkstums geben soll.» Melcher wäre vermutlich überrascht, wenn er sehen und hören könnte, daß die Sprache trotz seinen Untergangsahnungen auch im letzten Fünftel des Jahrhunderts noch lebt.

Später löste etwas mehr Zuversicht, was das Überleben der Sprache betraf, den Pessimismus der Gründer des *Dicziunari* ab. 1938 schrieb Professor Jud, Präsident der philologischen Kommission, welche die Redaktoren des Wörterbuches beriet: «Je weiter indes die Sammlung des Materials an den lebendigen Quellen der gesprochenen Mundarten und der Schriftsprache vorwärtsschritt, desto mehr überzeugten sich die Leiter und Mitarbeiter des *Dicziunari* von der unverwüstlichen Lebenskraft und dem starken Willenskern des Rätoromanischen und der alteinheimischen Kultur des Volkes.» Ob Alexi Decurtins diese Zeilen heut in vollem Umfang noch unterschreiben könnte, ist fraglich. «Viele Wörter, die wir sichten, deren Ursprünge und Anwendungsbereiche wir in unsern Artikeln beschreiben, werden kaum mehr

Alexi Decurtins in der Hauptkartothek des ▷
«Dicziunari Rumantsch Grischun».

aktiv gebraucht», gibt er zu bedenken, «und eine große Zahl sind aus der heute gesprochenen Sprache ganz verschwunden.» Der lange und detaillierte Artikel im *Dicziunari* über Flachs und Flachsanbau beispielsweise ist nur noch eine historische Bestandesaufnahme, denn in Graubünden baut kein Landwirt mehr Flachs an. Mit dem Verschwinden dieser Nutzpflanze erlosch ein origineller und differenzierter Wortschatz wohl für immer.

Der Schweizerische Nationalfonds und der Kanton Graubünden finanzieren das Wörterbuch, das 1983 nach sechs Bänden beim Buchstaben «G» angelangt ist. Wachsendes Material und feinere wissenschaftliche Auswertung verzögern die Arbeit. Ungefähr ums Jahr 2020 soll der letzte Band des *Dicziunari* die Druckerei verlassen. Ein Romanist, der heute das Licht der Welt vielleicht noch gar nicht erblickt hat, wird das Riesenwerk mit dem Begriff «zvic» abschließen, was auf Sutselvisch «Zwitter» bedeutet. Ob dies als gutes oder schlechtes Omen für das Rätoromanische zu deuten ist, eine Sprache, die sich mehr denn je vom Deutschen und neuerdings vom Englischen bedroht sieht, kann wohl die Nachwelt besser beurteilen.

5. Renaissance

a) Das erstaunliche Echo auf den Neudruck einer alten Textsammlung . . .

Im Octopus Verlag an der Vazerolgasse in der Churer Altstadt laufen die Maschinen heiß. Der junge Verleger Andreas Joos überwacht den Druck des sechsten Bandes der *Rätoromanischen Chrestomathie,* eines dreizehnbändigen Werkes mit romanischen Schriftdenkmälern aus mehreren Jahrhunderten. Während Jahrzehnten war die reichhaltige Sammlung vergriffen, 1982 entschloß sich der Churer Verleger, das Werk neu zu drucken. Mindestens dreihundert Interessenten mußten das Subskriptionsangebot unterschreiben, damit der Neudruck zustande kommen konnte. Eine weit größere Zahl bestellte jedoch das ganze Werk für fast tausend Franken oder einzelne Bände. Bauern, Wirte, Handwerker, Ärzte und Lehrer forderten die riesige Sammlung romanischer Texte an. Aus einzelnen Dörfern in der Surselva flatterten bis zu einem Dutzend Orders in den Briefkasten des Octopus-Verlages. Bibliotheken in Graubünden und anderen Schweizer Kantonen und auch der Bund sicherten sich das Werk, ja Subskriptionen trafen aus der ganzen Welt ein, zum Beispiel von einem Romanischen Institut in Japan, aus Deutschland, Schweden, den USA und dem Nachbarstaat Italien, dessen nördliche Dialekte Ähnlichkeiten mit dem Rätoromanischen zeigen. Das große Echo auf das Projekt dieses Neudruckes verblüffte allenthalben; es beweist, daß das Interesse an der rätoromanischen Sprache und Kultur gegenwärtig beträchtlich sein muß.

b) . . . und was diese Texte im letzten Jahrhundert auslösten

«Es ist die letzte Stunde, um diesen kostbaren Schatz der volkstümlichen Tradition zu retten», schrieb der konservative Bündner Oberländer Politiker Caspar Decurtins, der die *Chrestomathie* zusammengetragen hat, vor hundert Jahren; «die Schule, die Kaserne, die Zeitungen, die Fremden, alles vereint sich, um das Eigene, das Nationale zu zerstören und, zusammen mit der Muttersprache, den besten Teil der rätischen Individualität zu beerdigen.»
Worte, die auch heute nichts an Aktualität eingebüßt haben. Darum vielleicht stößt die kulturhistorisch bedeutsame *Chrestomathie* heute auf so viel Interesse (die etwas ungewöhnliche Bezeichnung kommt aus dem Grie-

chischen und bedeutet eine Auswahl von Texten verschiedener Autoren). Märchen, Sagen, religiöse Literatur, volksmedizinische Schriften und Bauern- regeln sind darin ebenso enthalten wie Liebes- und Kampflieder. Perlen aus der Reformationszeit, wo während der Glaubenskämpfe die engadinische (ladinische) und die surselvische Schriftsprache entstanden, sind neben Wet- terregeln und Spottliedern gedruckt. Caspar Decurtins sammelte wenig syste- matisch, dafür umfassend alles, was ihm wertvoll und originell schien. Er hat, wie sich Bischof Caminada bildhaft ausdrückte, «die unter der Asche noch glühende Kohle zum Brand entfacht». Tatsächlich lag das Rätoromanische in der zweiten Hälfte des letzten Jahrhunderts «unter der Asche», es trug das Stigma der «minderen Sprache», einer Sprache, die außer zum privaten Gebrauch zu nichts taugte.

Die *Chrestomathie* steht übrigens im europäischen Raum nicht allein da. Während der Zeit der Romantik und in den folgenden Jahrzehnten bargen Sammler die Märchen- und Sagenschätze ihrer Länder. So haben die von den Gebrüdern Grimm gesammelten *Kinder- und Hausmärchen* und die *Deut- schen Sagen* sowie andere Werke ähnlicher Art Caspar Decurtins' Arbeit bestimmt inspiriert. Er hat mit der *Rätoromanischen Chrestomathie* zwar nicht gerade eine Lawine ausgelöst, doch als sein großes Verdienst gilt, daß er das Bewußtsein für die Werte des Romanischen schärfte, einer Sprache, deren entgültiger Niedergang unaufhaltsam schien. Der konservative Sursel- ver leitete das ein, was die Historiker mit dem Etikett «Rätoromanische Renaissance» versehen haben, eine Bewegung, die 1938 zur Anerkennung des Rätoromanischen als vierter Landessprache führte.

c) Aus den Sprachvereinen entsteht die «Lia Rumantscha»

Decurtins leitete durch die Rückschau, durch das Sammeln halb vergessener oder verschollener Kulturgüter die «Wiedergeburt» ein, doch allein durch die Rückschau kann eine Sprache nicht leben und sich entwickeln. Zu seiner Zeit bewiesen jedoch mehrere Dichter, daß das Romanische lebte. Die surselvi- schen Schriftsteller Muoth und Tuor begannen mit anderen in ihrer Mutter- sprache zu dichten. Muoth, der bedeutendste, gestaltete zwar hauptsächlich historische Stoffe aus der Bündner Geschichte, damit weckte er jedoch das Selbstbewußtsein der Romanen, zeigte ihnen, was sie in ihrer alten Sprache und Kultur zu verteidigen hatten.

Fast wie Pilze schossen jetzt die rätoromanischen Sprachvereine aus dem von Decurtins aufgeackerten Boden und leisteten Beträchtliches zur Bele- bung der Sprache.

26

Die bereits erwähnte *Societad Retorumantscha,* die später das Riesenwerk des *Dicziunari Rumantsch Grischun* in Angriff nahm, machte 1885 den Aufakt. Als nächstes gründete Caspar Decurtins, inzwischen Nationalrat, die *Romania* (1896), ursprünglich ein Verein der katholischen Studenten des Oberlandes, später ein Volksverein.

Im Engadin widmete sich seit 1904 die *Uniun dals Grischs,* ein Verein, der von Anfang an als volksverbundener Verein wirkte, der Pflege der Sprache im Raum Bergün–Engadin–Münstertal. Aus der *Uniun Romontscha da Schons,* der Sprachvereinigung der Schamser, und der *Uniun Renana Romontscha,* wo sich die reformierten Bündner Oberländer sammelten, bildete sich die *Renania,* eine protestantische Organisation. Als letzte gründeten die Oberhalbsteiner und die Romanen aus dem Albulatal ihre *Uniung Rumantscha da Surmeir.*

Auch wenn sich in diesen Sprachvereinigungen eher eine Elite engagierte, so ist doch eine Art Grundwelle zu spüren. Eine Grundwelle, die sich in einem Artikel in der «Neuen Bündner Zeitung» vom 16. April 1919 eindrücklich manifestierte. «Kassandrastimmen vom Hinterrhein» titelte Giachen Conrad, ein Schamser, seinen flammenden Aufruf. Auffallend, daß Conrad sein Manifest nicht in einer der romanischen Zeitungen erscheinen ließ, sondern im größten deutschsprachigen Blatt des Kantons. Grund: Kein Surselver hätte eine Zeitung aus dem Engadin gelesen (und umgekehrt). Nur durch das deutschsprachige Medium konnten die Romanen von hüben und drüben erreicht werden. Auffallend auch, daß Giachen Conrad nicht in seinem Heimattal hinter der Viamala lebte, sondern in Chur, wo er als Postbeamter arbeitete. Damit entspricht er einem bis heute für viele engagierte Rätoromanen typischen Persönlichkeitsprofil: Sie wandern aus dem romanischen Heimattal ins deutschsprachige Gebiet ab und gehen dort für ihre Muttersprache auf die Barrikaden. Es muß ihm auf den Nägeln gebrannt haben, diesem Schamser, der vom germanisierten Chur aus die romanische Szene betrachtete. «Neben dem Defaitismus der Pessimisten», macht er sich Luft, «der echt bündnerischen Unbehilflichkeit der Besorgten und der Versäumnis einer intellektuellen Schicht, welche sich wegen grammatischer Nebenfragen abseits der Straße in den Haaren liegt, schreiten als Totengräber unseres Sprachgebietes Kapital und Gewinnsucht einher. ‹Le pire ennemi du romanche ce sont les Romanches eux-mêmes›, schrieb kürzlich ein hellsehender Westschweizer im ‹Kaufmännischen Zentralblatt›.» Auf die moderne Technik anspielend, die mit Riesenschritten auch in Graubünden Pferdekutschen und Petrollicht verdrängt, fährt er fort: «Wir sind ja eifrig daran, die natürlichen Dämme gegen die fremde Flut mit Bahntunnels zu öffnen, graben mit der Ausgestaltung des Bahnnetzes alle Wände ab, hinter welchen die kränkelnde

Pflanze des Erbes unserer Väter noch etwas Schutz vor dem Nordwind fand.» Das rief nicht etwa ein Bergler aus, der sich und seine althergebrachte Lebensart durch fremdes Wesen bedroht sah, sondern ein Postbeamter, Mitarbeiter eines Staatsbetriebes, der ohne die Bahn gar nicht mehr funktioniert hätte! Das Widersprüchliche, ja das Dilemma der rätoromanischen Problematik ist in Giachen Conrad fast symbolisch verkörpert.

Scharfsichtig und mit höchster Genauigkeit durchleuchtet er den Zustand der serbelnden romanischen Sprache, läßt es jedoch nicht bei der Diagnose bewenden, sondern schlägt – und das ist sein großes Verdienst – konkrete Maßnahmen vor. Er fordert den Zusammenschluß aller Bündner Romanen zu einem «großen interkonfessionellen Generalverband» und weiter die Gründung eines «Zentralapparates mit einem ständigen Sekretariat». Bereits in diesem ersten Aufruf in der «Neuen Bündner Zeitung» skizziert er das Pflichtenheft der Vereinigung. Sie soll Mittel, auch staatliche Subventionen, beschaffen, um damit die fast erdrückenden Aufgaben lösen zu können. Aufgaben die vom Druck romanischer Grammatiken, von Schulbüchern und der Edition «eines interkonfessionellen, womöglich illustrierten romanischen Wochenblattes» bis hin zur «Propagierung der romanischen Rede im Großen Rat», dem Bündner Kantonsparlament, reichten. Die Dachvereinigung der Rätoromanen sollte sich auch für eine romanische Einheit im Militär und, unter vielem anderen, für romanische Poststempel einsetzen. Der überquellende Forderungskatalog belegt die kritische Situation des Rätoromanischen am Morgen eines Zeitalters, das für die Kleinsprache noch potenzierte Bedrängnis bringen sollte. Conrad im Schlußabschnitt seines mehrseitigen Aufrufs: «Wir nehmen für uns ja nur das ‹Selbstbestimmungsrecht› in Anspruch, uns auf angestammtem Boden gegen die Erdrosselung zu verteidigen.»

Und der Funken zündete! In geradezu atemraubendem Tempo folgten die ersten Schritte. Die «Uniun Romontscha da Schons» ergriff die Initiative und lud alle Vertreter der romanischen Sprachvereine auf den 27. Juli des gleichen Jahres zu einer vorbereitenden Versammlung ins Restaurant «Weißes Kreuz» nach Thusis ein, wo Conrad in seinem Referat «Il mantenimaint dil lungatg retorumantsch» ein sorgfältig ausgearbeitetes Arbeitsprogramm vorlegte. Bereits am 26. Oktober 1919, also ein halbes Jahr nach dem Aufruf in der «Bündner Zeitung», gründeten die Repräsentanten der Sprachvereine, auf neutralem Boden in Chur die «Ligia Romontscha/Lia Rumantscha» (LR). Schon der Name des Dachverbandes, immer parallel in den beiden Hauptidiomen Surselvisch und Vallader (Ladinisch) geschrieben, symbolisiert die fein ausbalancierte Organisation. Alle Gremien tragen in ihrer Zusammensetzung der äußerst pluralistischen rätoromanischen Welt Rechnung. Nach einem ausgeklügelten System stellen die regionalen Sprachvereinigungen ihre Vertreter für die Delegiertenversammlung, wo auch Abgeordnete der «Societad Retorumantscha» und, seit den vierziger Jahren, des romanischen Radios *(Cuminanza Radio Rumantsch)* sowie der Schriftstellervereinigung *(Uniun da Scripturs Rumantschs)* Sitz und Stimme haben. Der Delegiertenversammlung, dem «Parlament», stehen die Suprastonza (Vorstand) als eigentlich ausführendes Organ und der Cussegl, eine erweiterte Exekutive der «LR», gegenüber. Als erster Präsident waltete, ehrenamtlich, der protestantische Mittelbündner Giachen Conrad, als erster Sekretär der Engadiner Romanist Andrea Schorta. Praktisch mittellos, jedoch mit viel Enthusiasmus, gutem Willen und Einsatzfreude packte die Romanen-Vereinigung ihre schwere Aufgabe an.

6. Rätoromanisch wird vierte Landessprache

a) Ein überwältigendes Abstimmungsergebnis . . .

Am Abend des 20. Februar 1938 saß Peter G. im alten Engadinerhaus seiner Eltern wie ungezählte andere Romanischbündner am Radio und hörte Abstimmungsresultate. Was er vernahm, hätte ihn eigentlich zu Freudensprüngen verleiten müssen. In einer überwältigenden Sympathiekundgebung für seine Muttersprache legten die Schweizer Stimmbürger fast nur Ja-Zettel in die Urnen, ging es doch darum, das Rätoromanische in den Stand der vierten Landessprache zu erheben. Die Genfer votierten mit 98,9 Prozent für die Vorlage, die Solothurner mit 96,7 Prozent, und auch Schwyz am untersten Ende dieser positiven Hitparade, die einzigartig in der helvetischen Abstimmungs-Statistik dasteht, gab noch mit 83,7 Prozent den Segen zur Verfassungsänderung! Als sich die Liste der haushoch zustimmenden Stände immer mehr verlängerte, begannen in Zuoz, Lavin und Pontresina, in Disentis, Andeer und Trans die Kirchenglocken zu läuten. Doch Peter G. blieb, wie er sich heute erinnert, ruhig, ja skeptisch: «Das war zu deklamatorisch, zu pathetisch. Ich konnte einfach nicht glauben, daß diese Abstimmung an der Situation unserer romanischen Sprache viel ändert.»

Die Volksabstimmung von 1938 bügelte ein Unrecht an den Rätoromanen aus, ein Unrecht freilich mit langer geschichtlicher Tradition. Alle drei romanischen Sprachen, also auch das Französische und das Italienische, mußten in der Eidgenossenschaft während Jahrhunderten hinter der Vormachtstellung des Deutschen zurückstehen.

b) . . . und seine historischen Hintergründe

Bereits die Urzelle der Eidgenossenschaft war *deutschsprachig,* und auch in den Acht Alten Orten gab es noch keine anderssprachigen Minderheiten. Bestärkt durch ihre Siege gegen übermächtige österreichische und burgundische Heere entwickelten die alten Eidgenossen ein von ihrer deutschen Sprache selbstverständlich geprägtes Nationalbewußtsein. Als Amts- und Rechtssprache benutzten die Eidgenossen ihre Mundart, das Schweizerdeutsche. Der schlagkräftige kleine Staatenbund genoß ein derartiges Prestige, daß er gegenüber anderssprachigen Verbündeten und Untertanen keine gewaltsame Sprachenpolitik betreiben mußte. Vielmehr paßten sich die Anderssprachigen an und bemühten sich unterwürfig um ihre Germanisierung. Die Freiburger beispielsweise führten, obwohl mehrheitlich französischsprachig, das Deutsche als Staats-, Schul- und Kirchensprache ein. Zur gleichen Zeit übernahmen im französischsprachigen Teil des Zugewandten Ortes Wallis die Einwohner der Städte Sion und Sierre freiwillig die deutsche Sprache der Eidgenossen. *Wir fromen tütschen* nannten sich die Eidgenossen selber, und ihr Bund hieß bis ins 18. Jahrhundert «alter großer Bund in oberdeutschen Landen». Aus dem keltisch-römischen Namen Helvetien (die Römer hatten ja das Gebiet für wenige Jahrhunderte romanisiert!) wurde schließlich die «Eydgnosschaft» oder das «Schweizer-Land».

Wer im Schweizerland nicht deutsch redete, galt schlicht und einfach als Fremdsprachiger, den man «Walch» und später «Welschen» nannte. «Walch» galt im Freiburgischen und im Wallis zeitweise sogar als Schimpfwort.

Mit dem Aufstieg Frankreichs und dem Glanz des Sonnenkönigs Louis XIV. gewann die französische Sprache und Sitte im 17. Jahrhundert in ganz Europa an Boden. Auch die Vornehmen und Gebildeten in der Schweiz übten sich in der eleganten französischen Sprache und bemühten sich, etwas vom Abglanz des fernen Versailles in die kargeren helvetischen Lande zu tragen. Erstmals in der jahrhundertealten Geschichte der Eidgenossenschaft bedrohte eine romanische Sprache das Primat des Deutschen. Freilich konnten erst die Druckwellen des welthistorischen Erdbebens von 1789, der Französischen Revolution, in der Schweiz die Herrschaft der Deutschsprechenden über die «Welschen» brechen.

Mit Waffengewalt zwang Napoleon 1798 die Eidgenossen zur Annahme der helvetischen Verfassung, einem in Paris geschneiderten Grundgesetz, in dem die Mehrsprachigkeit schwarz auf weiß verankert war. In einem Schreiben der helvetischen Regierungskommissäre «an die Bevölkerung des Cantons Rätien» (Graubünden hatte sich für einen Monat der Helvetischen Republik angeschlossen) wurde die Bündner Regierung eingeladen, die «gegenwärtige Proclamation ins Italienische und Romanische zu übersetzen».

Bereits ein Jahr später ging die zukunftsweisende Idee der Dreisprachigkeit im erbitterten Kampf der Unitarier und der Föderalisten unter. Eine Gruppierung verfocht das Modell einer zentralistisch verwalteten Eidgenossenschaft, die andere wollte die alte Ordnung der eigenmächtigen Kantonsherrlichkeit wiederherstellen, was dann 1803 mit der von Napoleon verordneten Mediations-Verfassung auch geschah. Der helvetische Einheitsstaat wich vorübergehend wieder der alten Ordnung, einem losen Staatenbund, in dem jeder Kanton seinen Eigeninteressen frönte. Das Bedürfnis, die Sprachenfrage gesamtschweizerisch zu regeln, bestand jetzt nicht mehr. Mit der Niederlage Napoleons 1814 gewann das Deutschtum wieder so an Kraft, daß das Deutsche einzige offizielle Staatssprache blieb.

Die Restauration der alten Ordnung dauerte nicht lange, das Rad der Geschichte ließ sich auch in der Eidgenossenschaft nicht zurückdrehen. Das Volk drängte auf Erweiterung seiner Rechte, große wirtschaftliche und soziale Umbrüche beherrschten die eidgenössische Szene am Morgen der industriellen Revolution. Im Sonderbundskrieg (1847) kämpften schließlich Schweizer gegen Schweizer. Um so erstaunlicher, daß sich bereits 1848 die Konservativen und die Liberalen, die Katholiken und die Protestanten, Gruppierungen, die extrem entgegengesetzten Vorstellungen von einem zukünftigen eidgenössischen Staat huldigten, an einen Tisch setzten.

Seit fünfzig Jahren bewährte sich das parlamentarische Zweikammersystem bereits in den Vereinigten Staaten von Amerika. Und dieses System übernahmen die Schöpfer der neuen Bundesverfassung als geniales Mittel zum Ausgleich der Kräfte. Die gesetzgebende Behörde besteht seit 1848 in unserem Land aus dem Nationalrat, der Vertretung des Volkes, und dem Ständerat, den Vertretern der Kantone. Die Schweiz ist eine «Willensnation», ein Staat also, der nicht durch ein einheitliches Volk mit einer verbindenden Sprache zusammengehalten wird, sondern durch den Willen der Beteiligten. Von entscheidender Bedeutung ist darum der Artikel 89 I in der Verfassung, der vorschreibt, daß für Bundesgesetze und Bundesbeschlüsse beide Räte zustimmen müssen. Kompromisse prägen seither die schweizerische Innenpolitik; der Stärkere kommt dem Schwächeren entgegen und umgekehrt. Ohne den Konsens der wichtigsten Gruppierungen läßt sich auf eidgenössischer Ebene nichts erreichen.

Die Sprachenfrage warf beim Entwurf der Bundesverfassung keine hohen Wellen. Die letzte Tagsatzung vom 27. Juli 1848 nahm ohne Diskussion und einstimmig den Artikel 109 an, in dem es heißt: «Die drei Hauptsprachen der Schweiz, die deutsche, französische und italienische, sind Nationalsprachen des Bundes.» Und das Rätoromanische? Weder in der Bundesverfassung von 1848 noch in der revidierten Verfassung von 1874 ist es aufgeführt.

Das muß nicht erstaunen, denn auch die bündnerische Kantonsverfassung von 1854 schwieg sich über das Romanische aus; sie enthielt keine sprachenrechtliche Bestimmung. In der revidierten kantonalen Verfassung vom 23. Mai 1880 ist es endlich soweit. Das Rätoromanische wird zwar nicht wörtlich erwähnt, doch heißt es im Artikel 50: «Die drei Sprachen der Kantons sind als Landessprachen gewährleistet.»

c) Mit italienischer Hilfe ans Ziel

Kaum hatten die Rätoromanen ihren Dachverband, die «Lia Rumantscha/ Ligia Romontscha», aus der Taufe gehoben, formulierten sie als eines der Ziele, das Rätoromanische in den Rang einer Nationalsprache zu erheben. Wie weit dieser Weg freilich noch war, läßt eine Begebenheit aus dem Jahre 1919 ahnen. Als der bis heute einzige Bundesrat romanischer Muttersprache, Felix Calonder, im Bundeshaus einmal romanisch redete, fragten ihn die anderen Bundesräte, was das denn für eine Sprache sei . . .

Dennoch begünstigte das politische Klima in der Schweiz und in Europa nach dem Ersten Weltkrieg das Vorhaben. Italien konnte seine irredentistischen Forderungen voll durchsetzen und das ganze Südtirol bis zum Brenner, Venetien bis Triest und ganz Istrien «heimholen», also alle italienisch- und einige romanischsprechenden Gebiete aus der Liquidationsmasse der untergegangenen Donaumonarchie übernehmen und ans «Mutterland Italien» anschließen. Immer lauter forderten einflußreiche italienische Kreise, daß «Italien auch gegenüber der Schweiz die Wasserscheide als Grenze brauche», denn der ethnische Charakter der italienischen Schweiz sei gefährdet. Im gleichen Aufwasch wollten die Faschisten im südlichen Nachbarland gleich auch noch die Rätoromanen vom helvetischen Joch befreien. Sprachforscher sekundierten, indem sie die Alpensprache als italienischen Dialekt abqualifizierten. Die Romanen reagierten mit schroffer Abwehr. Der bekannte ladinische Dichter Peider Lansel, damals Konsul im italienischen Livorno, stand mit Zivilcourage zu seiner Überzeugung und prägte die Formel, das geflügelte Wort: «Ni Talians ni Tudais-chs, Rumantschs vulains restar!» («Weder Italiener, noch Deutsche, Romanen wollen wir bleiben!») Als Reaktion auf die Anmaßungen aus dem Süden rückten die Schweizer Sprachgruppen zusammen. Die betroffenen Kantone und der Bundesrat ließen es an klaren Worten und an Taten nicht fehlen.

Die Anschlußgelüste Italiens zeitigten also die genau gegenteilige Wirkung: In der Schweiz besann man sich auf das national Verbindende. Die Rätoromanen sonnten sich in einer Sympathiewelle, die an jenem denkwürdigen Wochenende im Februar, anderthalb Jahre vor dem Ausbruch des Zweiten Weltkrieges, zum Ziel führte. Artikel 116 Absatz 1 in der Bundesverfassung lautet seit dem 20.2.1938: «Das Deutsche, Französische, Italienische und Rätoromanische sind die Nationalsprachen der Schweiz.»

c) Trotzdem: Sprachprobleme nicht gelöst

In der langen und komplizierten Geschichte unseres Staatsgebildes gibt es zumindest eine Konstante: die deutschsprachige Bevölkerung war immer in der Mehrheit. Das hat sich auch bei der letzten Volkszählung im Jahre 1980 nicht geändert: 65 Prozent der Bewohner unseres Landes gaben Deutsch als Muttersprache an, 18,4 Prozent Französisch, 9,8 Prozent Italienisch und 0,8 Prozent Rätoromanisch. Das eindeutige Übergewicht der deutschsprachigen Bevölkerung mit der deutschsprachigen Bundeshauptstadt Bern und der Wirtschaftsmetropole Zürich ist eine Hypothek, mit der die Schweiz nie ganz fertig geworden ist. Trotz der vielen Ausgleichsmechanismen, welche den Kompromiß zum nationalen Markenzeichen gemacht haben, trotz der Gleichberechtigung und der Rücksichtnahme auf den Schwächeren existiert zwischen Genfer- und Bodensee, zwischen Basel und Chiasso ein Sprachenproblem. Der vielzitierte Graben zwischen Deutsch und Welsch, der Vormarsch der deutschen Sprache im Tessin und das Zusammenschmelzen des rätoromanischen Gebietes in Graubünden belegen das schweizerische Sprachen-Malaise.

7. Bauerntum im Umbruch

Il pur suveran

Quei ei miu grep, quei ei miu crap,
Cheu tschentel jeu miu pei;
Artau hai jeu vus da miu bab,
Sai a negin marschei.

Quei ei miu prau, quei miu clavau,
Quei miu regress e dretg;
Sai a negin perquei d'engrau,
Jeu sun cheu mez il retg.

Quei mes affons, miu agen saung,
Da miu car Diu schenghetg;
Nutreschel els cun agen paun,
Els dorman sut miu tetg.

O libra libra paupradad,
Artada da mes vegls;
Defender vi cun tafradad
Sco poppa da mes egls!

Gie libers sundel jeu naschius,
Ruasseivel vi durmir,
E libers sundel si carschius,
E libers vi murir!

(Sursilvan)   Gion Antoni Huonder ca. 1860

Der freie Bauer

Das ist mein Fels, das ist mein Stein,
Drauf setz' ich meinen Fuß;
Was mir der Vater gab, ist mein;
Wer fordert Dank und Gruß?

Feld, Scheune ist mein Eigentum,
Mit Weg und Steg mein Land;
Nach keinem schau' ich dankend um,
Und – König heißt mein Stand.

Die Kinder, meiner Adern Blut,
Sie sandte Gott mir zu;
Mein eigen Brot ernährt sie gut,
Mein Dach deckt ihre Ruh.

O freie Armut, stolz und gut,
Der Ahnen Kraft und Kern,
Ich schütze dich mit tapfrem Mut
Wie meinen Augenstern.

Frei war ich auf der Mutter Schoß,
Mein Schlummer furchtlos sei!
Ich wurde mit der Freiheit groß,
Und sterbend sei ich frei!

Übersetzung P. Maurus Carnot 1934

a) Was aus einem alten Engadinerhaus geworden ist

In Ardez steht am Südrand des Dorfes ein altes Engadinerhaus, geschmückt mit dem Wappen der Familie Iuolf und der Jahreszahl 1597. Wer das Bauernhaus mit seinen meterdicken Mauern, den geschmückten, zurückversetzten Fenstern und dem fast bis zum Boden reichenden, schützenden Dach gebaut hat, das verliert sich im Dunkel der Geschichte. Frau Ernesta Mayer, eine Ramoscherin, die das Haus vor zwanzig Jahren mit ihrem ebenfalls aus Ramosch stammenden Mann gekauft hat, erinnert sich: «Es war eine Ruine, der Regen klatschte durchs Dach auf den Heuboden, die Mauern bröckelten und die Fensterläden hingen schief.» In ungezählten Stunden Handarbeit und unter großem finanziellem Aufwand restaurierte die Familie – Domenic Mayer war Architekt – das Engadinerhaus, das zum Dorfbild von Ardez gehört wie die Kirche und der Piz Cotschen. Wenn es reden könnte, dann würde es von vielen langen Wintern, von kurzen, farbigen Sommern erzählen, vom Tagewerk der Bauern, das über manche Generationen im Wechsel der Jahreszeiten fast unverändert blieb. Natürlich würde es Ladinisch reden, seit uralten Zeiten die Sprache des Unterengadins. Ernesta Mayer zeigt mir tellergroße Löcher in der Mauer, Wunden, die der österreichische Feldherr Baldiron mit seinen Kriegerhorden dem Haus im Jahre 1621 geschlagen hat. Um sich gegen habsburgische Expansionsgelüste zu schützen, schlossen sich die Engadiner, die Bischofsstadt Chur, Oberhalbstein, Domleschg und einige angrenzende Gebiete zum Gotteshausbund zusammen. Das konnte nicht verhindern, daß das Tal zur Zeit des Dreißigjährigen Krieges zwischen die Fronten geriet. Auf dem ganzen rätischen Gebiet tobten erbitterte konfessionelle und machtpolitische Kämpfe. Die «Bündnerwirren», ein Nebenschauplatz eines mörderischen, gesamteuropäischen Krieges, brachten ins Engadin Schrecken und Verwüstung. Angekohlte Balken im Ardezer Bauernhaus zeugen vom Unheil, das Baldirons brandschatzende Horden anrichteten. Pest und Hungersnot vollendeten das Unglück und ließen die Bevölkerung verarmt und dezimiert zurück. In sicher langer und beschwerlicher Arbeit stellte die Bauernfamilie (ihren Namen kennen wir nicht) das verwüstete Haus wieder her. Viele Hände packten zu, denn unter den schützenden Dächern der Engadinerhäuser lebten damals noch große Familien zusammen mit der «nona» und dem «bapsegner», der Großmutter und dem Großvater. Gut 150 Jahre nach der Katastrophe, im Jahre 1777, bewohnte der Bauer Steiven Iuolf mit seiner Familie das Haus und malte sein Familienwappen, das einen Krieger mit Lanze zeigt, an die Wand. Genau zwischen die Abbildung zweier Steinböcke, ein verwittertes Fresko, das die Schrecken des Dreißigjährigen Krieges überdauert hatte. Nuot Iuolf, der Sohn, starb kinderlos als letzter seines Geschlechtes. Jetzt kaufte die Familie Jon Janett Thom-Camenisch den Hof und bewirtschaftete ihn über mehrere Generationen bis zum Jahre 1914. Ernesta Mayer zeigt mir an der alten Haustüre die eingeritzten Buchstaben «ED» mit der Jahreszahl 1918 und erklärt: «Da hat sich ein Kind der nächsten Besitzer, der Italienerfamilie Donati, verewigt.» Vater Donati half mit, ein neues Zeitalter ins Engadin zu bringen, zog er doch wie viele seiner Landsleute nach Graubünden, um beim Bau der Rhätischen Bahn seinen Lebensunterhalt zu verdienen. Am 1. Juli 1913 hustete der erste Dampfzug unter dem alten Ardezer Haus vorbei in Richtung Scuol. Die Familie Donati hielt höchstens noch ein paar Schafe und Ziegen; das charaktervolle alte

Haus mit Wohnteil und Stall unter einem Dach, hatte endgültig als Bauernhaus ausgedient, denn auch der nächste Besitzer, der Bähnler Albert Zanchetti, betrieb mit seiner Familie die Landwirtschaft nur noch als Freizeitbeschäftigung neben dem Dienst bei der RhB. Kein Wunder, daß der Stallteil des Hauses verkam und das mitgenommene Objekt jetzt nur noch auf Heimweh-Engadiner wartete, die es vor dem Zerfall retteten. Frau Mayer serviert mir einen Kaffee im riesigen Wohnzimmer, in dem eine mittlere Stadtwohnung bequem Platz fände. Am Rand des sparsam, aber mit Sinn für Stil und Geschmack eingerichteten Raumes steht ein Pult mit einer Schreibmaschine. Die Hausbesitzerin – ihr Mann ist vor Jahren gestorben – besorgt die Administration der satirischen ladinischen Zeitschrift «Il Chardun» (Die Distel). Wo sie Adressen tippt, Briefe schreibt und mit den Mitarbeitern des «Chardun» telefoniert, lagerten die Vorgänger während Jahrhunderten das duftende Heu von den Ardezer Wiesen. Unten, wo die Iuolfs, die Thoms und die andern Bauern ihre Kühe molken, malt der Sohn, Gian Reto Mayer, jetzt Bilder. Er ist wie sein Bruder am Rande der Stadt Zürich, wo die Familie während zwanzig Jahren lebte, aufgewachsen und zog vor einem Dutzend Jahren zusammen mit den Eltern ins Engadin. Die Muttersprache des jungen Kunstmalers ist Romanisch, denn die Eltern haben mit ihren Kindern von Anfang an nur Ladin geredet. Über dem großen Wohnraum auf dem nächsten Boden, wo die Bauern früher Stroh und Emd aufschichteten, erholen sich jetzt Zürcher, Basler oder Düsseldorfer, denn unter dem Stalldach bot sich mehr als genug Raum für eine Ferienwohnung.

b) Veränderte Grundlagen

Fast eine Parabel, die Geschichte dieses Ardezer Engadinerhauses! Jahrhundertelang Hort mehrerer Bauerngeschlechter, verlor es plötzlich seine Funktion als Haus und Stall, als Gefäß für Wohnen und bäuerliches Wirtschaften. Erst eine Umnutzung, wie es in der modernen Architektursprache heißt, rettete das ehrwürdige Gebäude vor dem Verfall. Von Martina über Guarda, Zuoz, Samedan, Silvaplana bis hinauf nach Maloja teilen ungezählte dieser eindrucksvollen Schöpfungen einer reichen, vom Bauernstand getragenen Kultur das Schicksal des Ardezer Hauses. Ich erzählte seine Fährnisse hier so ausführlich, weil das alles ganz direkt mit der romanischen Sprache zusammenhängt, denn das Rätoromanische ist vielmehr eine Sprache der Bauern als ein Kommunikationsmittel für Intellektuelle. Wo Bauern sind, da wird romanisch gesprochen. Ein alter Laaxer Landwirt, welcher in der Nachbarbarschaft einer neuen Ferienhaussiedlung Heu wendet, erklärt auf seine

Gabel gestützt kurz und bündig: «Romanisch? Das ist meine Sprache, und fertig!»

Im Jahre 1941 arbeiteten noch fast vierzig Prozent der berufstätigen Bündner Bevölkerung in der Landwirtschaft; heute sind es nur noch acht Prozent. Der Schrumpfungsprozeß hat nach dem Krieg den Agrarsektor aller westlichen Industrieländer inklusive der Schweiz erfaßt. Er schlug mit einiger Verzögerung voll auf Graubünden durch. Seit den sechziger Jahren gehen in Graubünden jede Woche zwei Landwirtschaftsbetriebe ein. Die romanischsprechenden Regionen sind davon ebenso betroffen wie die andern Gebiete des Kantons. Ardez verlor in den letzten Jahrzehnten vierzig (!) Bauernbetriebe. Übrig geblieben sind ein Dutzend vollmechanisierte Höfe mit bis zu fünfzig Stück Großvieh und ein paar Nebenerwerbs-Betriebe. Trotz des enormen Konzentrationsprozesses produzieren die Ardezer Bauern mehr als ihre Vorfahren: moderne Maschinen, Kraftfutter und leistungsfähigeres Vieh machen's möglich. Ähnlich wie das alte Haus der Familie Mayer sind eine ganze Reihe ausrangierter Engadiner Bauernhäuser umgebaut worden. Mit dem Schrumpfen der Landwirtschaft sank die Zahl der Dorfbewohner, und auch der Anteil der Romanischsprechenden nahm ab. Die Unterengadiner Gemeinde zählt heute weniger Einwohner als 1780, dem Jahr der ersten verbürgten Zählung; jeder vierte Bewohner spricht heute nicht mehr romanisch.

Was für Ardez gilt, trifft für alle Bauerngemeinden im Engadin, im Oberland, in Mittelbünden und im Oberhalbstein zu. Ja Ardez, in einem der rätoromanischen Kerngebiete gelegen, steht vergleichsweise gut da: Trotz des Rückgangs des Bauernstandes ist der Anteil der Romanischsprechenden hoch.

Kulturhistoriker nennen das Engadinerhaus die originellste architektonische Schöpfung Graubündens. Tonio Walz schreibt in einem Bericht mit dem Titel «Bauernpaläste»: «Die Engadiner Dörfer sind romanische Siedlungen – dicht gedrängt, geschlossen und geprägt vom romanischen Charakterzug zur Gemeinsamkeit, Geselligkeit. Keinem Engadiner Bauern wäre es früher eingefallen, auf einem Einzelhof außerhalb des Dorfes zu leben.» Tempi passati! Die sgraffitogeschmückten «Bauernpaläste» eignen sich schlecht für die moderne Landwirtschaft. In den Sulèr, den Gang, welcher durch das Hausportal zum Heuboden führt, passen weder Traktor noch Ladewagen. Weil die Häuser zum Schutz gegen eisige Winterkälte Mauer an Mauer stehen, läßt sich meist auch kein anderes Tor herausbrechen. Wer heute rationell wirtschaften will, muß einen Stall am Dorfrand bauen oder einen neuen Hof mit Wohnhaus und Ökonomiegebäude draußen in den Wiesen weit weg vom alten Ortskern aufstellen. Was sein Vorfahre nie getan hätte, ist

Moderne Ställe außerhalb der geschlosse- ▷
nen Dörfer symbolisieren den Umbruch in
der Berglandwirtschaft.

für den modernen Bergbauer eine existenzsichernde Notwendigkeit. Aus wohnlichen, jedoch unpraktischen Refugien ziehen sie in funktionale Siedlungen, wirtschaften in subventionierten Ställen, die in Bümpliz genau gleich aussehen wie in S-chanf, wohnen in Häusern, die ebensogut im Kanton Thurgau stehen könnten. Der Auszug der Engadiner Bauern aus den Dorfkernen belegt schmerzlich, daß sich der Boden, aus dem die rätoromanische Sprache gewachsen ist, definitiv verändert hat.

c) Ein reicher landwirtschaftlicher Wortschatz versinkt

«Beim alten Leiterwagen gab es für das kleinste Teilchen eine romanische Bezeichnung», erinnert sich Alexander Dönz, in einer romanischen Gemeinde am Heinzenberg aufgewachsen und jetzt Chef des kantonalen Landwirtschaftsamtes; «heute sind diese Ausdrücke fast verschwunden, dafür weiß man jeden Teil des Ladewagens, mit dem heute gearbeitet wird, zu bezeichnen. Natürlich in Deutsch oder sogar Englisch!»

Mit den alten Geräten, den alten Anbaumethoden verschwindet ein reicher Ausdrucksschatz aus dem bäuerlichen Vokabular. Die Forschungsarbeit am *Dicziunari Rumantsch Grischun* gibt einen Eindruck von dieser untergehenden Welt. Der alte Reichtum verblaßt, die romanischen Worte für das neue Gerät der Bauern sind zwar zum Teil geschaffen, doch sie werden kaum gebraucht.

«‹Bufafagn›, das tönt einfach zum Lachen», kommentiert ein Pignier Bauer das Fachwort für ‹Heugebläse›, das er im *Pledari Sutsilvan,* seinem romanischen Wörterbuch, gefunden hat. Ein Phänomen, das sich auch in andern Bereichen zeigt, manifestiert sich besonders stark in der Landwirtschaft: die neuen Begriffe kommen zuerst auf deutsch und setzen sich in dieser Sprache in den Köpfen fest. Der nachgelieferte romanische Ausdruck wirkt aufgeklebt, hat wenig Chancen.

d) Pur suveran?

Der «pur suveran», der freie Bauer, einer der immer wiederkehrenden Mythen der romanischen Literatur, ist nicht mehr das, was er einmal war. Im Oberengadin zum Beispiel gehört fast alles Land nicht mehr denen, die das Heu ernten: die meisten Bauern sind Pächter, die mit gebundenen Händen zusehen müssen, wie Stück um Stück des Kulturlandes überbaut wird. Auch dort, wo noch gesündere Verhältnisse herrschen, kann sich der Bauer kaum

40

mehr als «pur suveran» fühlen. Zu oft vernimmt er aus Zeitung, Radio und Fernsehen, wie viele Millionen die Berglandwirtschaft an Bundesgeldern kostet. Das böse Wort vom «Subventionsbauern» ist nicht dazu angetan, das Selbstbewußtsein zu heben. Bergbauern, die unter extremen Bedingungen wirtschaften und naturgegeben kaum etwas anderes als Milch und Fleisch produzieren können, sehen sich durch die Milchkontingentierung in echte Existenzprobleme manövriert. Einerseits sind sie gezwungen, möglichst leistungsfähiges Vieh zu züchten, und anderseits wird diese Leistung nicht honoriert, ja bestraft. Der Bauer in den Bergen, der nicht auf Ackerbau ausweichen kann, fühlt sich der helvetischen Landwirtschaftspolitik in steigendem Maße ausgeliefert. Die wohlmeinenden Beschwichtigungen, er verdiene die Bundesunterstützungen, indem er als «Landschaftsgärtner» für den Tourismus Wohltätiges leiste, vermögen dem Bergbauern die Statur des stolzen «pur suveran» auch nicht mehr zu verleihen.

8. Gehen müssen – gehen wollen

... Eu sun trista cha Tü bandunast Tia chasa. Tü nu dist in Tia charta, scha Tü fast quint da laschar la pauraria o bricha. Eu nu sun buna da'T verer sco hotelier a Paris, per adüna. Crajast cha Tü füssast cuntaint? Sainza Tia prada e Tias bellas muntognas? E sainza Teis cumün chi spetta uschè bler da Tai? A quel pudessast bain dar daplü co als giasts da la gronda cità. Paris es bainschi üna fich bella cità, eu tilla n'ha jent. Eu nu dubitesch neir bricha cha Tü füssast bun da manar ün hotel, mo eu'm dumond, scha quai At fess furtünà. Rich forsa bain. Mo Tü hast amo otras richezzas, Tumasch, Tü est bler plü rich co eu.

Eu am lasch increscher da Tai. Scriva bainbod. . . . e nun invlidar da trametter las betschlas, cur cha Tü vast a chatscha. E scha Tü hast, eir üna fotografia da quella muntogna.

Da cour Karin

(Ladin)   Ord: Cla Biert, «La müdada»

... Ich bin traurig, daß Du Dein Haus verläßt. Du sagst in Deinem Brief nicht, ob Du Deine Landwirtschaft aufgeben willst oder nicht. Ich kann mir nur nicht vorstellen, daß Du für immer in Paris als Hotelier arbeitest. Glaubst Du, du wärst zufrieden? Ohne Deine Wiesen und Deine Berge? Und ohne Dein Dorf, das so viel Hoffnung in Dich setzt? Deinem Heimatdorf könntest Du noch mehr geben als den Gästen in der Großstadt. Paris ist wohl eine sehr schöne Stadt, die auch mir gefällt. Ich zweifle auch gar nicht daran, daß Du nicht in der Lage wärst, ein Hotel zu führen, aber ich frage mich, ob das Dich glücklich macht. Reich vielleicht schon. Aber Du hast noch andere Reichtümer, Tumasch, Du bist viel reicher als ich.

Ich habe Heimweh nach Dir, schreibe bald . . . und vergiß nicht, mir die Arvenzapfen zu schicken, wenn Du auf die Jagd gehst. Und wenn du's hast, auch eine Photo dieses Berges.

Von Herzen Karin

Aus: Cla Biert, «La müdada»

a) Viele Menschen, wenig Boden

In unserer Berghütte in Bavugls, dem Maiensäß meiner Heimatgemeinde Pignia, hängt ein vergilbtes Foto. Das Bild, das mich schon als Kind fasziniert und beschäftigt hat, zeigt meinen «tat», den Großvater Johann Catrina, in sich gekehrt vor einer Holzhütte sitzend. Ein riesiger, stachliger Kaktus neben der einfachen Behausung beweist, daß das Foto nicht im heimatlichen Schamsertal, sondern in Kalifornien, der zweiten Heimat unseres «tat», aufgenommen worden ist. Ich habe den Großvater kaum mehr gekannt; mein Vater

Johann Catrina vor seiner Hütte im kalifornischen Randsburg; die Aufnahme entstand 1912. ▷

sagt über ihn immer wieder: «Wenn der ‹tat› in Kalifornien war, dann hatte er Heimweh nach dem Schams, und wenn er im Schams war, dann zog es ihn wieder nach Amerika.» Mein Großvater betrieb in Pignia mit unserer Großmutter, der «tata», eine kleine Landwirtschaft. Obwohl die Frau in der Dorfschule als Arbeitsschullehrerin noch ein paar Franken dazuverdiente, reichte es nicht, um die größer werdende Familie durchzubringen. Mit ganzen Gruppen von Talbewohnern reiste der «tat» dreimal für zusammen dreizehn Jahre nach Amerika, wo er zuerst auf Farmen, dann in Bergwerken arbeitete und seiner Familie regelmäßig die heißbegehrten Dollar-Checks schickte. Das Foto, das wir wie einen Familienschatz hüten, ist 1912 im kalifornischen Randsburg am Saum der Mojave-Wüste entstanden, wo unser Großvater in einem Erzbergwerk unter beschwerlichen Bedingungen den Lebensunterhalt für sich und zum Teil auch für seine Familie im fernen Romanischbünden errackerte. Gestorben ist er wie mancher Schamser Auswanderer seiner Generation in seinem Heimatdorf; in Pignia fand er auf dem bescheidenen Bergfriedhof die letzte Ruhe. Wie mein Großvater mußten in den vergangenen Jahrhunderten ungezählte Romanischbündner auswandern, viele blieben für immer im fremden Land, viele kehrten wieder zurück. Giari Ragaz erzählt im *Cudasch da Schons,* im Schamser Heimatbuch, eine aus Casti überlieferte Geschichte: «Eines Abends in alten Zeiten saß eine Familie in Casti gemütlich beisammen in der Stube. Plötzlich ging die Türe auf, und ein fremdes Weiblein trat herein, fortwährend vor sich hinmurmelnd. Ihre Laute, die weder romanisch, deutsch noch italienisch waren, konnten die Anwesenden nicht verstehen. Man rief einige Nachbarn herbei. Es hatte solche, die französisch, andere, die holländisch, ja sogar russisch und ungarisch reden konnten; aber die seltsame Sprache der Fremden kannte keiner.» Der Besuch der Alten beschäftigte die Dorfbewohner, wirkte er doch unheimlich und mysteriös. Erstaunlich an dieser Geschichte ist jedoch, daß sich die Leute in einem Dörfchen mit einem halben Dutzend Haushaltungen in sieben Sprachen ausdrücken konnten! Das Val Schons an der Splügen- und Bernhardin-Paßroute gelegen, war nie ein weltvergessenes Tal: Säumer, Handels- und Gewerbetreibende brachten seit urdenklichen Zeiten Leben zumindest in die Talorte Zillis und Andeer. Giari Ragaz vermutet, daß «schon der Anblick des durchreisenden Volkes aus aller Herren Länder und der Umgang mit diesen den Wandertrieb mächtig angeregt haben mag».

Das karge Bergland von Sta. Maria im Val Müstair bis Tschamutt im Tavetsch konnte bei weitem nicht alle Bewohner ernähren. «Gehen müssen» gehört seit langer Zeit zum Lebenslauf vieler Rätoromanen, ja der Wandertrieb ist im Laufe der Jahrhunderte fast zu einem Bestandteil der rätoromanischen Identität geworden.

b) Als Studenten, Soldaten und Gewerbetreibende im Ausland

Wer eine höhere Schule besuchen will, muß sein Tal verlassen und ins fremdsprachige Unterland oder ins Ausland ziehen. Das war früher so, das ist heute nicht anders. Noch vor der Reformationszeit studierten zum Beispiel junge Surselver an den Universitäten von Basel, Heidelberg oder Wien. Engadiner zog es eher an die näheren italienischen Hochschulen, doch auch an französischen und deutschen Universitäten haben sich schon früh Studenten aus dem weltoffenen Inn-Tal ausgebildet.

Der Hauptharst der Auswanderer verließ die Bergtäler jedoch nicht der höheren Bildung wegen: Während dreihundert Jahren, bis anfangs des 19. Jahrhunderts, wirkten die fremden Kriegsdienste magnetisch auf die jungen Männer aus den rätischen Tälern. Wie viele Bündner unter fremden Fahnen Dienst leisteten, ist umstritten. Der Historiker Sprecher kommt für 1734 auf total 10 350 Mann in Frankreich, Österreich, Holland, Spanien und Piemont, was über zwanzig Prozent der damaligen männlichen Bevölkerung Bündens entsprach! Immer wieder machten Soldaten aus dem Bergkanton im Solde fremder Herren Karriere. So stellten die surselvischen Familien Capol, Lombriser, Cabalzar, Vieli, und wie sie alle heißen, zahlreiche Offiziere, die nach ihrer Rückkehr Pensionen von den fremden Soldherren bezogen und die turmbewehrten Patrizierhäuser stolz mit ihren Familienwappen schmückten. Wer es in der Fremde zu etwas gebracht hatte, genoß Ansehen in der Heimat und konnte nach der Rückkehr einer wichtigen Position im Dorf oder im Tal sicher sein.

Die Bärentatze im Wappen der Zuozer Familie Planta ist im Engadin allgegenwärtig. An den Fassaden der mächtigen Patrizierhäuser in Samedan und Zuoz, an Bauernhäusern, Wohntürmen und auf Grabsteinen. Mitglieder dieser großen Bündner Familie sind in Riga und in Venedig begraben, ihr Name ist auf dem Arc de Triomphe in Paris eingemeißelt, die Bildnisse ihrer berühmten Söhne hängen im British Museum in London und in der Universität von Padua. Die Plantas haben in ausländischen Diensten ihre Sporen abverdient, jedoch auch in der Geschichte Graubündens immer wieder ein entsprechendes Wort mitgeredet. Konrad Planta spielte 1512 eine wichtige Rolle bei der Eroberung des Veltlins, Thomas Planta bekleidete wenige Jahrzehnte später das Amt des Fürstbischofs von Chur. Während des Dreißigjährigen Krieges schrieben die Plantas einige blutige Jahrzehnte Bündner Geschichte mit. Alle bedeutenden Bündner Familien erlangten ihre Macht und ihr Ansehen nicht zuletzt dadurch, daß sich ihre Söhne im Ausland hochdienten.

Die Zeit der Reisläuferei neigte sich anfangs des 19. Jahrhunderts dem

Ende entgegen. Das letzte große Kontingent Bündner Soldaten kämpfte unter Napoleon im Rußlandfeldzug. Die meisten dieser unglücklichen Auswanderer kehrten nicht mehr zurück. Die Bundesverfassung von 1848 verbot, mit Ausnahme der päpstlichen Schweizergarde, die fremden Kriegsdienste.

Schon seit jeher machten Rätoromanen im Ausland ihren Weg als Handwerker und Gewerbetreibende. Kein währschaftes Bündner Geschichtsbuch verschweigt die fast unglaubliche Überfremdung des venezianischen Zuckerbäcker-Gewerbes: von 42 Betrieben waren im 16. Jahrhundert 38 fest in Bündner Händen! Das *Cudasch da Schons* listet für das 18. Jahrhundert einige Wohnsitze von Auswanderern aus dem Schams auf. Die längst nicht vollständige Zusammenstellung enthält Städte wie Wladiwostok, St. Petersburg, Königsberg, Krakau oder Berlin. Von vielen Auswanderern weiß der Autor nur das Zielland. Einen Angehörigen der Familie Grischott verschlug es nach Schweden, einen Andrea nach Finnland und einen Dolf nach Ungarn. Damals erreichte der Exodus der Gewerbe- und Handeltreibenden aus Graubünden mit rund 6000 Bündnern im Ausland den Höhepunkt.

Dolf Kaiser listet in seinem Buch *Cumpatriots in terras estras* Hunderte von Städten und Dörfern von Sondrio bis Singapore auf, wo sich Rätoromanen, vor allem Engadiner, in vergangenen Jahrhunderten niederließen! Die begüterten Rückkehrer brachten fremde Ideen in ihre Heimat und schmückten, wie das viele Engadinerhäuser besonders schön zeigen, ihre Häuser mit Stilelementen aus ihren Gastländern. Es galt auch als schick, seinen guten alten romanischen Namen zu modernisieren. Aus Conrad wurde Conradi, aus Pitschen Piccoli; die alteingesessene Engadiner Familie Clanschutti modelte ihren ehrwürdigen Namen in Klainguti um.

c) Amerika, Amerika!

Die nächste große Auswanderungswelle zielte nach Übersee, denn die ökonomischen und politischen Verhältnisse erschwerten die Aufnahme von Immigranten in den europäischen Ländern. Die wirtschaftliche Lage verschlechterte sich ab 1882 in Graubünden, denn in diesem Jahr rollte der erste Eisenbahnzug durch den Gotthardtunnel, was Graubünden eines großen Teils des Transitverkehrs und damit einer wichtigen Einkommensquelle beraubte. Neue Anbaumethoden im Tiefland führten zu billigeren Agrarprodukten. Das zwang die Berglandwirtschaft zu einem schmerzhaften Rationalisierungs- und Schrumpfungsprozeß. Die Folge: immer mehr Junge aus den großen Rätoromanen-Familien mußten ihr Bündel schnüren. Aus Tujetsch, einer Gemeinde mit damals knapp tausend Einwohnern, zogen von 1850 bis

1910 nicht weniger als 240 Personen allein nach Nordamerika. Im «Jahr der vielen» («igl onn dils biars») 1854, als eine besonders große Zahl Bündner Oberländer ihr Tal verließen, überquerten 150 Emigranten aus der Surselva an Bord des französischen Schiffes «St-Paul» den Atlantik in Richtung New York! Am Portal der katholischen Pfarrkirche St. Mary in Washington prangt auf einer großen Erinnerungstafel der Name Mathias Alig (1803–1882). Der Rätoromane aus dem surselvischen Panix amtete als erster Pfarrer der deutschsprachigen Katholiken in Washington! Schon damals galt offensichtlich: Ein guter Rätoromane beherrscht auch die deutsche Sprache.

Die Romanen nahmen ihre Sprache mit in die neue Welt und konservierten das, was sie am intensivsten an die ferne Heimat erinnerte, so gut, daß sie nach Jahrzehnten in Übersee oft «besser romanisch redeten als wir daheim», wie sich eine alte Frau aus dem Albulatal ausdrückt.

*

Auswandern, oft eine bittere Notwendigkeit, entwickelte sich auch zu einer Art Mode: Lange nicht jeder, der sich in Le Havre einschiffte, tat das aus bitterer Not, viele lockte die Fama vom Land der unbegrenzten Möglichkeiten, vom Land des Goldrausches und des schnellen Reichtums. Manche Gemeinde nutzte im übrigen das «Amerikafieber», um Bedürftige oder Rechtsbrecher mit einer kleinen Wegzehrung abzuschieben. Tausende suchten ihr Glück jenseits des großen Teichs, nur wenige machten es wirklich. Die romanischen Mittelbündner zog es nach Kalifornien und später sogar bis nach Australien und Neuseeland. Wer heute das Telefonbuch von San Francisco, Bakersfield, Los Angeles oder San Luis Obispo öffnet, stößt immer wieder auf Namen, die er im Bündner Verzeichnis unter Urmein, Scharans oder Mathon finden kann. Romanisch freilich spricht kaum einer dieser Amerika-Romanen mehr, denn in der zweiten oder dritten Generation erlischt die mitgebrachte Sprache der Ahnen in der Regel. In Patterson im Großraum San Francisco soll jedoch in einer geschlossenen kleinen Siedlung auch heute noch Sutselvisch erklingen, mehrere Familien des Namens Grischott haben sich dort niedergelassen und die Sprache bis auf die jüngste Generation weitergegeben: eine große Ausnahme, ein rührendes Kuriosum! Die Oberländer bevorzugten die US-Staaten Ohio, Wisconsin, Iowa und Minnesota. In South Dakota gründeten Tavetscher eine «Ligia Grischa», legten ihr Geld zusammen und kauften das Land rund um den Lake County. Den See tauften sie in Erinnerung an den Tavetscher Hausberg, den Piz Badus, auf Lake Badus. Romanisch redet in der Siedlung Badus niemand mehr. Der Disentiser Benediktinermönch Pater Ambros, der das surselvische Auswandererdorf kürzlich besuchte, erzählt: «Als Nachfahrin dieser Siedlung mit heute noch etwa 15 romanisch-amerikanischen Familien traf ich Fräulen Agnes Berther. Sie bedauerte, nicht mehr Surselvisch reden zu können, erinnerte sich aber noch gut, wie die Großmutter die Treppe herunterkam, wenn sie als Kinder lärmten und in einem schönen Gemisch von Romanisch und Englisch ausrief: «Ei quei buca awful!» (Ist das nicht schrecklich)

d) Abwandern heute: vom Bauerndorf in die Stadt

«Unsere Kinder müssen fort», erklärt mir ein Bauer auf der Oberhalbsteiner Alp Flix, «wenn sie nicht gehen, sind sie Kalöri!» (Dummköpfe). Und sie gehen! Allerdings kaum mehr nach Venedig, Riga oder Los Angeles, sondern vor allem in die Wirtschaftszentren der deutschen Schweiz. Chur, geistiges und ökonomisches Zentrum Graubündens und seit dem 15. Jahrhundert deutschsprachig, gilt als die «heimliche Hauptstadt» der Rätoromanen. Seit den ersten Volkszählungen machen Romanen ungefähr zehn Prozent der Bevölkerung aus, und das ist bis heute so geblieben. Im Kanton Zürich leben 5600 Rätoromanen, ein Großteil in der Stadt Zürich und den Agglomerationsgemeinden. Auch in Bern, Basel und St. Gallen wohnen Hunderte. Manche Abwanderer leben in der Stadt, ein Teil jedoch auch in kleineren Gemeinden. So unterrichten im Kanton Appenzell überdurchschnittlich viele rätoromanische Lehrer. Von den 51 000 Schweizern, welche bei der Volkszählung 1980 romanisch als Muttersprache angaben, wohnen ungefähr 20 000 nicht mehr im Sprachgebiet in Graubünden. Jean Jacques Furer, der mit seiner Studie *Der Tod des Romanischen* Schlagzeilen machte, vergleicht das rätoromanische Stammgebiet mit dem Wallis. Die Verhältnisse in den beiden Regionen zeigen Parallelen: Tourismus, Landwirtschaft und Nutzung der Wasserkräfte prägen die Wirtschaft; verhältnismäßig spät hielt die Industrie Einzug und erreichte nie dieselbe Bedeutung wie im schweizerischen Mittelland. Traditionell erwiesen sich die Walliser jedoch als viel standorttreuer als die Romanischbündner. Heute noch leben fast achtzig Prozent der Walliser in ihrem Kanton, nur noch vierzig Prozent der Rätoromanen jedoch in ihrem Sprachgebiet! Auch wenn der Kanton Wallis eine reichere Palette an Beschäftigungsmöglichkeiten anbietet als das rätoromanische Territorium, so springt doch die viel größere Mobilität der Romanen ins Auge.

Heute wandern die Romanen aus ihren Berg- ▷
dörfern in die Stadt. Zum Beispiel in die Be-
ton-Gebirge des Churer Rheinquartiers.

e) 100% romanisch, doch seit Jahren keine Geburt mehr

Als ich den Bauern und romanischen Schriftsteller Tani Dolf in Wergenstein am Schamserberg besuche, läuten die Totenglocken. «Wieder haben wir einen alten Mitbürger begraben», sagt Tani Dolf, «was hier oben stirbt, ist romanisch, Geburten können wir kaum noch feiern.» Das war schon die dritte Beerdigung innerhalb weniger Monate, und an den Gräbern trauern viele ältere Leute. Ja in Mathon, Wergenstein und Lohn reden noch fast alle den unverwechselbaren sutselvischen Dialekt, doch die Jungen sind weg. Wer noch nicht verheiratet ist und auswärts arbeitet, kommt am Wochenende regelmäßig ins Elternhaus zurück. Autos mit Unterländer Kontrollschildern beweisen an jenem strahlenden Wintertag, daß sich bei Beerdigungen die in aller Winde zerstreuten Familienmitglieder sammeln.

In Mathon bringen die drei kleinen Kinder der zugezogenen Försterfamilie etwas Leben ins Dorf, in Wergenstein die beiden Enkelkinder Tani Dolfs (sein Sohn führt den Bauernhof der Familie). In Lohn leben acht ältere unverheiratete Männer, die zum Teil mit ihren Eltern die Berglandwirtschaft betreiben. Offenbar ist es für die Bauern alles andere als leicht, eine Frau zu finden; die meisten einheimische Mädchen haben ihre Lebenspartner auswärts gefunden, und Unterländerinnen schreckt vermutlich das harte Tagewerk einer Bergbäuerin.

Besser sieht es in Donath, der größten Gemeinde aus, wo alle Primarschüler des Schamser Berges zur Schule gehen. Hier leben mehrere junge Familien mit Kindern; die Altersstruktur der Bevölkerung ist bedeutend günstiger als in den Dörfern am «oberen Berg».

Tani Dolf schildert die fast ausweglose Lage der Dörfer ruhig, fast resigniert. «Wenn wir die Menschen hätten, dann müßte man sich um unsere Sprache nicht sorgen. Aber so wie es jetzt aussieht, muß ich zweifeln», zieht er Bilanz. Während wir uns in der gemütlichen Bauernstube unterhalten, plaudert auf dem Kanapee das Enkelkind auf schweizerdeutsch mit seiner Puppe. Die Tochter des romanischen Bauerndichters ist im Kanton Appenzell mit einem deutschsprachigen Mann verheiratet und redet mit ihren Kindern nicht mehr Sutselvisch. Die Volkszählung 1980 weist im ganzen Tal noch 576 Romanischsprechende aus, 120 weniger als zehn Jahre zuvor. Noch reden, gemäß Statistik, vierzig Prozent der Schamser Sutselvisch. Der Schamserberg mit den Gemeinden Donath, Patzen, Fardün, Clugin, Lohn, Mathon und Wergenstein glänzt sogar mit sehr hohen Prozentsätzen. Die Statistik lügt zwar nicht, doch sie sagt nicht die volle Wahrheit. Die meisten Jungen sind fort, ältere und alte Menschen sind übrig geblieben. Längst ist die normale Bevölkerungsstruktur aus dem Lot geraten.

Die Jungen gehen, die Alten bleiben. ▷

«Gehen müssen» gehört seit vielen Generationen zum Lebensgefühl der Rätoromanen. Wer in einer großen Bergbauernfamilie aufwuchs, konnte sich an den Fingern einer Hand ausrechnen, daß der heimatliche Boden nicht allen Geschwistern eine Existenz bieten konnte. Mein Großvater, wie viele seiner Altersgenossen, mußte einen Teil des Familieneinkommens in Amerika als Fremdarbeiter verdienen, denn der kleine Bauernhof konnte die achtköpfige Familie nicht ernähren. Sein ältester Sohn Joachim übernahm die Landwirtschaft, Peter, der zweite Sohn, lernte Schreiner und arbeitete im Tal, mein Vater fand in Chur eine Lehrstelle als Schlosser. Christian, der jüngste Sohn, bildete sich auf der landwirtschaftlichen Schule Plantahof aus und verdiente sich seinen Lebensunterhalt zuerst als Meisterknecht, dann übernahm er außerhalb des romanischen Gebietes Pachten von Bauernbetrieben. Annina, die ältere Tochter, arbeitete im Unterland im Gastgewerbe und lebt jetzt mit ihrem Mann im Kanton Freiburg, Gretli, die jüngste, heiratete einen Landwirt im Tal. Drei der sechs Kinder mußten also das romanische Territorium verlassen. Ein Beispiel von vielen, das eher noch unter dem Durchschnitt liegt, denn in manchen Bauernfamilien blieben nur ein oder zwei Nachkommen im Tal.

f) Auszug der Elite: Engadin als Exempel

In den Biographien vieler Rätoromanen erweist sich die Zeitspanne zwischen dem 16. und ungefähr dem 20. Altersjahr als Abschnitt der Wende. In diesen kritischen Jahren der Persönlichkeitsentwicklung hat mancher Romane im deutschen Sprachraum die Lehre gemacht oder in Chur die Kantonsschule absolviert und ist dann, wie es Rätoromanen im Gespräch immer wieder ausdrücken, «hängengeblieben». Wer eine Hochschule besucht, verbringt wichtige Jahre seines Lebens in städtischen Verhältnissen, die sich von den Lebensbedingungen im Heimattal diametral unterscheiden.

Früher, in einer von der Landwirtschaft geprägten Region, *mußte* ein Teil der jungen Rätoromanen gehen. In den letzten Jahrzehnten, so scheint es, *wollten* viele gehen oder nach der Ausbildung nicht mehr in die Heimat zurückkehren. Das Engadin bietet sich als gutes Exempel an, denn hier kontrastiert ein breites Stellenangebot mit einem auffallenden Manko an ladinischen Bewerbern. Wenige junge Engadiner interessieren sich für einen Beruf im Gastgewerbe, dem dominierenden Arbeitgeber. Das Angebot ist auch in andern Sparten groß: Aus einem breiten Spektrum von immerhin 57 Lehrberufen kann der Schulabgänger im Hochtal des Inn auswählen (Schweiz insgesamt 260 Lehrberufe). Nur gerade jeder fünfte Engadiner Lehrling absolviert darum seine Ausbildung nicht im Tal. Schon die Lehre bringt freilich für viele einen Ortswechsel, denn weitaus die meisten Ausbildungsplätze werden im wirtschaftlich blühenden Oberengadin angeboten. Unterengadiner aus verhältnismäßig intakten romanischen Gemeinden fühlen sich oft in dieser vom Tourismus dominierten Umwelt nicht wohl und ziehen nach der Ausbildung weg, manchmal zurück in die engere Heimat, oft aber ins deutschsprachige «Unterland». Die traditionellen Gegensätze zwischen dem Unter- und dem Oberengadin manifestieren sich im typischen Ausspruch eines Zernezer Handwerkers: «Nein, dort oben in St. Moritz möchte ich nicht arbeiten, dann lieber ganz im Unterland.» Tatsächlich betrachten viele Unterengadiner das Gebiet rund um die internationale Touristik-Metropole als etwas Fremdes, ja Suspektes.

Das schon beträchtlich germanisierte Oberengadin als Wirtschafts-Schwerpunkt des Tales bedeutet eine Hypothek für die ladinische Sprache; noch fataler für die kulturelle und geistige Substanz des Tales wirkt sich *der Exodus der Elite*» aus, wie es eine ältere, gebildete Dame in Pontresina formuliert, ein Schlagwort, das nach maßloser Übertreibung klingt. Dazu ein paar Fakten: an den drei regionalen Mittelschulen in Samedan, Zuoz und Ftan sind rund hundert Lehrkräfte beschäftigt, ganze zehn Prozent davon sind Ladiner! Von den siebzig Ärzten, die im Engadin oder im Münstertal eigene Praxen betreiben oder in einem der Spitäler arbeiten, stammen fünfzehn aus der Region. Auch bei anderen Berufsgruppen mit höherer Ausbildung, zeigt sich ein ähnliches Bild. Auffallend auch, daß in den touristischen Spitzenpositionen sehr viele Auswärtige sitzen. Es gibt sie natürlich, all diese Engadiner Spitzenkräfte, denn irgendwo müssen sie ja leben, die vielen gescheiten Absolventen der regionalen Mittelschulen und der Kantonsschule in Chur, die später an den großen Hochschulen des In- und Auslandes ihren Doktor machen, das Anwaltsexamen bestehen oder das Diplom als Mittelschullehrer in Empfang nehmen. Dem Münstertaler Rico Parli, seit Jahren Pfarrer in Zuoz, brennt das Problem auf der Zunge: «Es stellt uns ein schlechtes Zeugnis aus, daß wir unsere Kaderstellen, die Schlüsselpositionen, nur zu einem so kleinen Teil durch Einheimische besetzen können!» Parli hat schon oft abgewanderten Fachkräften telefoniert, wenn eine entsprechende Stelle im Tal zu besetzen war, doch er bekam «nichts als Körbe». Er erklärt sich die große Absenz zum Teil psychologisch: «Viele sind nur bereit, zurückzukommen, wenn sie hier die erste Geige spielen können, auch wenn sie im Unterland nur das Triangel bedienen.» Immer wieder entschließen sich jedoch auch Engadiner zum Bleiben oder zur Rückkehr; ein Trend, der verstärkt bei der jungen Generation zu beobachten ist. Die «Uniun dals Grischs» veröffentlicht jeweils in der satirischen Zeitschrift «Il Chardun»

Stelleninserate in Ladinisch. Im Laufe der Jahre konnte der Verantwortliche, Domenic Gisep, Hunderte von einheimischen Arbeitskräften vermitteln! Absolventen höherer Schulen beanspruchen diesen Stellenmarkt allerdings selten.

*

Viele Rätoromanen mit höherer Schulbildung aus allen romanischen Regionen sind in Chur tätig, eine große Zahl hat ihre Zelte noch tiefer im deutschsprachigen Gebiet aufgeschlagen. «Ich mußte gehen, weil ich im Sprachgebiet keine Stelle fand», ist ein Klischee-Satz, den Rätoromanen im Unterland fast wie eine Entschuldigung formulieren. Für einen Chemiker, einen Computerfachmann oder einen Börsenspezialisten entspricht das sicher der vollen Wahrheit, für andere Berufsgruppen mit Bestimmtheit nicht. Nur wenige geben auf Anhieb zu, daß sie ihre berufliche Karriere lieber in einem Umfeld aufbauten, wo nicht jeder jeden kennt, wo man sich freier und vielleicht auch anonymer fühlen kann als im Kraftfeld seiner engeren Heimat, einer kleinräumigen Welt, wo man sich rasch exponiert. Wer einmal Stadtluft geschnuppert hat, der überlegt es sich offenbar zweimal, ob er sich beruflich im Engadiner Klima behaupten will. In der Freizeit, am Wochenende und in den Ferien fühlen sich fast ausnahmslos alle eng mit ihrer alten Heimat verbunden.

g) Heimat als Ferienlandschaft

Cla Biert, der kürzlich verstorbene ladinische Schriftsteller, der nicht etwa in seiner Heimatgemeinde Scuol, sondern in Chur Sekundarschüler unterrichtete, muß als selbst Betroffener um die Gespaltenheit, ja Zerrissenheit der Exilromanen gewußt haben. Ich selbst drückte im Quaderschulhaus in Cla Bierts Schulzimmer die harten Holzbänke und erlebte diesen imposanten Mann irgendwie als entwurzelt. Einmal sagte er: «Heimweh haben ist noch lange nicht das gleiche wie heimkommen wollen.»

Der «Brain-Drain», wie es die Amerikaner nennen, der Abfluß von Intelligenz also, bedroht nicht nur die Eigenständigkeit und die kulturelle Identität des Engadins, er macht, abgeschwächt, auch der Surselva zu schaffen und laugt die Täler Mittelbündens und das Oberhalbstein aus. Würde sich der Strom in ein romanisch sprechendes Chur ergießen, dann müßte man sich um die Zukunft der vierten Sprache unseres Landes weniger Sorgen machen. Der große Stadtbrand und seine Folgen hat die Rätoromanen jedoch definitiv ihres natürlichen Zentrums beraubt. In Chur lebt der Hauptharst der räto-

romanischen «Intelligenzia», darunter auch der Bündner Oberländer Clemens Pally, Leiter der Churer Programmstelle der SRG. In Curaglia im Val Medel als Sohn eines Schmiedes aufgewachsen, besuchte Clemens Pally das Gymnasium im Kloster Disentis und studierte anschließend an der Universität Fribourg. Während zehn Jahren erteilte er in Curaglia Unterricht als Sekundarlehrer, bis er schließlich aus wirtschaftlichen Gründen in die Hauptstadt zog. «Es war damals mit der Halbjahresschule fast nicht möglich, eine Familie durchzubringen», erklärt Clemens Pally und gesteht: «Ich bin heute noch ganz Medelser. Wir leben hier in Chur unter viel günstigeren wirtschaftlichen Bedingungen und fühlen uns dennoch unserer Heimat stark verbunden. Diesen Konflikt tragen wir alle ein Leben lang aus. Wir sind nicht im Gebiet mit den Lawinen und den Felsstürzen, das erzeugt Schuldgefühle, ein schlechtes Gewissen, ein Unwohlsein, gerade weil unsere Sprache in Not ist. Wir tun etwas für das Rätoromanische am Radio, am Fernsehen, ja, aber wir leisten das unter günstigen Voraussetzungen.» Der weißhaarige Surselver wirkt sehr nachdenklich, schließlich meint er fast entschuldigend: «So oder so müssen immer wieder Fähige abwandern. Wenn man all diese Techniker, diese Spezialisten in unseren Tälern beschäftigen wollte, müßte man so vieles an Labors und Fabriken in unsere Landschaft stellen, daß bestimmt große Opposition entstünde. Abwandern ist ein Zwang für viele von uns.»

Kaum einer der «Exilromanen» formulierte die Konfliktsituation so ehrlich wie Clemens Pally. Fast jeder bewies sich und dem Gesprächspartner mit plausiblen Gründen, warum er nicht mehr im Gebiet lebt, wo er seine Muttersprache zwanglos reden könnte. Fast keiner gab offen zu, daß er diese Heimat nur noch als Ferienlandschaft, als erinnerungsträchtiges Szenario für Stunden der Muße erträgt. Und viele haben das gleiche vor wie der ladinische Schriftsteller Andri Peer, der gegenwärtig noch Mittelschüler in Winterthur unterrichtet und mir sagte: «Nach der Pensionierung kehre ich nach Lavin zurück.»

Viele, die sich im Unterland eine Existenz aufbauten, haben im Tal ihrer Jugend ein Haus geerbt oder gekauft, ein Refugium für Erholung mit der Familie und für den Lebensabend.

Die «Heimwehromanen» wecken bei den Einheimischen zwiespältige Gefühle. Die Menschen, die «im Gebiet mit den Lawinen und den Felsstürzen» leben, haben ein feines Sensorium für die, welche noch ganz zu ihnen gehören, und die andern, die nur noch die Freizeit im Dorf ihrer Jugend verbringen. Gärtnermeister Steivan Müller in Susch: «Sie verdienen gutes Geld im Unterland und wollen uns dann hier vorschreiben, was wir zu tun hätten. Was mich besonders stört, ist, daß sie sich gegen jede wirtschaftliche Entwicklung stellen.» Für den Heimwehbündner bedeutet jede Veränderung in seinem Heimatdorf eine Schändung von Jugenderinnerungen. Was Wunder, daß er sich von der Bastion seines stilvoll renovierten Hauses aus für eine intakte Landschaft und ein lupenreines Romanisch und gegen Ferienhäuser, Aparthotels und Bergbahnen engagiert?

Erfrischend offen kommentiert ein gebürtiger Oberländer, der in Sta. Maria im Münstertal das Amt des Polizisten versieht, das Thema «Exodus»: «Als Grund für einen Ortswechsel kommt ganz am Anfang das Geld, dann vielleicht noch die Religion und am Schluß die Sprache. Deutsch können wir Romanen ja alle, dann spielt der sprachliche Tapetenwechsel keine große Rolle mehr.»

h) Chur, die deutschsprachige Hauptstadt der Rätoromanen

«Tscheiver romontsch» im Hotel Marsöl in Chur, der Vereinsabend des surselvischen «Chor viril Alpina». Hunderte von Bündner Oberländern, die sich in der Kantonshauptstadt niedergelassen haben, füllen den großen Saal. Auf der Bühne formiert sich der «Chor viril», der Männerchor der Surselver in Chur. Scit 1898 pflegt dieser Gesangverein das romanische Liedergut, gleich wie der 1927 gegründete «Chor mischedau Rezia», der Gemischte Chor der Churer Romanen. Zuerst erklingt das beschwingte Lied «O cara Rosina», begeistert applaudiert von einer heiteren Gesellschaft. Mit dem «Chor viril» steht der ganze Querschnitt der Bündner Oberländer Bevölkerung in Chur auf der Bühne. Der Rangierarbeiter bei der RhB singt neben dem Alt-Regierungsrat, der Chauffeur neben dem Kantonsschullehrer. In den Pausen zwischen den romanischen Liedern ertönt an den langen Tischen in angeregten Gesprächen das Idiom der Surselva, als fände der Anlaß in Disentis oder Trun statt. Der große «Chor mischedau romontsch scola cantunala» schmettert als Gastchor einige Lieder und beweist die surselvische Präsenz an der Kantonsschule in Chur. Traditionell gelten die Oberländer als sangfreudiges Volk; «Alpina» und «Rezia» sind denn auch die beiden Vereine mit den meisten surselvischen Mitgliedern in Chur. Das Theaterstück «Sin tscherca d'ina spusa», mit einer Brautschau als Angelpunkt der Handlung, beschließt den romanischen Teil der Produktionen. Darauf spielt das Liechtensteiner «Trio Babylon» zum Tanz auf, Beweis, daß die Surselver auch für einen internationalen Sound empfänglich sind.

*

Die Schweiz ist das am besten kartographierte Land der Erde. Wir kennen zwar die exakte Meereshöhe jedes Felszackens in Romanischbünden, doch soziologische Daten über die Wanderbewegung der Rätoromanen in Richtung Stadt sind kaum verfügbar! Chur, das wirtschaftliche und kulturelle Zentrum des Kantons, gilt mit seinen 3300 Rätoromanen als heimliche Hauptstadt der aufgesplitterten Sprachgruppe. Wie viele Romanen aus den einzelnen Tälern nach Chur geströmt sind, welcher sozialen Schicht sie angehören und warum sie die engere Heimat verließen, hat noch kein Soziologe erfaßt. Anders als zum Beispiel in den USA, wo solche Daten in viel reicherem Maß vorhanden sind, bleibt man in unserem Land auf Schätzungen und Vermutungen angewiesen. Offensichtlich, daß sich in Chur ein guter Teil der rätoromanischen Elite sammelt, denn hier wirken die wichtigsten Institutionen der Sprachbewegung: Die «Lia Rumantscha», das Institut «Dicziunari Rumantsch Grischun», die rätoromanische Programmstelle der SRG und natürlich die romanische Abteilung an der Kantonsschule und am Lehrerseminar. Wie Bernard Cathomas in seiner Dissertation *Erkundungen zur Zweisprachigkeit der Rätoromanen* auflistet, sind fast die Hälfte der Churer Sekundarlehrer, über vierzig Prozent der Werkschullehrer und ungefähr je zwanzig Prozent der Volksschul- und der Kantonsschullehrer Rätoromanen. In der Hauptstadt des Mehrsprachen-Kantons wohnen ein surselvischer Nationalrat und ein Ständerat aus der gleichen Region, hier praktizieren Engadiner Ärzte, ein Schamser Rechtsanwalt, surmeirische, surselvische und Münstertaler Architekten. In der Kantonalen Verwaltung sind die Romanen von der Sekretärin bis zum Kanzleidirektor stark vertreten.

Der Zug der Elite in die Stadt ist ein weltweit zu beobachtendes Phänomen (Ausnahmen, auch bei den Rätoromanen, bestätigen nur die Regel). Die Stadt wirkt jedoch nicht nur auf die sogenannte Intelligenz magnetisch, sondern zieht auch die ländlichen Bevölkerungskreise, Ungelernte und Berufsleute, mächtig an. Peter Egloff, mütterlicherseits Bündner Oberländer und in Zürich zweisprachig, surselvisch-deutsch, aufgewachsen, untersuchte in seiner Lizentiatsarbeit die sozio-kulturelle Situation der Bündner Oberländer Romanen in Chur. Der Volkskundler befragte ausschließlich Einwanderer, die in der Surselva in bäuerlichen Verhältnissen aufwuchsen und ihren Lebensunterhalt meist als ungelernte oder angelernte Arbeiter und Angestellte verdienen.

Das Bündner Oberland, mit rund 15 000 Rätoromanen das gewichtigste Bollwerk der gefährdeten Sprache, ist längst nicht mehr das fast reine Landwirtschaftsgebiet, das es einmal war. Der Anteil der Bauern sackte je nach Bezirk auf 20 bis 30 Prozent der Erwerbstätigen ab. Während die Bevölkerung in den sechziger und beginnenden siebziger Jahren in den Bauerndörfern der Surselva stark schrumpfte, erhöhte sie sich in Chur um mehrere tausend Einwohner. Wie Peter Egloff in seinen Gesprächen, vorwiegend mit Vertretern der mittleren und der älteren Generation, erfuhr, verließ kaum jemand sein Dorf gerne. Die ökonomische Situation ließ jedoch keine andere Wahl. Frauen wie Männer arbeiteten vor dem Auszug noch zum Teil in der Landwirtschaft und sicherten sich ihre Existenz durch eine Saisonstelle, zum Beispiel in einem Gastbetrieb oder als Chauffeur. Eines Tages, oft mit der Heirat, verließen die befragten Surselver dann ihr Dorf und zogen nach Chur. Ein jüngerer Chauffeur, der mit seinem gepachteten Bauernbetrieb im Oberland auf keinen grünen Zweig kam, erklärt: «Und dann bin ich eben nach Chur gekommen. Warum zum Teufel ausgerechnet nach Chur, weiß ich eigentlich selber nicht. Ich habe die Lastwagen-Prüfung gemacht, als ich plante mit dem Bauern aufzuhören, und durch ein Inserat habe ich dann diese Stelle hier gefunden.»

Es gilt als gesichert, daß der Bevölkerungsverlust in der Surselva (− 7 Prozent zwischen 1960 und 1970) zu einem guten Teil auf das Konto der Stadt Chur ging. Wanderverluste in ähnlichen Größenordnungen mußten auch andere romanischsprachige Täler in Kauf nehmen, wenn auch da und dort die Touristenzentren (Beispiel: Savognin) den Auszug bremsten.

*

Auch meine Eltern gründeten die Familie in Chur, weil mein Vater hier bei seinem Lehrmeister eine Stelle fand. Was Peter Egloff durchwegs bei seinen Gesprächspartnern fand, trifft auch für unsere Familie zu: eine starke Bindung an das Heimattal. Sommer für Sommer verbrachten wir die Ferien im Pignier Maiensäß Bavugls in einer Berghütte mit Petrollicht, das Wasser holten wir bei der Quelle am Bach. Hier, wo mein Vater Wildheu eingebracht und die paar Kühe der Familie gehütet hatte, fühlen wir uns auch heute noch wohl. Meine ganz persönliche Beziehung zum Bürgerort Pignia ist durch diese Bergferien und die Wochenenden zu allen Jahreszeiten geprägt worden. «Heimat» bedeutet für mich weniger das Churer Rheinquartier, wo die Spielgründe meiner Jugend längst durch Häuser und Straßen zugemauert sind, Heimat bedeutet für mich das sonnenverbrannte Maiensäß, die Felsblöcke in der Magnacla und der Piz Beverin. Doch ungebrochen ist meine Beziehung zu diesem Flecken Erde nicht. Meine Eltern redeten mit uns nur deutsch (die Mutter wuchs in Zillis praktisch deutschsprachig auf). In diesen Monaten, wo ich mich intensiv mit dem Rätoromanischen befasse, wird mir gerade in Bavugls schmerzlich bewußt, daß ich das vertraute Schamserromanisch zwar verstehen aber nicht sprechen kann. Wie ich mich erinnere, redeten die Pignier Bauern mit uns Churer Kindern immer deutsch, mit dem Vater jedoch romanisch.

Bei der letzten Volkszählung habe ich, korrekt, Deutsch als Muttersprache angegeben, dennoch fühle ich mich schlecht, wenn die alten Pignier Bauern mit mir deutsch reden wollen, und ermuntere sie, romanisch zu sprechen. Doch das wirkt, nach fast vierzig Jahren, konstruiert. Ebenso sonderbar, wie wenn ich plötzlich an den paar Tagen, wo ich in Bavugls weile, die Sprache meiner Väter radebrechen wollte. So bleibt ein Rest Unbehagen und die Erkenntnis, daß sich das Rad nicht zurückdrehen läßt. Die romanische Sprache kann auf die Länge mit Sicherheit nur in ihrem Territorium gedeihen. Selbst wenn die Exilromanen in Chur und all den anderen Zielorten der Wanderbewegung mit ihren Kindern noch romanisch reden: in der nächsten Generation erlischt es fast immer, signalisiert höchstens noch der Familienname die sprachliche Herkunft.

i) Das Dorf in der Stadt

Nach der Sonntagsmesse in der Erlöserkirche im Churer Rheinquartier füllt sich das Restaurant «Astoria» immer fast bis zum letzten Platz mit Bündner Oberländern. An den Tischen wird dann ausschließlich surselvisch diskutiert und politisiert, als säße man nach der Landsgemeinde in der «Casa Cumin» in Disentis. Die Frauen fehlen in diesen sonntäglich herausgeputzten, gutgelaunten Gruppen von Frühschöpplern, denn sie rüsten daheim das Gemüse und stellen den Braten aufs Feuer. Der Sonntag läuft genau so ab wie damals, als man noch im Dorf in der Surselva wohnte. Dörfliche Verhaltensmuster prägen das Leben der ländlichen Einwanderer der ersten und vielleicht auch der zweiten Generation. Für die katholischen Sursilvans in Chur ist der Kirchgang am Sonntag so selbstverständlich wie für andere Stadtbewohner das Ausschlafen. Die Stammtischrunde in einem der Oberländer Treffpunkte gehört, wie damals in Villa oder Andiast, ebenso selbstverständlich zum gesellschaftlichen Leben der Männer. Im «Marsöl», im «Radi» und im «Rätushof» treffen sich eher Angehörige der Mittel- und Oberschicht, während «Rheinkrone» und «Frohsinn» bei Sursilvans beliebte Arbeiterbeizen sind. Im «Astoria», wo Servietöchter aus dem Oberland ihre Stammgäste in der heimischen Sprache bedienen, finden sich Surselver aller Schichten zusammen. Wie Peter Egloff schreibt, gelten die Einwanderer aus der bäuerlichen Schicht der Surselva als zuverlässige Arbeiter, die ihre Stelle kaum je wechseln. Diese Feststellung betrifft vor allem Vertreter der mittleren und älteren Generation, Menschen, die auch ihre Freizeit nach fast unumstößlichen Regeln gestalten: Messe, Stammtisch und romanischer Verein gehören dazu wie die regelmäßigen Fahrten ins heimatliche Dorf, wo man bei der

Chur, die deutschsprachige Hauptstadt der ▷
Rätoromanen.

Heuernte mithilft, einen Garten pflegt oder dem Bruder bei der Reparatur des elterlichen Hauses hilft. Was für die Oberländer gilt, trifft teilweise auch für die Einwanderer aus anderen romanischen Regionen zu. Die Schamser Familien aus unserem Churer Bekanntenkreis verbringen Freizeit und Ferien zu einem guten Teil in heimatlichen Gefilden. Eine in Zillis geborene Frau sagte mir einmal: «In Chur bleiben wir am Wochenende nur, wenn wir unbedingt müssen.» Die Söhne dieser Familie zeigen – auch das ist typisch – bereits ein viel lockereres Verhältnis zum Heimattal ihrer Eltern und sprechen deutsch.

k) «Hier redet man deutsch!»

Authentische Szene in einem Laden im Churer Rheinquartier: Eine Hausfrau aus dem Bündner Oberland redet mit ihrem Sohn im Primarschulalter romanisch. Plötzlich unterbricht er die Mutter brüsk: «Hör auf, romanisch zu reden!» – «Warum denn nur?» fragt die Mutter überrascht. – «Hier in Chur redet man deutsch», gibt der Sohn zur Antwort. – Darauf die Mutter: «Grad extra rede ich romanisch, ich bin solz darauf Romanisch zu können!» Die Frau meint nachdenklich: «Ich habe gespürt, daß er sich schämt vor den andern Leuten, weil sie merken könnten, daß er ein Oberländer ist.»

Eine andere Oberländerin in Chur: «Der zweite Bub, der hatte schon enorme Schwierigkeiten in der Schule. Da hat es mich oft gereut, daß wir in der Familie romanisch geredet haben. Der Mann sagte immer: Rede du deutsch mit ihnen, ich kann nicht deutsch reden. Aber daß eines deutsch redet mit den Kindern und das andere romanisch, das ist auch schwierig, das geht nicht.» Die beiden Zitate lassen etwas ahnen von den sprachlichen Problemen vieler Bündner Oberländer in Chur, sie machen verständlich, daß die Sursilvans in der Freizeit gerne unter ihresgleichen sind, wo sie reden können, wie ihnen der Schnabel gewachsen ist. Unter den Rätoromanen in Chur bilden die Einwanderer aus der nahen Surselva den Hauptharst. Wo man einem Engadiner oder Mittelbündner in Chur großmütig die romanische Färbung des Bündnerdeutschen verzeiht (oder oft als sympathisch lobt!), da muß der Surselver immer wieder Spott wegen seines typischen romanischen Akzents erdulden. Es sind vor allem die rollenden «r» und die unverwechselbaren «ä», welche den waschechten Churern aufstoßen. Schon während meiner Jugendzeit lautete das Klischee für den Oberländer: Stockkatholisch, hinterwäldlerisch, bäurisch und sprachlich unbeholfen. Typisch, daß wir nie versuchten, dieses Stereotyp etwas aufzukratzen. Als Churer (als der auch ich mich fühlte), fuhr man beispielsweise viel eher ins entfernte Engadin oder nach

Zürich; weiter als bis an den Caumasee in Flims zum Badeplausch stießen wir nie in die Surselva vor: Das Bündner Oberland war für mich lange das unbekannteste Gebiet Graubündens, obwohl es 25 Kilometer vor den Toren Churs beginnt!

Die Animositäten zwischen der selbstbewußten Kapitale des Mehrsprachen-Kantons und der Surselva müssen tiefe Wurzeln haben und reichen sicher bis in die Reformationszeit zurück, wo sich Fronten zwischen dem mehrheitlich reformierten Chur und dem großen «katholischen Block» am Vorderrhein bildeten. Die geschlossene bäuerlich-katholische Gesellschaft mit einer als fremd empfundenen Sprache bewirkte, daß sich Chur gegen die Surselva abgrenzte. Die ländliche Bergregion mit ihrem großen Bevölkerungsüberschuß galt zudem lange als wichtiges Rekrutierungsgebiet der wohlhabenden Churer für Dienstboten. Traditionell heuerten auch Engadiner Hoteliers im Bündner Oberland Zimmermädchen, Portiers und anderes Personal für ihre Häuser an. Schließlich grenzt sich die Surselva als fast homogener konservativer CVP-Block auch politisch gegen das parteipolitisch vielgestaltigere Chur ab. Die Spannung zwischen den Sprachgruppen entlädt sich in Rätiens Kapitale zum Glück nicht auf die belgische Art mit brennenden Barrikaden und wüsten Parolen an den Hauswänden, sondern in Witzen, welche die Surselver – Zeichen eines gesteigerten Selbstbewußtseins – mit mehr Gelassenheit als früher ertragen, obwohl alle eine ähnliche, diskriminierende Pointe haben. Beispiel: Ein Oberländer und ein Basler sitzen zusammen im St. Jakobs-Stadion in Basel und sehen sich einen Fußballmatch USA–Schweiz an. Wenn die Amerikaner ein Goal schießen, springt der Surselver freudig klatschend auf. Warum er denn immer für die Gegner klatsche, fragt unwillig der Kollege. «Gegner?» antwortet perplex der Surselver. «Das sind unsere! USA ist doch die Abkürzung für ‹Uniun Sportiva Andiast›.» (Sport-Verein Andiast, eines Oberländer Dorfes.)

l) Romanische Wurzeln in fremdem Boden

«Romanisch in meinem Busineß?» Silvio Pozzoli lacht. «Ausgeschlossen! Oft komme ich ja mit Deutsch nicht durch.» Pozzoli ist mit einem romanisch sprechenden Vater und einer Deutschschweizer Mutter in Samedan aufgewachsen. «Die Mama lernte Romanisch, aber eben so wie Unterländer das lernen können», erklärt er, «eigentlich bin ich dreisprachig groß geworden, denn in unserer Familie wurde auch noch italienisch geredet. Romanisch kann ich dennoch als meine Muttersprache bezeichnen.» Nach einer kaufmännischen Lehre bei den Emser Werken arbeitete er längere Zeit in der

Industrie und betreibt jetzt in Zizers bei Chur eine Textil-Agentur, ein Geschäft, das international textile Rohstoffe vermittelt. Während unseres Gesprächs läutet immer wieder das Telefon; einmal spricht der ausgewanderte Engadiner deutsch, dann französisch und in einem Gespräch, wo es um den Transfer ägyptischer Baumwolle geht, englisch. «Nein, in Samedan könnte ich mein Geschäft nicht betreiben», meint er, «das wäre zu weit weg vom Schuß.» Auf die Frage, warum er denn sein schönes Tal für eine kaufmännische Lehre, die er doch sicher auch in Samedan oder St. Moritz hätte absolvieren können, verlassen habe, antwortet Silvio Pozzoli: «Der Engadiner will als junger Mensch fort, und dann bleibt er er meist im Unterland oder, wie ich, in der Gegend von Chur hängen. Wenige meines Jahrgangs sind zurückgekehrt.» Während unseres angeregten Gesprächs serviert ein Töchterchen des Import-Export-Spezialisten den Kaffee und wechselt ein paar Worte in Schweizerdeutsch mit dem Papa. Das Mädchen redet nicht romanisch, denn seine Mutter ist Deutschschweizerin.

Obwohl also die Muttersprache weder im familiären noch im beruflichen Leben heute eine Rolle spielt, hat Silvio Pozzoli in Zizers eine Rätoromanen-Vereinigung gegründet. «Nein, nichts Fanatisches», wehrt er ab, «wir treffen uns einfach zum Vergnügen. – So mit vierzig Jahren», erklärt er seine Initiative, «besinnt man sich auf seine Wurzeln, und da kam mir die Idee, daß die Ladiner in Zizers doch hie und da zum gemütlichen Hock zusammensitzen könnten. Jetzt treffen sich zwei Dutzend regelmäßig in der «Stüva Colani», benannt nach dem legendären Engadiner Jäger, im Restaurant «Vial» in Zizers, das von einem Ladiner geführt wird. «Wir wollen unsere Muttersprache nicht etwa retten», hält Pozzoli fest, «retten tönt nach aufpäppeln, nein wir kommen ganz einfach zusammen, um romanisch zu reden, weil es für uns ein Bedürfnis ist.» Ihm ist aufgefallen, daß die Gesprächsrunde voller Enthusiasmus reden will, daß aber der Wortschatz der Exil-Engadiner enttäuschend zusammengeschrumpft ist. Der *Dicziunari,* das Wörterbuch, muß bei den Konversationen immer wieder in die Bresche springen. Auf meine Frage, ob auch Vertreter anderer Idiome der Gruppe beitreten könnten, meint der Gründer: «Da scheiden sich die Geister wahnsinnig. Wir sind heute der Ansicht, daß das den Todesstoß für einen solchen Zirkel bedeuten würde. Mir beispielsweise ist die Surselva, die ganze Bündner Oberländer Kultur etwas Fremdes.» Der weitgereiste, weltoffene Mann, der mit Geschäftspartnern rund um den Globus in Kontakt steht, erinnert sich seiner Wurzeln, doch diese Wurzeln sind nicht «rätoromanisch», sondern «ladinisch».

m) «L'Uniun romontscha da Berna»

In der Arvenstube des Berner Casinos strömen festlich gekleidet rund vierzig
Mitglieder der «Uniun romontscha da Berna» zur Generalversammlung
zusammen. Kein Zufall, daß sich die Romanenvereinigung der Bundesstadt
gerade im Casino trifft, denn als Gerant waltet hier der Surselver Mario
Decurtins, der offenbar lieber in Bern einen Gastbetrieb leitet als in Disentis
oder Sedrun. Einmal im Monat treffen sich die Mitglieder des Clubs, sei es zu
einer romanischen Dichterlesung, zum gemütlichen Schwatz, zu einem öku-
menischen Gottesdienst in der Muttersprache oder zu einem Vortrag des
Sekretärs der «Lia Rumantscha» über aktuelle Probleme der romanischen
Sprache. Alle 200 eingeschriebenen Mitglieder sind freilich bei keinem Anlaß
präsent; neben einem festen Stock von Unentwegten tauchen immer wieder
neue Gesichter auf. An der Generalversammlung überrascht der große Anteil
an jungen Teilnehmern. Eine Oberländerin, gut an ihrem Akzent erkennbar,
schaut mich unsicher an, begrüßt mich schließlich auf deutsch und meint
lachend: «Bei neuen Gesichtern weiß man nie so recht, wie man reden soll.»
Auf meinen Einwand, das sei doch ein Romanenclub, entgegnet sie entwaffnend: «Ich weiß doch nicht, ob Sie Engadiner sind, mit denen rede ich
deutsch.» Die hohen Berge, welche im Land der 150 Täler die Sprachengruppen seit urdenklichen Zeiten trennen, sind hier in Bern doch so weit abge-
baut, daß sich Vertreter *aller* romanischen Idiome im gleichen Verein sammeln, doch mit der Verständigung in der gemeinsamen Sprache hapert es
offensichtlich immer noch ein bißchen.

Präsident Sigisbert Lutz, ein Surselver, schlägt mit einem Löffel an sein
Weinglas, das rätische Sprachengewirr verstummt, die Generalversammlung
kann beginnen. Zuerst läßt er das vergangene Jahr Revue passieren, ein
bunter Strauß teilweise anspruchsvoller Veranstaltungen beweist, daß sich die
«Uniun romontscha da Berna» nicht mit romanischen Stammtischrunden
zufrieden gibt. Die Kasse zeigt einen erfreulichen Aktivsaldo von fast 2000
Franken, obwohl zwei Dutzend Mitglieder es versäumt haben, den bescheidenen Jahresbeitrag von 20 Franken zu überweisen. Jetzt kommen die Kontakte
zu den andern Bündner-Vereinigungen in Bern zur Sprache, der «Pro Grigioni italiano», dem Club der Italienischbündner, und dem sehr aktiven
Bündnerverein mit immerhin 500 Mitgliedern. Hier tritt das Romanische
zurück, denn hier treffen sich Vertreter alle Sprachengruppen, welche sich
Bern als ihre Wahlheimat auserkoren haben. Sigisbert Lutz hebt stolz den
großen Erfolg der romanischen Chöre in der Bundeshauptstadt hervor: der
«Chor viril» und der «Chor mischedau» könnten sich der Einladungen kaum
erwehren und müßten immer wieder Absagen erteilen.

Die Bundeshauptstadt diente im abgelaufenen Jahr mehrmals als Forum für die Rätoromanen, so bei der Pressekonferenz nach den Kürzungen der Bundessubventionen für die «Lia Rumantscha» und bei der Vorstellung des rabenschwarzen Berichtes *Der Tod des Romanischen* durch das private «Institut de Cuors Retoromontschs». Beide Anlässe erzeugten ein gewaltiges Presse-Echo.

Sigisbert Lutz vor der Generalversammlung: «Es ist außerordentlich wichtig, daß wir Romanen in Bern präsent sind, denn hier können wir wirklich Konkretes erreichen.» Viel Nachholbedarf ist wahrhaftig zu befriedigen: Noch existieren weder romanische Pässe noch Identitätskarten, um nur die stoßendsten amtlichen Unterlassungssünden zu erwähnen. «Hier können die vielen Rätoromanen, die zum Teil in leitenden Stellen beim Bund arbeiten, Impulse geben, Druck aufsetzen!» erklärt der Präsident.

Wer sind diese Rätoromanen, die zu Hunderten ihre Bergtäler verlassen haben und sich in der Hauptstadt des Landes zur Generalversammlung der «Uniun romontscha da Berna» versammeln? Der Surselver Christian Caduff studiert in Bern Jus und will später zurück nach Graubünden, allerdings nicht ins Bündner Oberland, sondern nach Chur. Ihn stört in seinem Heimattal «das von der CVP geprägte politische Einheitsklima». Caduff arbeitet aktiv in der Aktionsgruppe «Pro Rein anteriur» mit, die sich gegen den Bau der beiden Ilanzer Rheinkraftwerke engagiert. Dabei hat er sich bei etablierten CVP-Politikern viele Feinde geschaffen. Wer den von den einflußreichen CVP-Potentaten vertretenen Kurs in Frage stelle und es gar wage, eine eigene andere Meinung zu vertreten, werde in der Surselva schnell als «Kommunist» etikettiert, meint der Daniser. «Nein, im Oberland will ich nicht als Jurist arbeiten», bekräftigt der Student und entwickelt anschließend einige interessante Ideen. Er denkt mit Gleichgesinnten daran, eine Stiftung zu gründen, um die romanische Sache zu unterstützen und beispielsweise den Grundstein zu einer romanischen, parteipolitisch unabhängigen Zeitung für alle Idiome zu legen. Was die «Lia Rumantscha» leiste, sei wertvoll, doch die Dachvereinigung der Rätoromanen erhalte ihre Mittel vom Staat; wichtig sei, daß sich private Organisationen mehr für die vierte Landessprache engagierten.

Giacun Valaulta studiert ebenfalls Jus; der Ruiser könnte sich gut vorstellen, in Bern zu bleiben, hat sich jedoch noch nicht endgültig entschieden. Alle jüngeren Romanen an der Berner Generalversammlung setzen sich für ihre Muttersprache in irgendeiner Form ein; doch zurückkehren ins heimatliche Tal? Da kann niemand spontan mit Ja antworten. Der Engadiner Kassier Jon-Duri Tratschin muß sein Amt zur Verfügung stellen, weil er Bern verläßt, freilich nicht in Richtung Scuol oder Samedan, nein, er wandert mit seiner

Frau nach Amerika aus. Beide Ehepartner sind im selben Dorf im Unterengadin, in Tschlin, aufgewachsen und reden miteinander Vallader. Doch dieser Zweig der alteingesessenen Familie Tratschin wird der rätoromanischen Sprache in absehbarer Zeit verlorengehen, denn die Kindeskinder des jungen Ehepaars werden, wie die Erfahrung zeigt, wohl kaum die vokalreiche Sprache der Tschliner reden. «Als Biochemiker könnte ich im Engadin nirgends arbeiten», stellt Tratschin fest; im übrigen sage die Frau immer wieder, daß ihr das Unterengadin zwar sehr gefalle, daß sie aber nicht mehr dort leben könne, es sei ihr zu eng geworden.

Und die älteren Romanen in der angeregten Runde im Berner Casino? Lucas Deplazes, Präsident des Bündnervereins, ist Adjunkt bei der Generaldirektion der PTT und lebt seit zwanzig Jahren in Bern. «Ich stamme aus einer armen Somvixer Bergbauernfamilie», erklärt er, «und habe in meiner Jugend erlebt, was es heißt, mit Existenzproblemen zu kämpfen. Das wollte ich in Zukunft nicht mehr mitmachen und ging darum zur Post.» Als Briefträger in Chur, Zürich und Bern stellte Deplazes seinen Mann, besuchte anschließend die Verkehrsschule und arbeitete sich hoch. Auf der PTT-Generaldirektion redet er öfters surselvisch, denn sein Chef ist ebenfalls Rätoromane! Lucas Deplazes erreichte bei der PTT, daß die Experten bei Prüfungen von Romanen heute Rücksicht nehmen, was zum Beispiel bei der Beurteilung der deutsch geschriebenen Aufsätze ins Gewicht falle. Im übrigen ist die PTT auf Nachwuchs aus den Bündner Tälern angewiesen. Ohne die vielen Briefträger und Schalterbeamten aus den romanischen Tälern müßte der Service der PTT in den großen, deutschsprachigen Städten der Schweiz vermutlich zusammenbrechen. Der hohe Postbeamte aus der Surselva engagiert sich in Bern offensichtlich für die Sache der Romanen, doch auch er gesteht, daß es in seiner eigenen Familie um die Sprache schlecht stehe: «Die Tochter kann noch etwas Romanisch, doch unsere in Bern aufgewachsenen Söhne wollten es nicht lernen. Und wir zwangen sie nicht dazu.»

Luis Vanoni, ein älterer Herr, ist gebürtig aus Sagogn und nach einer längeren Odyssee in verschiedenen Hotelberufen via Bellinzona, dem Welschland, London und Zürich schließlich beim Bund in Bern gelandet. Verheiratet ist er mit einer Walliserin; ihr zuliebe zog er nach der Pensionierung ins Wallis, litt dort aber stark unter Heimweh. Nicht nach dem Bündner Oberland, sondern nach Bern! «Meine zweite Heimat, das kann ich offen sagen, ist Bern», erklärt er, und man spürt, daß er sich hier ganz und gar wohl fühlt. Das Irritierende an diesem abgewanderten Surselver, der seit dreißig Jahren im «Chor viril» in Bern romanische Lieder singt: er redet nicht mehr Bündner- sondern Berndeutsch, was zu seinem kernigen Surselvisch einen seltsamen Kontrast bildet.

Nachdem alle Traktanden abgehakt sind, folgt der gemütliche Teil mit einem Menu, das jedem Uneingeweihten spanisch vorkommen muß: Auf die «suppa da giutta» folgt «ligiongia da casa barsada», «bizochels ners» und «buglia da meila». Den krönenden Abschluß bildet die «crema da zucher barschau».

So sehr ich in der angeregten Versammlung auch fahndete, ich traf keinen Romanen, der bestätigen konnte, daß seine Kinder die Sprache beherrschten, um derentwillen man hier gemütlich zusammensaß. Kaum jemand in der angeregten Runde schloß den Bund fürs Leben mit einem romanischsprechenden Partner; denn – Schicksal dieser kleinen Volksgruppe – zur Zeit der Brautschau schnupperten fast alle fremde Luft.

*

Romanisch als Refugium des Heimwehs! Eine Muttersprache, die noch in Clubs und Chören gepflegt wird, ein Stück Identität, herübergerettet aus einer oft harten Jugendzeit im Bergdorf. Ein sorgsam gehüteter Schatz, den man aber nicht mehr an seine Kinder weitergibt. Eine Kostbarkeit, die noch aufschimmert in den Ferien und an Weihnachten beim Besuch der paar Angehörigen im Territorium dieser von allen Seiten bedrängten Sprache. Als selbst Betroffener verlasse ich nachdenklich und mit gemischten Gefühlen die Generalversammlung der «Uniun romontscha da Berna».

n) 5600 Rätoromanen im Kanton Zürich

«Ich rede hier während der Arbeit mehr romanisch als seinerzeit in Chur», erklärt Armando Degonda, Schalterbeamter bei der Kreditanstalt am Paradeplatz in Zürich. Unter den vielen Kunden, die täglich an seinem Schalter Geld abheben oder Einzahlungen tätigen, sind immer wieder Surselver. Der Bankangestellte aus Rabius erkennt seine Sprachgenossen jeweils sofort, sei es an vertrauten Namen wie Deflorin oder Cavigelli oder am untrüglichen Akzent und wechselt auf Surselvisch über. Die derart vertraut Angesprochenen reagieren zuerst nicht selten perplex, «blühen dann aber richtig auf», wie der Bündner Oberländer Bankbeamte sagt. An der internationalsten Geschäftsstraße der Schweiz wird romanisch geredet, ebenso wie in der Zürcher Stadtverwaltung, wo Engadiner, Oberhalbsteiner und Oberländer tätig sind. In der Stadt Zürich leben rund 2000 Rätoromanen, also mehr als in Disentis! Wie in Bern blüht auch in der Limmatstadt ein vielfältiges gesellschaftliches und kulturelles Leben unter den Romanen, mit Chören, Vereinen, Studentengruppen und Stammlokalen. Die rätoromanische Metropole Zürich bildet das Zentrum eines größeren Einzugsgebietes: im ganzen Kanton leben gemäß der letzten Volkszählung 5600 Romanen. Zum Beispiel der aus Truns gebürtige, jetzt in Uitikon tätige Zahnarzt Aluis Tomaschett. Die Romanen suchen offensichtlich in der Fremde ihresgleichen, sogar bei der Wahl des Zahnarztes. «Eine große Zahl Surselver zählt zu meinen Kunden», freut sich Tomaschett, «das gibt mir täglich mehrmals Gelegenheit, in meiner Muttersprache zu reden.»

Nie ertönt jedoch in Zürich soviel Romanisch wie am Freitagabend auf dem Bahnhof, wenn sich die doppelt geführten Schnellzüge, oft bis zum letzten Stehplatz, mit Heimwehbündnern füllen. Für ungezählte Rätoromanen, die in Zürich studieren, eine Lehre machen oder einen passenden Arbeitsplatz gefunden haben, bedeutet offensichtlich «das Beste an dieser Stadt der Freitagabend-Zug nach Hause». Die unverheirateten Rätoromanen in Zürich sind fast ausnahmslos «Wochenaufenthalter», deren Papiere in der Chesa Cumün ihres Dorfes deponiert sind. Den Zug vom Freitagabend verpaßt kaum einer dieser jungen Menschen, welche zwar in Zürich arbeiten, ihre freien Tage jedoch «daheim» verbringen.

o) Ein Senter in New York

«Weggehen», das liegt den Romanen im Blut. Etwas von der Unruhe meines Großvaters, dessen Leben sich zwischen Pignia und Kalifornien abspielte, kreist auch in meinen Adern. Auf einer meiner Reisen besuchte ich am Broadway in New York den Engadiner Künstler Not Vital. Ähnlich wie in seinem romanischen Heimatdorf Sent stehen hier keine Namen an den Hauseingängen, freilich aus andern Gründen. In Sent kennt jeder jeden und da wären Namensschilder etwas Sonderbares. Im Zentrum der Millionenstadt will man offensichtlich anonym bleiben, um Unbefugten den Einbruch in die private Sphäre zu erschweren. Er wohne im 2. Stock, sagte Not Vital am Telefon, und so drücke ich diesen Knopf des Liftes. Der Aufzug hält, und von innen fragt der Wohnungsinhaber nach dem Namen des Besuchers. Nachdem klar ist, daß sich kein Verbrecher Zugang verschaffen will, öffnet Vital mit einem Schlüssel die Lifttür. Nach dem komplizierten Eintrittsritual stehe ich in einer Halle, in welcher der Sulèr eines Engadiner Hauses bequem mehrmals Platz fände, einer sogenannten Loft. Vierzig Textil-Arbeiter nähten hier Hemden, bis die fernöstliche Konkurrenz dem einst blühenden New Yorker Gewerbe den Garaus machte. Mehrere Betriebe im Haus erlitten das gleiche Schicksal. Was manchem ausgedienten Senter Bauernhaus den Fortbestand

sicherte, hat auch diesem Gebäude am Broadway den Abbruch erspart: Umnutzung! Eine Künstler-Kooperative kaufte das leerstehende Haus und nutzt jetzt die großen Hallen als Arbeits- und Wohnräume. Not Vital baute in seine Loft Küche und Bad ein; der Wohnbereich des riesigen Ateliers umfaßt weiter eine Sitzgruppe und Schlafgelegenheiten. Zu meiner großen Überraschung unterhielten sich in der Loft mehrere Menschen zwanglos in Vallader, denn sein Bruder, der Neffe und dessen Freundin besuchten gerade den Maler und Plastiker. Das Thema «Rätoromanisch» zieht die Bündner Gesprächsrunde sofort in seinen Bann. Not Vital: «Für mich bedeutet meine Muttersprache Heimat und Familie. In New York allerdings rede ich kaum romanisch; hier denke, träume und spreche ich englisch. Während ungefähr zweier Monate im Jahr zieht er nach Sent. Die Zeit in der überschaubaren Welt seines Heimatdorfes braucht er, erklärt Not Vital, während er das Drahtgerüst einer mannshohen Plastik zurechtbiegt: «Ich bin überzeugt, daß Einwanderer, die in einem lebendigen, funktionierenden Dorf wurzeln, die Metropole New York besser verkaften können.»

Für den ausgewanderten Engadiner steht fest, daß seine Muttersprache nur überleben kann, wenn die große Bevölkerungsschicht der Bauern, Handwerker und Gewerbetreibenden wirklich romanisch reden will. «Wenn die Intellektuellen die Sprache vom Schreibtisch aus zu retten versuchen und die Basis nicht mitmacht, dann sind die Tage des Rätoromanischen gezählt», erklärt er, und sein Bruder Duri, Automechaniker in Sent, fügt bei: «Wir haben etwas Kostbares in unserer Muttersprache, aber wir müssen es auf normale Art erhalten.» Fanatismus, davon ist die ganze Unterengadiner Diskussionsrunde am New Yorker Broadway überzeugt, führe zu nichts.

In Lavin komme ich mit einer jungen Einheimischen auf Not Vital zu sprechen. «Er hat sich für New York entschieden», meint sie ohne wertenden Unterton. Seit Jahren lebt der Künstler während jeweils zehn Monaten in den USA; eine Präsenzzeit von einigen Wochen genügt nicht, damit er wirklich noch «dazugehört». Ja, für New York hat er sich entschieden und fühlt sich doch seiner Engadiner Heimat tief verbunden. Darin unterscheidet er sich nicht von den Romanen, die am Freitagabend die Züge nach Chur stürmen. Und von den Mitgliedern der «Uniun romontscha da Berna», die ihre festliche Generalversammlung mit «crema da zucher barschau» beschließen.

◁ Auch in New York wird rätoromanisch geredet.

9. Fremdenverkehr – Überfremdung

Ir cul temp

Paurarias da muntogna
ierta sbüttada
creschüda
atras tschientiners

VIAVANT
basa d'existenza
da grondas famiglias
cun bun gust
e cultura

HOZ impè
cumüns bandunats
chasas e stallas in muschna
immez champogna na cultivada
    Quista darschiun cumanzet
    cur cha'l stadi bainmaniont
    ha fat IR ils uffants
    chi güdaivan
    a scoula

I sun ITS
ITS cul temp
ITS i'l vair sen dal pled

O lura
centers turistics
chi creschan sco cankers
inuondats d'avdonts sragischats
da citads
servits
mus
da descendents civilisats
dals paurs da muntogna
    Il terratsch
    nudrischa be plü
    as prostituind

(Ladin)   Armon Planta

Alpiner Fortschritt

Bergbauerntum
als Erbe
gereift und gewachsen
im Lauf der Jahrtausende

EINST
Lebensgrundlage
großer Familien
deren Kultur
und Schönheitssinn
wir heute nostalgisch bewundern

HEUTE
entweder
verlassene Dörfer
zerfallene Häuser und Ställe
umgeben von vergandeten Feldern
    Dieser Fortschritt begann
    als der wohlmeinende Staat
    die freudig helfenden Kinder
    zur Schule befahl

FORT-Schritt im wahren Sinne des Wortes

oder
maßlos wuchernde Touristikzentren
überflutet von entwurzelten Städtern
bedient
und gemolken
von den zivilisierten Nachkommen
der einstigen Bergler
    Der Boden nährt nur noch
    durch Prostitution
    Auch das ist
    Fortschritt
FORT-Schritt vom Ursprung des Seins

Armon Planta

Wiese bei Champfèr im Oberengadin. Hier ▷
entsteht eine Überbauung mit luxuriösen
Zweitwohnungen.

a) Surlej: Boden als Ware

Zwischensaison in Silvaplana. Durch das Panoramafenster der gemütlichen, holzgetäferten Stube blicken wir auf die spiegelglatte, bleifarbene Fläche des Lej da Silvaplana. Die Wolken hängen tief; Nebelschwaden verhüllen den Corvatsch. Die Seile der Bahn verlieren sich im Nichts. «Manchmal kann ich fast nicht hinunterblicken», seufzt Frau G., eine in Celerina aufgewachsene Oberengadinerin, die ihr Puter so sorgsam spricht wie kultivierte Basler ihr «Basel-Diitsch». Der Blick schweift über die Ebene von Surlej, einer Fraktion von Silvaplana, über das schwarzglänzende Viereck des Seilbahnparkplatzes, über die Dächer einer Geisterstadt mit mehreren hundert Wohnungen. Auch ohne Feldstecher ist auszumachen, daß alle Läden geschlossen sind. Das einzige, was sich in Surlej bewegt, sind die Ausleger einiger Krane und ein paar Lastwagen, die durch die triste Szenerie dröhnen. Dort, wo jetzt die als Engadinerhäuser getarnten Wohnblocks mit Zweit- und Drittwohnungen für die Reichen und die Superreichen stehen, breiteten sich einst Wiesen aus, genutzt von Bauern, die in einem Dörfchen am Fuße des Corvatsch lebten. Eine Rüfe aus Eis und Geröll löschte das Dorf im Jahre 1793 aus. Verbauungen sorgen dafür, daß sich «Neu-Surlej» nicht mehr vor dem Zorn der Natur fürchten muß.

Die Betonlawine, die in den vergangenen zwei Jahrzehnten über die liebliche Gegend hereinbrach, konnte durch den Großeinsatz des Einheimischen Matteo Gaudenzi, Präsident der Rettungsaktion «Pro Surlej», wenigstens etwas eingedämmt werden. Gaudenzi und seine Mitstreiter sammelten viel Geld, um Grundeigentümer zu entschädigen, erreichten durch Landumlegung, durch engere, verdichtete Bauweise, daß wenigstens die Wiesen am See nicht unter die Raupen der Traxe gerieten. Mit größtem Einsatz konnte «Pro Surlej» verhindern, daß an einem der schönsten Punkte der Schweiz ein alpines Schwamendingen bis hinunter ans Ufer des Sees entstand, denn so groß hatten die Silvaplaner ursprünglich die Bauzone veranschlagt! Mildtätig schiebt sich jetzt langsam eine graue Nebelschwade über die 1104 Appartements, von denen 39 Prozent Schweizern und 61 Prozent Ausländern gehören, vor allem Deutschen und Italienern. Das stumpfe Grün der Wiesen verschwimmt im Wasserdampf. Sichtbar ist jetzt nur noch ein langgestrecktes, flaches Gebäude von monumentaler Häßlichkeit. «Die Kläranlage», erklärt Frau G. und seufzt erneut. Am landschaftlich heikelsten Punkt hat die Gemeinde das Abwasser-Reinigungswerk hingeklotzt. Kläranlagen schreibt das Gewässerschutz-Gesetz vor. Und auslegen muß man sie für die Spitzenbelastung; für die Neujahrsnacht also, wenn nach dem Gala-Abend am Fernsehen mit Anneliese Rothenberger alle 1104 Wasserspülungen von

Nova-Surlej miteinander losrauschen. «Es muß einen Chlapf geben», bricht es aus Frau G. heraus, «anders kann man das alles nicht stoppen!» Sie ist Lehrerin, ihr Mann arbeitet in leitender Stellung bei einer Firma, die weitgehend von der Baukonjunktur lebt. Am Thema «Bau-Boom» scheiden sich die Geister nicht nur in dieser Oberengadiner Familie.

Als Frau G. nach Silvaplana zog, da konnte sie sich noch an einem fast intakten romanischen Dorf freuen. Seither ist die Gemeinde sprunghaft gewachsen. «Doch was kommt, spricht deutsch», bemerkt meine Gesprächspartnerin, «und mancher Zuzüger weiß nicht einmal, daß er jetzt in einer romanischen Gemeinde wohnt!» Silvaplana ist zu einer Art «Schlafdorf» geworden für Leute, die im Touristikzentrum der Region, in St. Moritz, arbeiten, dort aber keine Wohnung finden.

Einst ein Bauerndorf, das dem Paßverkehr einen bescheidenen Wohlstand verdankte, ist Silvaplana nach dem Bau der Corvatschbahn (finanziert vom griechischen Reeder Niarchos) in den Sog des sogenannten «Fremdenverkehrs» mit allen seinen Nebenerscheinungen geraten. Boden, der gemäß dem landwirtschaftlichen Nutzwert nicht einmal einen Franken den Quadratmeter kostete, galt nach dem Ausscheiden der Bauzone plötzlich 30, 50, 150, 250, 450 Franken und ist heute bei 600 Franken und mehr angelangt. Bauer Marco Giovanoli, der auf seinem Hof «Lej Ovis-chel» am Rande der Zweitwohnungs-Plantage wirtschaftet, könnte getrost andere seine Kühe melken lassen, wenn er sein Land in der Bauzone von Champfèr, einer anderen Fraktion von Silvaplana, dem Baulöwen vorwerfen würde. Bei Giovanolis wird, ein rarer Fall in Surlej, romanisch geredet. Frau Giovanoli, eine Deutschschweizerin, hat Puter gelernt, «weil man sich als Zuzüger anpassen soll».

b) Das Oberengadin als «Heidiland»

Friedrich Nietzsche hat die Oberengadiner Landschaft besungen und Sils-Maria als den «lieblichsten Winkel der Erde» gepriesen, Giovanni Segantini fing das irisierende Licht über den Bergseen in seinen Bildern ein, Hermann Hesse und viele andere empfingen im grandiosen Hochtal Inspirationen. In einer Landschaft, welche ohne die Zeugen romanischer Kultur und Lebensart, ohne die charaktervollen, reich geschmückten Bauernhäuser, die stilvollen Dorfplätze sich nicht abheben würde von Gegenden in Norwegen oder in den Rocky Mountains. Das Engadin ist viel mehr als ein majestätisches Tal in Colorado, es ist eine glückliche Synthese von großartiger alpiner Natur mit einer aus der Landschaft gewachsenen Kultur. «Jedes alte Haus spricht romanisch», sagt die Schriftstellerin Selina Chönz, Autorin des «Schellenursli», des Kinderbuches mit Illustrationen des Bündner Oberländer Kunstmalers Alois Carigiet. In ein Dutzend Sprachen übersetzt, trug der «Schellenursli» die Kunde vom Leben in den Engadiner Dörfern bis ins ferne Japan. Wer heute auf den Spuren des Engadinerbuben mit der Glocke wandelt, wird vielen Häusern begegnen, die nicht mehr «romanisch reden», Häuser, die in Nizza oder Acapulco stehen könnten, Häuser, deren Augen die längste Zeit des Jahres blind sind, deren Fenster nur während der «Saison» das unvergleichliche Licht einfangen.

*

Conradin de Flugi, der erste ladinische Dichter, welcher nach der litararisch äußerst produktiven Reformationszeit wieder zur Feder griff, würde sich die Augen reiben, wenn er heute von Corviglia auf sein Dorf und die Wolkenkratzer von St. Moritz Bad hinunterblicken könnte. De Flugi, 1787 geboren und 1874 gestorben, pries in seinen Schriften den Fremdenverkehr, ja er gilt als der Begründer von San Murezzan als Ferienort, damals freilich noch ein bescheidenes Bauerndörfchen, wo sich Sommerfrischler zur großen Verwunderung der Einheimischen an der Sonne bräunten. An der Hauptstraße sähe der Poet zwar das romanische Schild «Via Maistra», doch seine Muttersprache vernähme er im hochdeutsch-italienisch-englischen Sprachengewirr höchstens als Kuriosum. Er würde sich in den Haaren kratzen, wenn er sähe, was aus den Geistern, die er rief, geworden ist.

St. Moritz und sein «Einzugsgebiet» von Samedan bis Maloja prangt jetzt als «Heidiland» in Vierfarben-Prospekten und von Plakatsäulen rund um die Welt. Modernes Marketing hat rechtzeitig erkannt, daß Johanna Spyris international berühmt gewordenes Bauernkind gerade das rechte Aushängeschild für das Berg- und Seenparadies am Fuße des Piz Corvatsch abgibt. Was verschlägt's, daß die Heidigeschichte in der Gegend der deutschsprachigen Gemeinde Maienfeld spielt. Die Ausländer (und die meisten Schweizer) kennen ja das skurrile Sprachen-Durcheinander des Bergkantons so oder so nicht, haben sich die Schöpfer des «Heidilandes» wohl gedacht.

*

Der Großerfolg des Touristikzentrums «St. Moritz und Umgebung» gibt den Machern recht. In der laut Bündner Steuerbehörden reichsten Region des Kantons stimmt eben alles: Die Landschaft, das einmalige touristische Angebot, die Flugverbindungen vom Airport Samedan nach Mailand, Zürich oder Frankfurt. Die St. Moritzer Via Maistra wartet mit fast ebenso vielen Banken auf wie die Zürcher Bahnhofstraße, das Shopping-Angebot ist dem einer Weltstadt vergleichbar, die Quadratmeterpreise übertreffen, so der Kurdirektor Hanspeter Danuser, das, was man an der Bahnhofstraße oder an der Fifth Avenue in New York für Boden auf den Tisch blättern muß.

Die Stabilität der Schweiz in einer unsicheren Welt, die liberale Gesetzgebung, die im Gegensatz zum Nachbarland Österreich den Verkauf von Boden an Ausländer quadratkilometerweise erlaubt, die Gemeinden, welche diesen Verkauf nicht nur tolerierten, sondern förderten, haben in touristischen Brennpunkten wie dem Oberengadin zu Umwälzungen geführt, welche dem braven Conradin de Flugi den Schlaf rauben müßten. Gegen die Hotels mit so klangvollen ladinischen Namen wie «Laudinella», «Albana» oder «Chesa Veglia» hätte er wohl ebensowenig einzuwenden wie gegen Ferienwohnungen in Privathäusern Einheimischer. Wie würde er aber auf «Klein-Milano» reagieren, die meist leere Neubausiedlung am Rande von Celerina, wo Hunderte reicher Italiener ihre Moneten ins trockene gebracht haben? Wie auf das heutige Surlej?

Der brave Gründervater des Weltkurortes müßte heute während der Saison eine ganze Weile suchen, bis er einen waschechten Ladiner mit einem herzhaften «allegra» begrüßen könnte. Am ehesten träfe er seine Nachfahren in den vielstöckigen Mietskasernen im schattigen «Bad», in einer für Normalverdiener noch knapp erschwinglichen Wohnung. Da hausen die Serenas, die Bass, die Ruinellis und die Arquints jetzt und schauen hinüber an die besonnten Hänge, wo sie sich nicht einmal ein Studio leisten könnten. Der Poet schüttelte bestimmt immer wieder ungläubig den Kopf, könnte er sehen, was aus seinem Volk geworden ist. Eine Frage ginge ihm sicher nie aus dem Kopf: «Und all das habt ihr freiwillig gemacht?»

c) Romanisch im «Palace»-Hotel in St. Moritz

Die verrückte Welt von St. Moritz läßt sich nicht auf einen Nenner bringen! 1961, als Schüler in der dritten Klasse des Churer Lehrerseminars, verbrachte ich, nach drei Wochen Landdienst bei der Bauernfamilie Bardill in Jenaz, fast zwei Monate als Chasseur im «Palace» von St. Moritz. Nach dem Walserdeutsch der Prättigauer vernahm ich in der Millionärsburg immer wieder . . . Romanisch. Da unterhielt sich zum Beispiel der Enkel des «Palace»-Gründers und Mitbesitzer des 1896 eröffneten Luxus-Hotels, Andrea Badrutt, mit seinem Chef-Concierge Chasper Grass auf romanisch über die Tagesgeschäfte. Grass, Bauernsohn aus Strada im Unterengadin, bewegte sich auf dem

Parkett des «Palace» so sicher wie auf dem Pflaster seines Heimatdorfes, wo er in der Zwischensaison in der Landwirtschaft Hand anlegte.

Da plauderte der Liftier aus Scuol mit seinem Kollegen aus Susch, diskutierte der Chef-Kellermeister, der Bündner Oberländer Augustin Flury, in einer Pause mit einem Ruscheiner Hausburschen surselvische Lokalpolitik! Und das in einem Haus, wo gerade die Herzogin und der Herzog von Windsor in der Bel Etage eine Zimmerflucht belegt hatten. Im Zuge der Recherchen für dieses Buch besuchte ich das «Palace» nach über zwanzig Jahren zum erstenmal wieder. «Schade, daß wir dieses Gespräch nicht romanisch führen können», rügt Andrea Badrutt, als ich ihm eröffne, daß ich zwar romanisch verstehe, aber leider nicht sprechen könne. Auch hier Zwischensaison: Im Grillroom, wo ich einmal Herbert von Karajan auf einem Silbertablett ein Telegramm überbrachte, steht auf einer riesigen Plasticplane das Pult des Chefs. Ein Elektriker zieht die Drähte zu den Lüstern neu ein, Maler geben einer restaurierten Wand den letzten Schliff. Badrutt wählt eine interne Nummer und redet romanisch, denn am andern Ende des Drahtes spricht der Chefelektriker, ein Unterengadiner. «Die Schlüsselpositionen besetzen wir seit jeher mit Romanen, das meiste Engadiner, aber auch ein paar Oberländer», stellt Badrutt fest. Der Küchenchef, der Verantwortliche für die Warenkontrolle, der Nachfolger von Chasper Grass, der Chef-Concierge Guido Signorell, sprechen romanisch. Erfolgreich behauptet sich in den wichtigen Positionen des weltberühmten «Palace» die Ursprache des Tales, in einer Umgebung, wo man eher Englisch als Puter, Vallader und Surselvisch vermutete.

Dennoch sind die Rätoromanen unter den 400 «Palace»-Angestellten eine kleine Minderheit. Badrutt: «Es ist schwer, im Engadin Hotelangestellte zu finden!»

*

Puter, das gefährdete Idiom des Oberengadins, gilt als eine Art Exklusivsprache. «Mir geht es fast kalt den Rücken hinunter, wenn ich die alteingesessenen Oberengadiner ihr Puter zelebrieren höre», gesteht ein Zuzüger, der das lokale Romanisch ebenfalls, wenn auch nicht so ziseliert, gelernt hat. Zu den Edelromanen in der Bannmeile des Piz Bernina gehört zweifellos auch die Hotelierdynastie Saraz in Pontresina, die freilich nicht mehr aktiv im Gastgewerbe wirkt, sondern ihr Hotel verpachtet hat.

Die Zeit der großen alten Engadiner Hoteliers neigt sich, mit ganz wenigen Ausnahmen, ihrem Ende entgegen. Gian Peppi Saraz erklärt in seinem jahrhundertealten Familiensitz in Pontresina: «An den Versammlungen des Hoteliervereins Oberengadin sitzen praktisch nur Unterländer am Tisch, da reden wir notgedrungen Schwizertütsch oder Hochdeutsch.» Hotels, die zwar noch ihre alten romanischen Namen tragen, sind in den Besitz anonymer Kapitalgesellschaften oder fremder Financiers übergegangen, Direktoren ohne Wurzeln im Engadin managen die Häuser. Die touristische Monokultur – fast jeder Wirtschaftszweig hängt irgendwie mit dem Fremdenverkehr zusammen – machte das Oberengadin reich. Die letzte Volkszählung belegt jedoch, daß man die romanisch sprechenden Eingeborenen schon bald unter Heimatschutz stellen muß, in Samedan machen sie immerhin noch einen Drittel der Bevölkerung aus, in Pontresina 15 Prozent, und in St. Moritz reden nur noch neun von hundert romanisch. Andrea Badrutt erklärt im frisch renovierten Grillroom des altehrwürdigen «Palace» zum Thema: «Man hat die alten Häuser abgebrochen, man hat das Romanische durch Schweizerdeutsch ersetzt. Jetzt kann man nicht mehr viel kaputtmachen.»

d) Die Opposition wächst

«Stimedas damas, stimos signuors, mieus chers Champfèrots! Eau as vuless salüder cordielmaing...» Romanisch begann Fortunat Walther, ein junger Mann aus Champfèr, seine Rede am 1. August 1981. Doch nach wenigen Sätzen wechselte er auf Hochdeutsch über, weil die meisten Zuhörer sein Puter und damit seine Botschaft nicht verstanden hätten. «Ein Mensch muß sich zuhause fühlen, damit es ihm wohl ist. Was aber gehört alles zu diesem Zuhause?» fragt der Redner seine Mitbürger. «Dazu gehört Kultur, Tradition, eine gesunde Umwelt mit grünen Wäldern, fetten Wiesen, frischer Luft. Zur Kultur gehören Sprache, Literatur, Kunst. Zur Tradition gehören Brauchtum, Sitte. Wenn ich aber betrachte, was in unserem Dorf vorgeht, stelle ich mit großer Besorgnis und Angst fest, daß wir auf dem besten Wege sind, diese wertvollen Schätze zu verlieren oder richtiger gesagt zu verkaufen!» Walther sieht, wie die alte Kultur nur noch als Staffage für den Fremdenverkehr dient, wie «eingefleischte Engadiner ihre Miete ausländischen Hausbesitzern zahlen müssen». Wie Hammerschläge sausen die Worte des jungen Redners auf die versammelte Festgemeinde nieder und machen schmerzlich bewußt, wie sehr die Einheimischen ins Abseits gedrängt worden sind. Mancher nickt resigniert, als der Augustredner ausruft: «Eine Minderheit kassiert und profitiert, und wir alle bezahlen doppelt. Einmal verunmöglichen wir es uns, daß wir uns selbst hier niederlassen können. Welcher Einheimische, der keinen eigenen Boden besitzt, kann sich hier ein eigenes Haus bauen?» Der Einheimische paßt sich dem Fremden an, auch Fortunat Walther tut es: «Unsere angestammte Sprache geht verloren. Ist es nicht lächerlich, wenn sie, wie auch hier bei meiner Ansprache, nur noch zur Begrüßung und als Schlußwort dient, sozusagen als nette Einrahmung?»

Die Brandrede von Champfèr ist Ausdruck einer Stimmung, die in der Pionierlandschaft des Bündner Fremdenverkehrs unter der Bevölkerung immer weitere Kreise erfaßt und auch die Politiker zum Handeln zwingt, Politiker, die auffallend oft im Baugewerbe engagiert sind. Gemeinde um Gemeinde beschloß, reichlich spät allerdings, den Verkaufsstopp für Land und Immobilien an Ausländer. Gegen das von offizieller Seite kaum bestrittene Projekt für eine Bündner Olympiakandidatur mit einem Hauptschauplatz im Engadin erhob sich eine breite Front der Ablehnung. Die Kandidatur scheiterte am 2. März 1980 eindeutig in der kantonalen Volksabstimmung; die Engadiner steuerten ein saftiges Kontingent an Nein-Stimmen bei. Die offensichtlich erfolgreiche Gegenpropaganda führte in der Broschüre «Olympische Winterspiele in Graubünden 1988 – unsere Bedenken» folgendes Argument auf: «Ohne Zweifel würde ein solcher Großanlaß mit seinen Vorbereitungsphasen auf weite Teile unserer bündnerischen Kultur nicht zu unterschätzende Auswirkungen haben. Daß dabei nicht zuletzt unsere traditionelle Mehrsprachigkeit aufs höchste gefährdet sein wird, steht außer Frage. Der romanische Sprachteil wehrt sich immer mehr dagegen, als folkloristisches Element in Werbesendungen seine Rolle spielen zu müssen.»

e) Sent: trotz Tourismus ein romanisches Dorf

Der Tourismus und sportliche Großanlässe als Totengräber der Romanischen Sprache? Eine ganze Reihe von erfolgreichen Kurorten, zum Beispiel Guarda, Sent und Zernez, beweisen das Gegenteil. Die drei Unterengadiner Gemeinden verzeichnen beträchtliche Übernachtungszahlen, gelten als begehrte Ausflugsziele, als Ausgangspunkte für Wanderungen und Hochtouren. Doch Guarda, Sent und Zernez sind romanische Dörfer geblieben. Georg Buchli, der junge Gemeindepräsident von Sent, Inhaber eines Baugeschäftes: «Wir haben den Verkauf von Boden und Immobilien an Ausländer untersagt, bevor die Spekulation begann. Boden verschachern und fürs Romanische eintreten, das geht nicht zusammen!» Fast ehrfürchtig reden Oberengadiner, denen die Lage in ihrer Gegend schon lange nicht mehr geheuer ist, von diesem Bauunternehmer, der zusammen mit dem Gemeinderat die «Ausländerquote Null» vor der Gemeindeversammlung vertrat und in der Abstimmung durchbrachte. Die Senter sind nicht fremdenfeindlich, sondern um eine gesunde Zukunft des Dorfes besorgt. Einer Gemeinde, die mit je einem Drittel Bauern, Gewerbetreibenden und Selbständigen sowie Arbeitern und

Angestellten eine geradezu ideale Struktur der arbeitenden Bevölkerung aufweist. Indirekt profitieren alle vom Tourismus, sei es als Vermieter von Ferienwohnungen, als Zulieferer der Hotels, die von Einheimischen geführt werden, oder als Mitarbeiter eines Gastbetriebes. Sent verkraftet immerhin 100 000 Logiernächte pro Jahr und ungezählte Tagestouristen, ohne seine Identität, seine romanische Sprache zu opfern. Noch vor hundert Jahren die größte Gemeinde des Engadins, verzeichnete Sent nach dem Bau der Rhätischen Bahn einen starken Bevölkerungsschwund, denn die Gemeinde liegt auf einer Terrasse hoch über der Bahnlinie. Seit rund zehn Jahren hat sich die Einwohnerzahl bei ungefähr 700 eingependelt, ganz im Gegensatz beispielsweise zu Silvaplana und Champfèr, deren Einwohnerzahlen sich durch Zuzüger sprunghaft erhöhten. «Nein, ein Museum wollen wir auf keinen Fall sein», stellt Georg Buchli fest, «und ein Engadiner Kulissendorf auch nicht.» Sent lebt als intaktes Dorf wirklich noch, dafür sorgen nicht zuletzt die rund hundert Schüler, die nicht nur bis zur Schwelle des Schulzimmers romanisch reden.

Etwas Glück gehört freilich auch zum Geschick der oft als beispielhaft zitierten romanischen Gemeinde. Sent liegt vier Kilometer vom Unterengadiner Touristik- und Wirtschaftszentrum Scuol entfernt, wo die Spekulation beträchtliche Wunden geschlagen hat. Eine größere Zahl Senter Arbeiter und Angestellte pendeln nach Scuol zur Arbeit, bleiben aber Sent als Dorfbewohner erhalten. Dank dem gesunden Menschenverstand seiner Bewohner und wegen seiner geographischen Lage konnte das Dorf sein Gesicht, nicht nur die Fassade, erhalten. Zernez am Eingang zum Nationalpark sperrte auf Initiative des streitbaren Sekundarlehrers und Malers Jacques Guidon, nachdem zwei Wohnungen in ausländische Hände übergegangen waren, den Verkauf von Häusern und von Boden an Ausländer und schob damit der Spekulation einen Riegel. Immer wieder zitieren besorgte Engadiner das benachbarte österreichische Bundesland als vorbildlich. Tirol toleriert nur eine Überfremdungsquote von 2,5 Prozent. Weil dieser Anteil in den Touristengebieten seit Jahren erreicht ist, gibt es für Ausländer nichts mehr zu kaufen. Kleine Familienpensionen sind die vorherrschende Beherbergungsform im Tirol; auch das gilt als positiv, fühlt sich doch der Gast hier wohl, und die Bevölkerung profitiert mehr von den Segnungen des Tourismus, als wenn der Gast im Aparthotel residiert «und den letzten Suppenwürfel im Kofferraum des Autos mitbringt».

f) Savognin: Überleben mit Tourimus

«Wir haben wohl viele Fehler gemacht», erklärte der Gemeindekanzlist von Savognin, Leza Spinatsch, vor den Kameras des Schweizer Fernsehens, «doch nichts zu machen, wäre der größte Fehler gewesen!» Damit schuf er spontan so etwas wie ein geflügeltes Wort. Der Mann, der die Protokolle der Gemeindeversammlung nach wie vor romanisch verfaßt, hat die touristische Entwicklung von Savognin in den fünfziger Jahren mit aller Kraft angekurbelt. «Wir mußten etwas tun», erklärt er bedächtig; «bis 1950 fanden manche Oberhalbsteiner beim Bau des Wasserkraftwerkes Arbeit. Als diese Arbeitsquelle wegfiel, verlor unser Tal innerhalb von zehn Jahren einen Viertel seiner Bevölkerung! Vor allem die Jungen fanden hier keine Existenz und zogen ins Unterland, in die Touristenorte im Engadin oder nach Davos.» Er zieht an seiner Kiel und schaut mich an: «Ohne die Jungen im Tal stirbt doch unsere Sprache. Oder? Jetzt, wo wir den Tourismus haben, bleibt mancher in Savognin, der früher unweigerlich weggezogen wäre.» Heute ist Savognin zwar nicht mehr «100% romanisch», es präsentiert sich auch nicht wie das Umschlagbild einer Alpenmilch-Schokolade, dafür sind die Bausünden der siebziger Jahre zu gravierend, aber das Dorf lebt, die Bevölkerungszahl hat sich vom Tiefstand von 566 auf 870 Einwohner erhöht, und knapp zwei Drittel reden romanisch. Ein überraschend reiches, romanisches Vereinsleben, wo sich auch viele Junge engagieren, beweist, daß das Surmeirische auch heute zum Savogniner Dorfleben gehört. Ja, das Sprachbewußtsein schärfte sich angesichts der neuen, fremden Einflüsse eher noch. Romanisch stur und überall durchzudrücken, dagegen wehren sich die Savogniner freilich; besonders wenn derartige Ideen von außen kommen. Als die in Zürich zur Unterstützung der romanischen Sache gegründete Vereinigung «Quarta Lingua» Savognin als Vorbild für romanische Beschriftung im Dorfbild lancieren wollte, liefen die Savogniner gegen dieses Ansinnen Sturm. «Wir lassen uns von niemandem vorschreiben, in welcher Sprache wir unsere Häuser, unsere Geschäfte und die Reklameschilder zu beschriften haben», erklärt Leza Spinatsch; «im Dorf stellten wir zum Beispiel eine Tafel auf, welche den Gast auf die Länge der Wartezeit bei der Sesselbahn aufmerksam macht. Man legte uns nahe, diese Tafel in romanisch zu verfassen, wo doch 70 Prozent unserer Gäste deutsch reden! Nein, solche Engstirnigkeit und Intoleranz liegt uns nicht.»

g) Laax: Kulturfonds dank Baulandverkauf

Franco Palmy, der Kurdirektor von Laax, ein Rätoromane aus Latsch oberhalb Bravuogn/Bergün, drückt mir ein 360seitiges Buch mit dem Titel «Laax» in die Hand; auf dem Umschlag grüßt das Dorf am blauen Lag Grond, dem See, in welchem sich eine Handvoll Häuser spiegeln. Sonst nichts als grüne Matten, Wälder und verschneite Bergspitzen. Laax, wie es einmal war! Das Buch, reichhaltig und von kompetenten Fachleuten geschrieben, befaßt sich mit der Geschichte des Dorfes, einst eine habsburgische Grafschaft. Es berichtet von Hexenprozessen, vom Loskauf der «Freien von Laax» aus dem österreichischen Joch, listet detailliert alle romanischen Flurnamen auf und erzählt liebevoll die Geschichte der schönsten Häuser im alten Dorfkern. Auf fünfzehn Seiten, verschämt zwischen den Kapiteln über die Bevölkerungsentwicklung und die Geologie von Laax, schildert der deutschsprachige Gemeindepräsident Eugen Hangartner die Entwicklungsphase, welche das Dorf mehr verändert hat als alles, was während Jahrhunderten vorher geschah: den Aufstieg von Laax zum internationalen Touristenzentrum. Laax, bis anfangs der sechziger Jahre eine arme Berggemeinde im Schatten des prosperierenden Flims, schwang sich mit dem Bau der Crap-Sogn-Gion-Bahnen in die erste Garnitur der Bündner Fremdenverkehrszentren auf. Aus dem Armeleutedorf ging wie der Phönix aus der Asche die reichste Bündner Oberländer Gemeinde hervor. Die paar Fremdenbetten unter den Dächern alter Bauernhäuser multiplizierten sich zu einem Angebot von heute 6000 Gastbetten in Hotels, die «Capricorn», «Signina-House» oder «Happy Rancho» heißen, in Pensionen, Privathäusern und vor allem in Hunderten von Zweitwohnungen. Augustin Killias, engagierter Rätoromane und Gemeindeschreiber des aufstrebenden Dorfes, holt die vom Computer ausgedruckte Liste mit den Namen der Grund- und Wohnungseigentümer in Laax. Die Gemeinde mußte ihre Verwaltung auf Computer umstellen, um die Flut von neuen Aufgaben bewältigen zu können. Das vom Elektronengehirn ausgespuckte Verzeichnis liegt wie der Blasbalg einer Handharmonika auf dem Tisch. Killias entfaltet es Blatt um Blatt. 912 Schweizer und 757 Ausländer, vor allem Deutsche, können an diesem Stichtag rund um den Lag Grond ein Haus oder eine Wohnung ihr eigen nennen.

Während immer mehr «überfremdete» Zentren den Verkauf von Immobilien und Grundstücken an Ausländer gesperrt haben, versuchen jetzt vermehrt kleine Gemeinden noch auf den Wohlstandszug aufzuspringen. So wird Ardez bald 18 ausländische Zweitwohnungsbesitzer willkommen heißen können, und wie andere romanische Dörfer baut Salouf im Oberhalbstein ein Quartier mit Ferienhäusern und Eigentumswohnungen, die auf internationale Käuferschaft warten. Seit 1982 weht freilich ein härterer Wind auf dem Immobilienmarkt in den Bündner Feriengebieten: Wegen Gesetzesänderungen in unserem nördlichen Nachbarland lichteten sich die Reihen der deutschen Interessenten, der wichtigsten ausländischen Käufergruppe, fast schlagartig.

Noch zählt sich ziemlich genau die Hälfte der Laaxer zu den Rätoromanen. Ähnlich wie in Savognin hat der Touristik-Boom in dem ehemaligen Bauerndorf zu einer Rückbesinnung auf die einheimische Sprache und auf die alten, oft vom katholischen Glauben geprägten Bräuche geführt. Wie in Savognin besuchen die Vorschulpflichtigen den romanischen Kindergarten, die Primarschüler den romanischen Unterricht. Ein Glück für den Dorfkern, daß sich die Bauexplosion zu einem guten Teil in ein paar hundert Metern Entfernung am Hang von Murschetg bei der Talstation der Crap-Sogn-Gion-Bahn ent- · lud, von den Einheimischen etwas herablassend «Laax 2» genannt. Auch in Laax engagieren sich überraschend viele in Vereinen, wo man sich vorwiegend romanisch unterhält. Paulina Arpagaus, eine Einheimische, die mehrere Jahre im Unterland im Hotelfach arbeitete und jetzt mit ihrer Familie (auch der Mann ist Laaxer) im alten Dorfteil lebt, ist Präsidentin des Frauenvereins. «Am Erntedankfest servierten wir Suppe, und die ganze einheimische Bevölkerung strömte zusammen», freut sie sich, «alle Generationen treffen sich zum gemütlichen Hock, und man hörte fast nur Romanisch!» Immerhin 120 Frauen machen in diesem Verein mit, nutzen das Kursangebot oder treffen sich zum gemeinsamen Handarbeiten. Der Frauenverein profitiert wie der «Cerchel Cultural», der Männerchor und das Dorfmuseum von den Segnungen der neuen Ära. Die Gemeinde gründete nämlich die Stiftung «Pro Laax», der ein halbes Prozent des Wertes jeder Handänderung (was deutsch und deutlich Boden- und Immobilienverkauf heißt) zufließt; im Jahr 1980 immerhin 193 000 Franken. In diesem Jahr sind also für fast vierzig Millionen Grundstücke und Immobilien verkauft worden. Die Laaxer neigen dazu, diesen Tatbestand zu verdrängen, was ihnen besser gelang, als sich die Bauerei fast ganz auf «Laax 2» konzentrierte. Seit sich der Ring der Zweitwohnungen auch um den alten Dorfkern schließt, fällt das Verdrängen schwerer. Was erklärte mir die Metzgersfrau? Daß ihr Geschäft fast nur von den Einheimischen lebe ...

*

«Administraziun communala/Gemeindeverwaltung» steht auf jedem Einzahlungsschein, auf jedem Briefkopf der Gemeinde Laax. «Zweisprachigkeit» heißt die Losung, die im übrigen die sprachliche Situation in der ehemals vollständig romanischen Gemeinde spiegelt.

Mit der finanziell gut gepolsterten Stiftung «Pro Laax» besitzt die Gemeinde ein Instrument, um Aktivitäten zugunsten der romanischen Sprache und der alten Dorfkultur zu unterstützen; pro Jahr schüttet das aus Bodenverkäufen gespiesene Füllhorn fast eine Viertelmillion aus. Die Stiftung finanzierte auch das kostbare Buch über die Geschichte des Dorfes, ein Werk, das jedem Zuzüger kostenlos in die Hand gedrückt wird. In demokratischer Wahl erkoren die Dorfbewohner einen deutschsprachigen Gemeindepräsidenten, was nach sich zog, daß die Gemeindeversammlungen heute in deutscher Sprache abgehalten werden müssen. Wenn auch der harte Kern des Dorfes nach wie vor romanisch redet, so ist die Assimilationskraft offensichtlich nicht mehr so groß, um, wie beispielsweise in Savognin, die romanische Gemeindeversammlung zu erhalten. In Laax leben heute bedeutend mehr Rätoromanen als vor dem Anbruch des Touristik-Zeitalters, denn mancher Dorfbewohner kehrte zurück oder mußte nicht abwandern. Der Zuzug von Deutschsprachigen ließ jedoch den Anteil der Romanen an der Ortsbevölkerung stark schrumpfen. Franco Palmy: «Der Tourismus hat dem Dorf natürlich auch Nachteile gebracht. Man muß aber sehen, daß Laax ohne diesen Erwerbszweig immer mehr überaltert und als Gemeinde mit der Zeit wahrscheinlich nicht mehr lebensfähig gewesen wäre.»

*

«Nennen sie meinen Namen nicht», erklärt ein älterer Laaxer Bauer, in dessen niedriger, mit Heiligenbildern geschmückten Stube ich mich wie ein Eindringling fühle. Mißtrauisch mustert mich der Mann von oben bis unten, als er hört, daß mich der Kurdirektor zu ihm geschickt hat, «damit ich auch einen andern Standpunkt höre». «Es ist traurig», bricht es schließlich aus dem Bauern heraus, «das Romanische geht langsam zugrunde. Ja, Geld hat diese rasende Entwicklung gebracht. Aber wenn jemand sein Hemd verkauft, dann hat er auch Geld!» Standhaft – seine Gegner sagen: stur – hat sich der alte Laaxer geweigert, Boden zu verkaufen, obwohl er das Geld zur Reparatur seines uralten Hofes dringend brauchen könnte. Doch das konnte nicht verhindern, daß seine Wiesen in den Sog der Bauerei gerieten. «Meine schönsten zwei Hektar haben sie für eine Zufahrtsstraße zerschnitten», erregt sich der alte Bauer. «Ich habe mich mit allen Mitteln gewehrt, doch ich konnte nichts machen!»

Auch Laax schied seinerzeit eine viel zu große Bauzone aus, damit alle Bodenbesitzer über ein Stück Land im goldenen Revier verfügten, das zum Teil die schönsten Wiesen des Dorfes einschließt. «Boden und Sprache gehören doch irgendwie zusammen», erklärt der standhafte Laaxer, der mit seiner Haltung im aufstrebenden Dorf querliegt. Und düster fügt er hinzu: «Laßt nur wieder eine Krise wie mit dem Ersten und dem Zweiten Weltkrieg kommen. Erst dann kann man das richtig beurteilen, was die heute machen. Wenn die leeren Buden und die Parkplätze und die Straßen dort sind, wo wir Kartoffeln anpflanzen müßten!»

h) Die Einheimischen meiden den wichtigsten Erwerbszweig

Die Hälfte des Bündner Volkseinkommens stammt aus dem Fremdenverkehr; in Gemeinden wie Laax, Pontresina, St. Moritz oder Champfèr ist dieser Wirtschaftszweig jedoch fast zur Monokultur gediehen. In Bergregionen, wo man außer in der Land- und Forstwirtschaft kaum irgendwo sein Auskommen finden könne, sei der Tourismus die einzige Einnahmequelle, lautet die gängige Erklärung. Verblüfft registriert der Gast jedoch, daß ihn im romanischen Feriendomizil zum Beispiel ein St. Galler Hotelier willkommen heißt, ihm ein spanischer Hausbursche die Koffer ins Zimmer trägt, eine italienische Cameriera das Bett macht und eine Tiroler Serviertocher den Veltliner einschenkt. Auf dem Kurverein des Dorfes kann ihn durchaus ein freundlicher Herr mit dem Namen Popoff beraten und auf der Eisbahn ein Sportlehrer aus Thun in die Geheimnisse des Eiskunstlaufs einweihen.

Arbeiten im Bereich des Tourismus, als einzige Erwerbsquelle im Berggebiet gepriesen, sind bei den Einheimischen nicht gefragt! Davon zeugt das ewige Klagelied der Hoteliers über Personalmangel. Verständlich, daß ein stolzer Engadiner nicht in einer Hotelküche Pfannen putzen, daß eine waschechte Oberländerin lieber bei der Post arbeitet, als Gästebetten geradezuziehen. Doch auch bei den höheren Chargen sucht man die Rätoromanen oft vergebens. Frieder Neunhoeffer arbeitet in Samedan als Berufsberater für das ganze Engadin und das Val Müstair. Wie er darlegt, können von den ungefähr 250 Lehrlingen pro Jahr rund 200 ihre Ausbildung im Engadin oder im Münstertal absolvieren. «Das Hotelgewerbe hätte viele freie Lehrstellen», meint Neunhoeffer, «doch wir können sie längst nicht alle mit Einheimischen besetzen.» Zwei Drittel der Kochlehrlinge kommen aus anderen Gebieten, meist aus dem Unterland; kaum je interessieren sich einheimische Mädchen oder Burschen für eine Service-Lehre. Von den 56 Hotelfachassistentinnen, die gegenwärtig in der Ausbildung stehen, sind fünf Engadinerinnen. Die Lehrlinge ziehen Ausbildungen auf Banken, im Verkauf oder in einem Handwerksbetrieb vor; weit oben steht bei den Burschen der Beruf des Automechanikers. Die meisten dieser Berufe leben indirekt auch vom Fremdenverkehr, dennoch bleibt die Erkenntnis, daß der Rätoromane der Arbeit im Bereich des Tourismus aus dem Wege geht. So übernehmen eben andere diese Arbeiten: von der Schlüsselposition des Kurdirektors bis hinunter zum Laufburschen. Eine solche Dominanz fremdsprachiger Arbeitskräfte auf allen Stufen im wichtigsten Erwerbszweig untergräbt die romanische Sprache.

Gegenbeispiele wie Sent, wo Einheimische dem Tourismus den Stempel aufprägen (ohne Tiroler Serviertöchter geht es freilich auch hier nicht), beweisen höchstens die Regel. Armon Planta, in Sent wohnhafter Schriftsteller, zieht das Fazit so: «Die Rätoromanen sind ein kleines, verführtes Volk, das leider in einer zu großartigen Landschaft lebt und darum kolonisiert wurde und seine Identität verlor.»

10. Wirtschaftsförderung kontra romanische Sprache?

a) «Corporaziun da vischnauncas Surselva»

«Corporaziun da vischnauncas Surselva/Gemeindeverband Surselva» steht auf dem Einzahlungsschein, den Landwirt Felici Bearth in Sumvitg heute zusammen mit seinem Leibblatt, der «Gasetta Romontscha», im Briefkasten findet. Mit dem blauen Schein wird er nächstens 58.25 Franken auf das Konto des Gemeindeverbandes in Ilanz einzahlen, die Gebühr für die Kehrichtabfuhr während des vergangenen Jahres. Einzahlungsscheine mit romanischem Aufdruck sind eine Erfindung neueren Datums; gedankenlos beschrifteten selbst vollständig romanische Gemeinden ihre Post an den Bürger in deutscher Sprache. Der Einzahlungsschein aus Glion/Ilanz belegt eine Wende, die überall in Romanischbünden zu beobachten ist: Auch die Ämter bequemen sich, den Adressaten in seiner Muttersprache anzusprechen. Die Post aus dem dreißig Kilometer entfernten Ilanz im Somvixer Briefkasten zeigt noch etwas anderes: Die Gemeinden des Bündner Oberlandes haben sich in einem Verband zusammengeschlossen, der unter anderem die Kehrichtabfuhr in der ganzen Surselva besorgt. Die «Corporaziun da vischnauncas Surselva» ist 1976 als einer der ersten Regionalverbände der ganzen Schweiz gegründet worden. Und das ist kein Zufall, denn gerade im Bündner Oberland rief eine bedenkliche Bevölkerungsentwicklung bereits während der Hochkonjunktur in den sechziger Jahren nach Gegenmaßnahmen auf regionaler Ebene. Die Ergebnisse der Volkszählung von 1960 zeigten für viele Gemeinden der romanischen Surselva ein deprimierendes Bild. Die meisten Bauerndörfer erlitten einen Bevölkerungsschwund, der ans Lebendige ging. Luven verlor in dieser Zeit einen Viertel seiner Bewohner, St. Martin im Lugnez dreißig Prozent! Dörfer, die nur zehn Prozent im Minus lagen, konnten sich glücklich schätzen. Bedeutende Zunahmen registrierten vor allem regionale Zentren wie Ilanz, Touristen-Dörfer wie Flims und Gemeinden, die durch Kraftwerkbauten für ein paar Jahre viele fremde Bauarbeiter beherbergten. Das «Ausbluten der Bergtäler» infolge der scheinbar unwiderstehlichen Anziehungskraft der Wirtschaftszentren im Tiefland schrie förmlich nach Gegenmaßnahmen. 1966 versammelten sich während eines Wochenendes die Präsidenten und Kassiere aller surselvischen Gemeinden zu einem Wirtschafts-Seminar in Breil/Brigels. Fazit der zukunftweisenden Veranstaltung: Wirtschaftliche Randgebiete wie die Surselva können auf die Länge nur überleben, wenn sie sich zu Selbsthilfe-Organisationen, zu regionalen Verbänden, zusammenschließen. Junge einheimische Ökonomen und Leute, die sich in der Sozialarbeit engagierten, unternahmen die ersten konkreten Schritte; bald ließen sich auch die politischen Kräfte für die Idee einer Regionalisierung und für mehr Koordination der wirtschaftlichen Entwicklung der Surselva gewinnen. Bereits ein Jahr nach dem Seminar in Breil gründeten die interessierten Kreise die «Pro Surselva». In ihrem ersten Jahresbericht schreibt die Arbeitsgemeinschaft: «Die Pro Surselva strebt die wirtschaftliche, soziale und kulturelle Förderung des Bündner Oberlandes an. Sie will durch gemeinsame Selbsthilfe Lebensbedingungen schaffen, die den Bedürfnissen des heutigen Menschen entsprechen. Durch optimale Nutzung der vorhandenen Möglichkeiten und unter Wahrung der Naturschönheiten soll die Surselva als Lebensraum attraktiv gestaltet werden. So könnte die übermäßige Abwanderung gemindert und die Zuwanderung frischer Kräfte gefördert werden.»

Aus der Arbeitsgemeinschaft wuchs der «Gemeindeverband Surselva» heraus, dem heute 47 der 48 Regionsgemeinden angehören. Jede einzelne Ortschaft stimmte demokratisch ab, ob sie sich der regionalen Organisation anschließen wollte oder nicht. Rasch nahmen die Verantwortlichen den Entwurf eines Entwicklungskonzeptes an die Hand. Parallel dazu übernahm der Verband Aufgaben, die früher die einzelnen Gemeinden oft mehr schlecht als recht erfüllt hatten. So organisiert er die Hauspflege (mit romanisch sprechenden Pflegerinnen!), ist verantwortlich für die Kehrichtabfuhr und engagiert sich auch kulturell. Eine Musikschule, an der gegenwärtig 800 Schüler aus der Surselva ein Instrument spielen lernen, ist innert weniger Jahre von der «Corporaziun» aufgebaut worden! Schließlich vertritt der Gemeindeverband die Region politisch gegen außen.

b) Bundeshilfe für das Berggebiet

Die erdrutschartige Bevölkerungsbewegung vom Land in die Stadt machte in den Jahrzehnten nach dem Zweiten Weltkrieg nicht nur Bündner Bergtälern zu schaffen, sie kennzeichnete die demographische Entwicklung in der ganzen Schweiz.

Was in der Surselva erstaunlich früh Konturen annahm, beschäftigte gegen Ende der sechziger und zu Beginn der siebziger Jahre mehr und mehr auch den Bund: die Regionalpolitik. So schreibt der Bundesrat in seinem Bericht vom 13. März 1972 über die Richtlinien der Regierungspolitik in der Legislaturperiode 1971–1975: «Wir sind gewillt, zwischen ländlichen und städtischen, zwischen wirtschaftlich schwachen und wirtschaftlich starken Gebieten mit finanz- und raumordnungspolitischen Mitteln einen sinnvollen Ausgleich anzustreben, auf eine Angleichung des Wohlstandes in den verschiedenen Regionen hinzuwirken und im Sinne dieses Ausgleichs die Besiedlungspolitik zu beeinflussen. Wir beabsichtigen insbesondere, die von der Abwanderung erfaßten oder bedrohten Regionen mit gezielten Maßnahmen zu fördern und zu stärken. Diese Maßnahmen sollen aufgrund regionaler, auf das Gesamtinteresse abgestimmter Entwicklungskonzepte getroffen werden.» 1974 trat das Bundesgesetz über Investitionshilfe für Berggebiete in Kraft, von dem alle Regionen mit rätoromanischer Bevölkerung profitieren. Nach der «Corporaziun da vischnauncas Surselva» konstituierten sich in Graubünden weitere vierzehn Regionalverbände, denn ohne Entwicklungskonzepte für ganze Regionen fließen die Bundesgelder nicht.

Die Investitionshilfe des Bundes für die Regionen im Berggebiet reicht von Krediten für den Bau von Straßen und Wasserversorgungen bis hin zur Erstellung von Sportanlagen oder Lawinenverbauungen. Gelder aus dem 500-Millionen Fonds fördern, zinsgünstig oder zinslos, Infrastruktur-Projekte der Bergregionen. Das eidgenössische Hilfsnetz reicht jedoch weiter: Ein Bundesgesetz aus dem Jahre 1966 unterstützt den Neubau und die Renovation von Hotels und Kurorteinrichtungen wie Heilbädern. Manches Gasthaus in kleineren Feriendörfern Romanischbündens hätte ohne die Finanzspritze aus Bern nicht gebaut oder modernisiert werden können. Vater Staat dachte auch ans Gewerbe, als er daran ging, einen Ausgleich zwischen den armen und den reichen Regionen Helvetiens zu schaffen. So ermöglicht ein Gesetz aus dem Jahre 1976 Bürgschaften für Klein- und Mittelbetriebe, wenn diese auf dem Kapitalmarkt Geld aufnehmen müssen, jedoch der Bank keine ausreichenden Sicherheiten bieten können.

Unter dem Titel «Finanzausgleich» kassiert Graubünden jährlich dreistellige Millionenbeträge, 1980 immerhin 235 Millionen. Das sind 1428 Franken pro Kopf der Bevölkerung, während das schweizerische Mittel 725 Franken betrug. 1965 lag Graubünden bezüglich des Volkseinkommens pro Einwohner auf dem Platz 15, heute liegt der Kanton auf dem Rang 6, noch vor dem Stand Bern! Vor allem die Entwicklung Churs und der touristische Aufschwung in den Alpen machten diesen Sprung nach vorn möglich.

Wohlhabende Regionen liegen in Graubünden allerdings oft in Sichtweite zu wirtschaftlich schwachen Gebieten. Vom prosperierenden Laax zum armen, von Abwanderung gebeutelten Luven sind es nur ein paar Kilometer. Das reiche Oberengadin liegt sozusagen einen Steinwurf vom bedürftigen Bergell entfernt. Das errechnete Durchschnittseinkommen pro Kopf der Bündner Bevölkerung ist mithin eine theoretische Größe.

Weil Graubünden neben florierenden Zentren ausgedehnte wirtschaftlich schwache Zonen umfaßt, profitiert der Kanton – und damit das rätoromanische Sprachgebiet – in überdurchschnittlichem Maß vom Finanzausgleich. Der Aufwand für Straßen, Gewässerschutz und Bauten zum Schutz gegen Naturgewalten ist im ausgedehnten, vergleichsweise dünn besiedelten Bergkanton viel höher als im Mittelland.

c) Seit jeher mehrsprachige Zusammenschlüsse in Graubünden

Von den 15 neu geschaffenen Bündner Regionen bilden 8 sprachlich einheitliche Territorien, nämlich Bregaglia, Calanca, Poschiavo und Mesolcina (italienisch), Prättigau, Schanfigg und Davos (deutsch) und Val Müstair (romanisch). In der Surselva und dem Unterengadin dominieren zwar die romanischen Gemeinden, doch beide Regionen umfassen auch rein deutschsprachige Gebiete. Die restlichen romanischen Dörfer verteilen sich, teilweise als einsame Inseln, auf mehrheitlich deutsche Regionen. Ein «romanisches Territorium» ist in dieser modernen bündnerischen Gebietsaufteilung nicht erkennbar: ein Horror für alle, welche die Romanen unter einen Hut bringen möchten! Daß sich die Rätoromanen auf allen Fronten mit den anderssprachigen Bundesgenossen arrangieren müssen, hat freilich eine Tradition, die bis zur Gründung von «Alt fry Rätien» zurückreicht! Der *Gotteshausbund,* 1367 in Zernez zur Abwehr habsburgischer Expansionsgelüste beschworen, umfaßte neben Engadin, Münstertal und Mittelbünden auch die Stadt Chur und das Gebiet um Maienfeld mit Ortschaften, die bald nach dem Zusammenschluß germanisiert wurden. Der *Obere* oder *Graue Bund* ist zwar 1395 im damals vollständig romanischen Ilanz begründet worden, Walsergemeinden schlossen sich der Notgemeinschaft ebenso an wie die italienischsprachigen Südtäler Mesolcina und Calanca. Im *Zehngerichtebund* (1436) schließlich sammelten sich die Walsergebiete von Prättigau, Schanfigg und Davos mit den Romanen an der Albula im Kampf gegen die Abwehr fremder Willkür. Als sich die drei Bünde Mitte des 15. Jahrhunderts zusammenschlossen, stellten sie ein sprachlich buntscheckiges Gebilde dar. Als alleinige Staatsprache galt, wen wundert's? das Deutsche. Eine Ausnahme machten die Notare des Oberengadins und der italienischsprachigen Talschaften: sie verwendeten noch lange Zeit Latein. Obwohl auf dem Territorium des Freistaates in der Mehrheit, räumten die Romanen in der entscheidenden Frage der Staatsprache zugunsten der deutschsprachigen Minderheit das Feld. Wie es scheint, wichen sie ohne viel Protest zurück. Die Reformation schwächte die Position des Romanischen weiter, weil der konfessionelle Riß im Engadin und in der

Surselva zwei beträchtlich verschiedene Schriftsprachen entstehen ließ. Das verwirrende sprachliche Bild, das die drei alten Bünde boten, setzt sich in der Kreiseinteilung fort. Von den Kreisen der Surselva beispielsweise ist nur gerade einer, die Cadi, rein romanisch; alle andern setzen sich aus Ortschaften zweier Sprachgruppen zusammen.

*

Der kurze Blick auf die Geschichte Rätiens beweist, daß die sprachlich uneinheitlichen Entwicklungsregionen des ausgehenden 20. Jahrhunderts in einer langen historischen Tradition stehen. Es gehört zur Bestimmung, zum «Schicksal» der rätoromanischen Kleinsprache, daß sie sich seit jeher mit dem Deutschen arrangieren muß. Während im romanisch-italienischen Grauen Bund während vieler Generationen das Deutsche als Staatssprache diente, gibt der Gemeindeverband Surselva alle Publikationen zweisprachig heraus. Um keine der beiden Sprachgruppen vor den Kopf zu stoßen, sind Broschüren so geheftet, daß sowohl der romanische wie der deutsche Text auf einem der beiden Deckblätter beginnt. Die «Corporaziun» bemüht sich um tadellose Übersetzungen und sucht mit der Zweisprachigkeit natürlich und sympathisch umzugehen. Romanischsprachige Eltern bekommen beispielsweise die Anmeldeformulare für die Musikschule in Surselvisch; wenn immer möglich erhalten die Musikschüler ihre Lektionen in der Muttersprache. Für die Sprachgesellschaften «Romania» und «Renania» sind die gefundenen Lösungen allerdings nicht in allen Teilen befriedigend. Sie versuchen jetzt, dem Romanischen ein etwas größeres Terrain im Gemeindeverband zu sichern.

*

«Wenn ich das Wort ‹Gemeindeverband› höre, dann zucke ich unwillkürlich zusammen», sagt mir ein junger engagierter Surselver in Laax. Er gibt damit einem unguten Gefühl Ausdruck, das er mit manchem Surselver romanischer Zunge teilt. Wichtigster Stein des Anstoßes: weder der Sekretär, Theo Maissen, noch der Präsident, der Walser Fridolin Hubert, reden Romanisch! Maissen, gebürtiger Disentiser, ist deutschsprachig in Chur aufgewachsen, versteht zwar das lokale Idiom, spricht es aber nicht. Als Mann der ersten Stunde arbeitete der studierte Ingenieur-Agronom schon früh beim Aufbau des Gemeindeverbandes und am Entwicklungskonzept für die Surselva mit. Romanisch sprechende Fachleute standen damals nicht zur Verfi gung, sprachliche Kriterien bei der Wahl nicht im Vordergrund. Bündner Gemeinden mit ihrem Hang zur Autonomie sehen ihre Kompetenzen durch die regionalen Verbände beschnitten. Geschäfte, die der Stimmbürger früher an der Dorfurne beeinflussen konnte, können heute durchaus in die Zuständigkeit der Region fallen. «Undemokratisch», wie sie im ner wieder tituliert werden, sind die Verbände jedoch nicht. Jede Gemeinde wählt ihre Delegierten, und diese bestimmen in demokratischer Wahl Präsident und Geschäftsführer. Die Delegiertenversammlung der «Corporaziun da vischnauncas Surselva», wo zwei Drittel der Mitglieder romanisch sprechen, hätte es also in der Hand gehabt, zumindest einen Vertreter ihrer Sprache an die Spitze des Verbandes zu stellen. Wichtige Sachgeschäfte kommen gemeindeweise zur Abstimmung; das Recht der Initiative ermöglicht den Bürgern jederzeit, Neuerungen aufs Tapet zu bringen und durch Urnengänge vom Stimmvolk der Region begutachten zu lassen. Die geringfügige Einbuße an Gemeindeautonomie wird aufgewogen durch die Bundesgelder für wichtige Regionalprojekte, von welchen auch die vehementesten Kritiker des Verbandes profitieren.

d) «Pro Engiadina bassa»

Wer im Büro der «Pro Engiadina Bassa» als Wandschmuck nur Engadiner Trachten erwartet, erlebt eine Enttäuschung. Im Sekretariat des Unterengadiner Gemeindeverbandes hängen auch Fotos aus Afrika und Südamerika an den Wänden! Das ganze Büro trägt die Handschrift des 35jährigen Geschäftsführers Peder Rauch, eines Mannes, der die Welt gesehen hat und sich anschließend für eine Aufgabe in der Heimat entschied. Während er mir auf alle Fragen präzis Auskunft gibt, vervielfältigt er auf dem Umdrucker die Einladung für die nächste Delegiertenversammlung. «Eine Sekretärin können wir uns nicht leisten», lacht der Allrounder. Zwischen dem Nachschieben der Blätter und den zügigen Antworten nimmt er noch mehrmals das Telefon ab. Klar, daß er nur ladinisch redet, denn das ist die Sprache, mit der er von Kindsbeinen an vertraut ist. Peder Rauch strahlt Optimismus aus, ohne in Schönfärberei zu verfallen. Er ist einer jener Engadiner, die es in jungen Jahren mit aller Macht in die Ferne zog. Als gelernter Maschinenschlosser arbeitete er zuerst im Unterland und montierte dann in Südafrika Anlagen für die Firma Sulzer. An der Südspitze des Schwarzen Kontinents fand er sich mit andern Romanen und mit Tessinern zusammen und gründete mit ihnen die Vereinigung «Pro Rumantsch, pro Ticino». Nach einem langen Trip durch Südamerika zog es den Scuoler wieder zurück in die Schweiz; in Zürich drückte er nochmals die Schulbank und erwarb das Handelsdiplom.

Ums Jahr 1970 erreichte die schweizerische Planungswelle das Unterengadin. Einzelpersonen und Gemeinden, die sich mit zwei Franken pro Jahr und

Einwohner beteiligten, gründeten die «Pro Engiadina bassa» (PEB). Rasch gewann die Organisation an Gewicht; Großräte und Gemeindepräsidenten engagierten sich, Entwicklungskonzepte nahmen Gestalt an. 1975 wählten die Delegierten Peder Rauch als Sekretär des Verbandes, dem heute zehn der zwölf Regionalgemeinden angehören. (Die Stimmbürger von Zernez und Susch legten gegen den Beitritt ihr Veto ein.)

Sprachlich einheitlich präsentiert sich auch der Unterengadiner Regionalverband nicht, denn das deutschsprachige Samnaun zählt zu den angeschlossenen Gebieten. Scuol mit einem Romanen-Anteil von rund fünfzig Prozent gilt schon lange als zweisprachige Gemeinde. «Die Samnauner haben ihre Rechte als Minderheit im Verbande», hält Peder Rauch fest, «in den Delegiertensammlungen reden wir zwar mehrheitlich romanisch, fassen aber Voten wenn nötig auf Deutsch zusammen.» Weder demütiges Nachgeben noch stures Durchsetzen des ladinischen Idioms prägen die Zusammenarbeit. Man arrangiert sich mit viel gutem Willen; dennoch ist ein gesundes Selbstbewußtsein der Romanen unverkennbar. «Das Protokoll verfasse ich, wenn immer möglich, romanisch», erklärt der Geschäftsführer, «ich habe einfach ein besseres Gefühl und auch ein besseres Gewissen, wenn ich in meiner Muttersprache schreibe.» Mit dem kantonalen Departement des Innern in Chur korrespondiert er immer ladinisch. Oft ein einseitiges Bemühen, denn die Antwort kommt meist auf Deutsch zurück, obwohl Ladinisch im Rang einer kantonalen Amtssprache steht! Schlendrian dieses Kalibers macht den Engadiner wütend; da fühlt er sich zu recht für dumm verkauft, ja als Bürger zweiter Klasse abqualifiziert.

Das Pflichtenheft der «Pro Engiadina bassa» gleicht dem anderer Regionalverbände. Projekte im Sektor Infrastruktur, Garanten für eine gute Wirtschaftsentwicklung, und die Pflege des kulturellen Erbes umfaßt das weitgespannte Programm. Daß dabei Zielkonflikte entstehen, wissen die Delegierten, der Vorstand und der Sekretär des Verbandes nur zu gut. Die «Pro Engiadina bassa» tritt zum Beispiel für den Bau des Vereinatunnels ein, einer Eisenbahntransversale, die dem Unterengadin den direkten, wintersicheren Anschluß an das Verkehrsnetz der deutschsprachigen Schweiz bringen soll. Daß der Vereinatunnel, ausgerüstet mit einer «rollenden Straße» für den Autotransport, auf die romanische Sprache ähnliche Auswirkungen haben könnte wie seinerzeit das Albula-Loch im Oberengadin, ahnt man zwar, diskutiert es jedoch nicht gerne. Zielkonflikte! Die «Pro lingua e cultura», eine Untergruppe der «Pro Engiadina bassa», läßt sich dadurch nicht in ihrem großen Einsatz für das Ladinische abhalten. Eine der letzten Initiativen galt dem Kulinarischen. Weil man entdeckte, daß einheimische Hauswirtschaftslehrerinnen ihren Schülerinnen selbst das Zubereiten von Engadiner Speziali-

Peder Rauch (rechts), der Sekretär der «Pro ▷
Engiadina bassa», in seinem Büro in Scuol.

täten auf deutsch erklärten, stellten Vertreter der Kulturgruppe ein Küchenvokabular zusammen und landeten damit einen durchschlagenden Erfolg. Endlich ist es möglich, auf ladinisch zu garen und zu dünsten. Das nachgelieferte romanische Kochbuch veranlaßte viele, die einheimische Sprache in einem wichtigen Lebensbereich wieder zu verwenden. Die Verfasser des mehrere hundert Vokabeln umfassenden Breviers stießen bei ihren Recherchen auf eine erstaunlich große Zahl guter, jedoch in Vergessenheit geratener Begriffe; andere fehlten und mußten neu geschaffen oder aus dem Italienischen abgeleitet werden. Initiativen dieser Art tragen wertvolle Früchte für das Rätoromanische. Sie helfen mit, die Sprache im Alltagsgebrauch zu festigen und das Interesse für den reichen, vom Deutschen verdrängten Wortschatz zu wecken.

e) Regionalplanung und Sprache

Das Planen in größeren geographischen Dimensionen trug dazu bei, daß sich die wichtigsten rätoromanischen Sprachräume, die Surselva und das Unterengadin, nicht mehr weiter entvölkerten. Ein Blick auf die Resultate der letzten Volkszählung zeigt jedoch für die Mehrzahl der Dörfer im Bündner Oberland immer noch eine Abnahme während des letzten Jahrzehnts. Nur weil regionale Zentren wie Ilanz, Laax und Flims sich zum Teil massiv vergrößerten, blieb die Zahl der Einwohner in der Region praktisch konstant. Fazit: Regionalplanung fördert regionale Schwerpunkte. Wie Flims, Ilanz, Laax und immer mehr auch Disentis belegen, zieht der Wirtschaftsaufschwung in den Zentren unweigerlich fremdsprachige Zuzüger an, welche das lokale Idiom oft nicht lernen.

f) Probleme mit dem Rätoromanischen im Gewerbe

Schreiner Gian Catrina amüsierte sich, als er in der sutselvischen Wochenzeitung «La Punt» die Reportage über die Renovation des Lohner Schulhauses las, an dem er selbst mitgewirkt hatte. Der Autor des Berichtes schilderte das Bauprojekt in lupenreinem Schamser-Romanisch, jeder Fachausdruck stimmte, war tadellos in die Sprache der Sutselva übersetzt worden. Und dennoch kam er offenbar bei einem Teil des Zielpublikums nicht an. «Das ganze wirkte auf uns belustigend, zum Schmunzeln», erinnert sich der tüchtige Fachmann, «schon Berufsbezeichnungen wie ‹Spengler› oder ‹Installateur› auf romanisch finden wir Handwerker komisch.» Was denn daran so belustigend sei, wenn man Fachausdrücke aus seiner Berufswelt in der eigenen Muttersprache höre, will ich wissen. «Es tönt einfach unecht, irgendwie sektiererisch», meint der Schreiner; «da haben sich ein paar Vögel in einem Büro der ‹Lia Rumantscha› in Chur etwas ausgedacht und versuchen es unter die Leute zu bringen. Für uns bleibt das ohne Wirkung, diese Wörter brauchen wir in der Schreinerei und auf der Baustelle nicht.»

Der Rätoromane Gian Catrina drückt es entwaffnend und frisch von der Leber weg aus, was Handwerker in allen Tälern Romanischbündens immer wieder erklären: das Fachvokabular wird von Berufsleuten aller Sparten im Alltag kaum verwendet. Sie reden zwar romanisch an der Werkbank, in der Garage oder auf dem Bau, doch es würde ihnen nie einfallen, für «Schraube» «crenadira» und für «löten» «lutagear» zu sagen. Darum tönt das Romanisch der Handwerker oft so, wie in jener Laaxer Schreinerei; selbst wer des Surselvischen nicht mächtig ist, versteht, um was sich der folgende Dialog dreht:

«Va per il Wasserwog!»
«Drovas era grad il Fuchsschwanz?»
«Il material ei en Werkstatt sil Hobelbank.»

«Eine Katastrophe, wie wir reden!» bekennt der Lehrling selbstkritisch, und der Vorarbeiter ergänzt: «Wir haben hier nicht Zeit, nach den richtigen romanischen Wörtern zu suchen, wir müssen arbeiten.» Basta! Die Misere mit dem Romanischen am gewerblichen Arbeitsplatz hat mehrere Wurzeln. In der Primarschule hört das Romanische als Unterrichtssprache in dem Moment auf, wo das Interesse an der Technik richtig erwacht. Alles, was das rätoromanische Kind über die faszinierende Welt der Flugzeuge, Traktoren und Satelliten liest, prasselt auf deutsch herein und prägt sich in der Fremdsprache ein. Das Kind, der Jugendliche spüren auf Schritt und Tritt das geradezu unheimlich große Gewicht der «zweiten Sprache». Ob «Bildschirm», «Space Shuttle» oder «Mähdrescher», das Wort kommt nie zuerst in der Muttersprache; meist in Deutsch, nicht selten jedoch in Englisch. Was später, oft nach Jahren, in Romanisch nachgeliefert wird, tönt zunächst gesucht, ja überflüssig.

Unüberhörbar schwingt jedoch ein Unbehagen mit, wenn sich Handwerker über ihr «Kauderwelsch» äußern. Irgendwo schimmert fast immer ein schlechtes Gewissen durch. Doch man sieht keinen Ausweg, weil «die Fachwörter einfach nicht richtig stimmen», wie sich ein Trunser Lehrling ausdrückt und etwas nachdenklich beifügt: «Wir können uns nichts anderes vorstellen, als bei der Arbeit romanisch zu reden. Aber mit den deutschen Wörtern müssen wir uns, glaube ich, abfinden.»

g) Wenig Romanisch an den Gewerbeschulen

Von den 305 Schülern an der Gewerbeschule in Samedan sind 136 Rätoromanen. Bei den Coiffeusen, einem Beruf, der im Engadin keine Nachwuchssorgen kennt, drücken in der selben Klasse Mädchen aus dem Oberengadin mit der Muttersprache Puter, aus dem Unterengadin (Vallader), aus dem Bergell (italienischer Dialekt) und Lehrlinge deutscher Zunge die Schulbank. Bei den Bäckern herrschen ähnliche Verhältnisse. «Was würden Sie da für eine Unterrichtssprache wählen?» fragt der Ardezer Martin Huder, Vorsteher der Schule. Ich habe mich für das Gespräch mit einer ganzen Reihe harter Fragen gewappnet, denn auf meiner Safari durch die rätoromanische Berufswelt nannte man immer wieder die Gewerbeschulen als Sündenböcke für die Probleme mit dem Romanischen im Berufsleben. Angesichts der konkreten Samedaner Situation fällt mir keine andere Antwort als «Deutsch» ein. «So machen wir es auch», erklärt Huder, «zumal keine Fachlehrbücher in Romanisch existieren.» Bei derart bunt zusammengewürfelten Klassen vollständig romanisch unterrichten zu wollen, muß eine Utopie bleiben. Immerhin sollte die Möglichkeit, allgemeinbildende Fächer wie Staatskunde in der Muttersprache zu unterrichten, mehr genutzt werden, denn da ist es durch Zusammenzug der gleichsprachigen Schüler möglich, die erforderlichen Klassengrößen zu erreichen. Gerade an Berufsschulen hat das Romanische auch darum einen schweren Stand, weil als «Brotsprache» das Deutsche gilt. Wo es einmal gelingt, eine ganze Klasse aus Romanen zusammenzustellen und die Lehrer die Sprache beherrschen, wird während der Lektionen immer wieder romanisch geredet. Sobald der Lehrer jedoch einmal etwas im lokalen Idiom an die Tafel schreibt, beginnt in der Regel die Unsicherheit, denn im schriftlichen Ausdruck fühlen sich die Lehrlinge nicht sattelfest: Seit der vierten Primarklasse haben sie fast ausschließlich deutsch geschrieben.

Wie auf allen anderen Gebieten erfordert die Normalisierung der Sprachenlage für das Romanische auch im Sektor Gewerbeschule sehr viel Arbeit. Silberstreifen am Horizont sind jedoch auszumachen; so erschien kürzlich das Sprachbuch «Instrucziun da lingua in scoulas professiunalas» für Gewerbeschulen in Ladinisch.

«Besserwisser gibt es viele», meint Vorsteher Huder, «doch Bessermacher wenige!» Den Gewerbeschulen fehlt die Basis für den Romanisch-Unterricht gleich mehrfach. Der Mangel an einschlägigem Unterrichtsmaterial muß nicht überraschen, denn für einen umfassenden Unterricht an Gewerbeschulen in romanischer Sprache fehlen bis jetzt gesetzliche Grundlagen. So übergeht die eidgenössische Verordnung über die berufliche Ausbildung die Existenz der vierten Landessprache! Obwohl das Bundesamt für Industrie, Gewerbe und

Arbeit (BIGA) eine gewisse Berücksichtigung des Romanischen erlaubt, lassen die aktuellen Richtlinien einen entscheidenden Terraingewinn für die rätoromanische Sprache gar nicht zu. Die neuen Diskussionen über die Probleme der Minderheiten-Sprache lösten beim BIGA ein ermutigendes Echo aus. Das Bundesamt ist geneigt, Reglemente zu ändern, so daß Romanisch in Zukunft auch in Fach-Lektionen Eingang finden könnte. Auch über Subventionen für neue berufsbildende Lehrmittel läßt Bern jetzt offensichtlich mit sich reden. Eine Umfrage unter den Gewerbeschülern in Samedan hat ergeben, daß die Ladiner durchaus eine Lektion pro Schultag in ihrer Muttersprache wünschen, jedoch auf keinen Fall zusätzlich zum Stundenplan. Verständlich, denn Gewerbeschüler drücken einmal wöchentlich während acht bis neun Lektionen die Schulbank; für eine zusätzliche Stunde in Romanisch reicht die Aufnahmefähigkeit nicht.

*

An der Berufsschule in Samedan, wo Verkäuferinnen und Sekretärinnen ihr fachliches Rüstzeug holen, nimmt die romanische Sprache jetzt einen etwas breiteren Raum im Unterrichtsprogramm ein. Die Schülerinnen lernen zum Beispiel eine Reihe von gängigen Geschäftsbriefen auf romanisch zu schreiben, ein wichtiger Schritt nach vorn, denn der Bedarf an Sekretärinnen, welche romanisch korrespondieren können, ist allein beim Kanton und den Gemeinden groß. Ein weiterer Lichtblick: an der Gewerbeschule in Chur erhalten drei Klassenzüge, die sich aus romanischen Schülern verschiedener Fachklassen zusammensetzen, im Fach «Muttersprache» jetzt Romanischunterricht. Keine Selbstverständlichkeit, denn nur zu oft ist diese Stunde auch für Romanen jeweils dem Deutschen gewidmet! Ja eine ältere surselvische Verkäuferin erinnert sich an ihr Gewerbeschul-Zeugnis, wo unter der Rubrik «erste Fremdsprache» «Romanisch» stand . . . Wo es die Zusammensetzung der Klassen erlaubt, werden heute vermehrt Fächer in Romanisch unterrichtet. Doch das ist sozusagen Guerillataktik engagierter Lehrer, denn offiziell gelten als Unterrichts- und Prüfungssprachen an Berufsschulen in der Schweiz nur Deutsch, Französisch sowie Italienisch. Immerhin kann der Romane heute wenigstens die Prüfung im Fach «Muttersprache» wirklich in *seiner* Muttersprache ablegen . . .

Wie Lehrer Rest Luis Deplazes an der Ilanzer Gewerbeschule erklärt, besteht ein nicht geringer Druck von seiten der Eltern, daß ihre Söhne und Töchter an der Gewerbeschule Deutsch lernen, was als unerläßlich für ein berufliches Fortkommen gilt. «Lehrlinge aus dem sprachlich noch fast intakten Medels weigern sich oft, hier romanisch zu reden», erklärt Deplazes, «denn sie sehen die Gewerbeschule sozusagen als letzte Chance an, noch einigermaßen gut Deutsch zu lernen.»

*

Die tragende Bevölkerungsschicht im rätoromanischen Gebiet arbeitet in handwerklichen Berufen, im Gewerbe, in der Landwirtschaft und im Dienstleistungsbereich.

Vielleicht am besten gehen Verkäuferinnen und Verkäufer im Beruf mit ihrer romanischen Muttersprache um. In Lebensmittelläden, Schuh- oder Blumengeschäften von Disentis bis Ardez, ja sogar in St. Moritz oder Chur redet das Personal selbstverständlich rätoromanisch. Auf dem Bau, in der Schlosserei und in der Garage degeneriert die Sprache jedoch oft zu einem Mischmasch aus Romanisch und Deutsch. «Eine Sprache lebt nicht von der Poesie allein», meint ein Handwerker etwas wegwerfend, als wir auf den Mangel an Fachzeitschriften, Unterlagen für die Weiterbildung, ja sogar an romanischen Prospekten zu reden kommen. Während die Deutschschweizer vom riesigen Potential der rund hundert Millionen deutschsprachigen Europäer mit dem fast unüberschaubaren Ausstoß an Büchern, Zeitungen, Zeitschriften, Radio- und Fernsehprogrammen profitieren, muß die aufgesplitterte Kleinsprache in den rätischen Alpen notgedrungen ins Hintertreffen geraten. Darum erscheint es als zwingend, daß in einer zunehmend technisierten Welt Deutsch die «Brotsprache» der Romanen werden mußte. Dennoch mobilisieren sich jetzt Gegenkräfte.

Ohne Erfolge an der beruflichen Front wird das Rätoromanische an Hobelbänken und in Reparaturwerkstätten verkommen. Die «Lia Rumantscha» erarbeitet jetzt Listen mit Begriffen für die Berufswelt. Damit diese langen Reihen von Worten nicht Makulatur bleiben, müssen sie in Zusammenarbeit mit den Handwerkern und Gewerbetreibenden geschaffen werden, überzeugend klingen und schließlich auch «an den Mann gebracht» werden. Auch hier ist Fortschritt nur in Sicht, wenn Lehrmeister und Gewerbeschule mitmachen und die Begriffe in die gesprochene Sprache einschleusen. Daß nicht jedes fremde Wort auszumerzen ist, beweisen alle modernen Großsprachen; alltägliche Begriffe wie Schraubstock oder Stecker müßten jedoch zum aktiven Wortschatz der Romanen gehören. Viele dieser Worte existieren! Sie verstauben jedoch in den Wörterbüchern, ohne je gebraucht zu werden.

h) Romanische Geschäftskorrespondenz

«Frars Sgier, lennaria e scrinaria, 7131 Lumbrein», steht auf dem Briefkopf der Schreinerei Sgier in Lumbrein. Wie immer mehr Handwerksbetriebe im romanischen Gebiet signalisieren die Inhaber zumindest auf dem Briefkopf und mit dem Firmenschild, welche Sprache sie reden. Andere gehen einen Schritt weiter und schreiben Kostenvoranschläge und Rechnungen für ihre einheimischen Kunden im lokalen Idiom. Bauunternehmer Buchli, der Gemeindepräsident von Sent, schreibt die Mehrzahl der Rechnungen in Vallader. Das sieht dann, wie in einer Rechnung an die Gemeinde, so aus:

«Fat via cun trax $8^1/_2$ h   74. –   629. –
Grazia fich»

Ähnlich hält es die Schreinerei Maissen in Trun. Der Schriftsteller Toni Halter schreibt für seinen Sohn, der in Villa eine Garage betreibt, Rechnungen für einheimische Kunden in Surselvisch. «Das verursacht einiges an Mehrarbeit», erklärt Toni Halter, «und immer wieder stößt man auf Wörter, die es im Romanischen nicht gibt. Einzelne Kunden freuen sich über die surselvische Korrespondenz, andere murren, weil sie die Begriffe nı r zum Teil verstehen und verlangen eine Übersetzung ins Deutsche.» Der bekannte Schriftsteller arbeitet gerade an einer Edition alter surselvischer Märchen, einem Werk, wo er nicht durch moderne Wörter behelligt wird. Dennoch wage ich es, ihn mit der Frage, wie denn «Kardanwelle» auf Surselvisch heiße, aus der alträtischen Zauberwelt herauszureißen.

Geduldig blättert er im *Vocabulari*, findet «giugadira cardanica», ein Wort, das dem Mechaniker in der Garage Halter vermutlich so eigenartig vorkommt wie mir selbst. Halter seufzt: «Die technischen Wörter wirken oft so lächerlich, wei man den kompakten Begriff aus dem Deutschen kennt, während wir in unserer Sprache zwei Wörter zu einem schwerfälligeren Gebilde verbinden müssen.» Anderseits: alle romanischen Sprachen von Italien bis Südamerika müssen mit diesem Problem der zusammengesetzten Vokabeln fertig werden. Warum soll es mit konsequenter Arbeit und Einsatz auf allen Stufen im Rätoromanischen nicht gelingen?

i) Fabrikarbeiter und Bauer

«– Anlage auf backup,
– Bootstrap für high speed reader (users's guide 9–2),
– Absolute binary loader,
– Nachführen der variablen Werte.»

Diese Anweisungen in nicht gerade lupenreinem Deutsch stehen an einem Computer in den Emser Werken. Die Anlage regelt die Kunststoff-Produktion, die nach einer kurzen Störung wieder auf Volltouren läuft. Die beiden Lumbreiner Toni Capeder und Anton Casaulta besprechen den Zwischenfall ziemlich erregt auf romanisch, was dem futuristischen Szenario augenblicklich die Kälte und Fremde nimmt. Ich frage die beiden Lugnezer, ob sie es als diskriminierend empfänden, daß man die Maschinen, mit denen sie Tag für Tag arbeiteten, nicht in ihrer Muttersprache anschreibe, ja daß alle ihre schriftlichen Arbeitsunterlagen in der Fremdsprache Deutsch verfaßt seien. Entgeistert fragt Toni Capeder zurück: «Diese Maschinen mit romanischen Anschriften?» Beide lachen herzhaft. «Nein, das geht doch nicht!» Wie die Gebrauchsanweisung am Elektronengehirn belegt, versagt auch die deutsche Sprache angesichts der hochgezüchteten Technik ... Anton Casaulta und Toni Capeder sind zwei von mehreren hundert Rätoromanen in der «Ems Chemie», wie der Großbetrieb heute heißt. Es ist kein Zufall, daß die Rätoromanen ein so großes Kontingent in der 1800 Mitarbeiter umfassenden Belegschaft bilden, denn der Firmengründer Werner Oswald wählte den ländlichen Standort bei Ems, weil die Surselva und Mittelbünden über ein großes Potential an Arbeitskräften verfügten. Ausgedehnte Wälder und Elektrizität aus Wasserkraft bildeten weitere Pluspunkte für die Standortwahl der «Holzverzuckerung». Mitten im Krieg, 1942, nahm der Betrieb die Produktion des künstlichen Treibstoffes Äthanol auf. Durch Verzuckerung der Zellstoffe im Holz und anschließende Gärung gewann man das Äthanol; ein Jahr später begann die Methanolproduktion. Die beiden Alkohole ergaben zusammen das legendäre «Emserwasser», ein künstliches Benzin, das die Schweiz in Kriegszeiten praktisch zum Treibstoff-Selbstversorger machte. Was die vielen neuen Arbeitsplätze für die Region bedeuteten, belegt ein im Stile der Zeit pathetischer Schwarzweißfilm aus der Gründerepoche des Werkes: Familienväter aus Ems und den Dörfern des Einzugsgebietes schwingen sich, nachdem sie sich von Frau und Kindern verabschiedet haben, aufs Velo und radeln über Schotterstraßen zum Arbeitsplatz. Andere besteigen in Scharen die nostalgisch anmutenden, mit harten Holzbänken ausgestatteten Drittklasswagen der Rhätischen Bahn. Aus Ilanz, Trun, ja sogar Disentis, Thusis und Tiefencastel fahren sie täglich an den hochgeschätzten Arbeitsplatz, und man glaubt es den Mannen, wenn sie vor surrender Kamera sagen, daß sie ohne die neue Fabrik aus ihren Dörfern hätten abwandern müssen. Dank der «Hovag», wie das Unternehmen damals hieß, konnten Ungezählte weiterhin in ihren Tälern leben, dafür mußten sie einen längeren Arbeitsweg und in der Regel auch Schichtarbeit in Kauf nehmen. Seit den Pionierzeiten des Werkes hat sich die Zahl der Mitarbeiter stark erhöht und die Produktionspalette

Gion Giusep Caminada ist als Schichtarbeiter in ▷
der Ems Chemie tätig und bewirtschaftet mit
seiner Frau einen Bauernbetrieb in Lumbrein.

beträchtlich erweitert, doch nach wie vor bilden die Mitarbeiter aus den romanischen Dörfern das Rückgrat der Belegschaft. Im Management und in der Forschung sind allerdings auffallend wenige Rätoromanen beschäftigt.

Gion Giusep Caminada aus Lumbrein verdient seit Jahren seinen Lebensunterhalt als Schichtarbeiter in der Emser Fabrik, nebenbei betreibt er mit seiner Frau zusammen einen kleinen Bauernbetrieb. Um zehn nach vier in der Frühe rasselt bei ihm der Wecker, eine halbe Stunde später sitzt er bereits in einem kleinen Werkbus, der die Schichtarbeiter über die gewundene Straße nach Ilanz und von dort via Flims nach Ems fährt. Toni Capeder lenkt das Fahrzeug über die kurvenreiche Strecke, die er schon viele tausend Mal gefahren ist, während seine Kollegen hinten schlafen. Besonders im Winter, wenn die Gebirgsstraße verschneit oder vereist ist, muß er aufpassen wie ein «Häftlimacher», damit er den Bus sicher an den Arbeitsplatz und nach Hause bringt. Bei der Nachtschicht verläßt der Wagen abends um halb neun das Dorf und kommt morgens um sieben wieder zurück. Gion Giusep Caminada beklagt sich nicht, denn die Schichtarbeit gibt ihm die Möglichkeit, beispielsweise am Tag noch ein paar Stunden Heu für seine Schafe einzubringen und trotzdem pünktlich zur Nachtschicht in den Emser Werken anzutreten. Die unregelmäßige Arbeit wird zudem besser bezahlt. «Weil es so viele Caminadas im Dorf hat», erklärt mir der Mann am Schaltpult der Kunststoff-Produktion, «sagt man mir in Lumbrein ‹Gion Giusep da Fidel, da Paul pign›» (Gion Giusep, Sohn des Fidel, Enkel des kleinen Paul). Die dörfliche Differenzierung steht in einem fast erheiternden Kontrast zur ultramodernen, in Neonlicht getauchten Produktions-Apparatur, in der sich die Romanen aus den abgelegenen Dörfern so selbstverständlich bewegen wie in ihren Ställen. Gion Giusep Caminada arbeitete früher als Kranführer. Weil er während der «Bausaison» im Sommer, wo er eigentlich das Heu hätte einbringen sollen, nie frei hatte, wechselte er in die Emser Werke über. Wie fast alle seine Kollegen konnte er seinerzeit keine Lehre absolvieren; dennoch sind die Vorgesetzten des Lobes voll über die Zuverlässigkeit dieser älteren Garde von angelernten Schichtarbeitern aus der Surselva und aus Mittelbünden. Dreinreden allerdings ließen sie sich von keinem in ihre Arbeit, und befehlen könne man diesen erdverbundenen und manchmal eigensinnigen Männern kaum etwas, erklärt ein Vorgesetzter. Kunststück: Wer daheim noch einen Bauernhof als Alleinunternehmer betreibt, weiß auch in der Fabrik, wie er seine Arbeit einzuteilen hat. In der Personalzeitschrift der Emser Gruppe – sie heißt romanisch «Noss'ovra» (Unser Werk) – kann der Redaktor jedesmal einem oder mehreren Mitarbeitern mit Namen wie Candreja oder Caviezel zum 25. Dienstjubiläum gratulieren, einzelne Romanen halten dem Unternehmen sogar seit dreißig oder vierzig Jahren die Treue.

*

Wie im Gewerbe behauptet das Rätoromanische sich auch am industriellen Arbeitsplatz vor allem als Umgangs-, als Privatsprache. Sobald es um Technisches geht, durchsetzt es sich mit deutschen und englischen Ausdrücken. Der Lugnezer Hasper Antoni Pelican, seit 17 Jahren Schichtarbeiter, meint freimütig: «Nein, für ‹Schalter› haben wir kein romanisches Wort. Da sagen wir einfach ‹Schalter›.» Zöge er sein surselvisches Wörterbuch zu Rate, so fände er die Vokabel. Doch das altbewährte deutsche Wort hat sich so tief eingeätzt, daß ein Umstellen auf den romanischen Begriff bei den Kollegen Heiterkeit auslösen würde. «Viele Wörter haben wir ja auch im Deutschen nicht», tröstet sich Caspar Blumenthal aus Villa, ein verschmitzter Lugnezer, den wie die andern weder Minderwertigkeitsgefühle noch andere Probleme betreffend seine Muttersprache plagen. Er und seine Kollegen dächten nie daran, für mehr Romanisch in den Emser Werken zu kämpfen; auch ein Romanenclub wäre hier ein künstliches Gebilde, denn sprachliche Frontlinien existieren in der «Ems Chemie» nicht. Die Pendler aus den Dörfern fühlen sich nicht in erster Linie als Rätoromanen, sondern als Vriner, Ruscheiner oder als Zilliser. Typisch ist die Verwurzelung im Dorf, was diesen Industriearbeitern Stabilität und Boden unter den Füßen gibt.

Von den 800 Lehrlingen, welche das Industrie-Unternehmen seit der Gründung ausgebildet hat, ist ein knappes Drittel rätoromanischer Herkunft. Obwohl zwei der sechs Lehrlings-Instruktoren romanisch reden, kommt die Sprache bei der Ausbildung offiziell nicht zum Zug. Mit einem gewissen Recht verweist man auf die Gewerbeschule in Chur, wo die 4. Landessprache weit weniger Lektionen beansprucht als Französisch oder Englisch. Genau erfaßte man die Zahl der Romanen in den Emser Werken nie; sie dürften jedoch rund ein Drittel der Belegschaft ausmachen. Viele haben sich, wie der Produktionsbuchhalter Eugen Cavelti aus Sagogn, im Laufe der Jahre in Ems niedergelassen. Er fühlt sich zwar im Industriedorf Domat/Ems vor den Toren Churs wohl, erklärt jedoch: «Die Wochenenden verbringen wir natürlich nicht in Ems, sondern in Sagogn. Wenn ich einmal pensioniert bin, ziehe ich mit meiner Frau wieder zurück.» Für das Bündner Oberland und seine Seitentäler, für Domleschg, Heinzenberg und Schams ist der Industriebetrieb ein wichtiger Arbeits- und Ausbildungsplatz. Allerdings zogen die Emser Werke auch sehr viele fremdsprachige Mitarbeiter an, was in Domat/Ems zu einem drastischen Rückgang des Romanen-Anteils an der Dorfbevölkerung auf heute noch 29,5 Prozent führte.

Christian Sutter hat am Geographischen Institut der Universität Zürich eine Diplomarbeit über die Bauern geschrieben, welche in den Emser Werken in Schicht tätig sind. Dabei kommt er zu zweischneidigen Schlüssen. Als vorübergehende Vorteile für die Bergdörfer schält er heraus: die Abwanderung wird verzögert, die Dorfgemeinschaft bleibt besser erhalten, dank der Schichtarbeit genießen die Bauern einen höheren Lebensstandard. Schließlich schaffen die als Landwirte und Fabrikarbeiter tätigen Männer eine Verbindung zwischen Agrar- und Industriegesellschaft. Weil die Arbeit an den Produktionsstraßen die Bergbewohner nicht voll ausfüllt, finden sie im Bauernbetrieb einen wichtigen Lebensinhalt. Auf der Minusseite sieht der Autor, daß die Nachkommen der angelernten Industriearbeiter nur in seltenen Fällen den Lebensunterhalt auf die gleiche Art wie ihre Väter bestreiten wollen. Schichtarbeit ist bei der Jugend wenig gefragt. Christian Sutter: «Die Einheit von Lebens- und Produktions-Gemeinschaft in der Landwirtschaft wird (. . .) langsam aufgelöst, und diese Zersetzung schreitet fort. Die Kinder erlernen − im Gegensatz zu den Eltern − einen Beruf.» Und wenn sie den Abschluß im Sack haben, ziehen sie in die Nähe des Arbeitsplatzes. Die Entleerung der Bergtäler werde, so folgert der Autor, nur um eine Generation hinausgeschoben. Tatsche ist, daß die «Ems Chemie» die ausscheidenden Schichtarbeiter nur noch mit Mühe durch Einheimische ersetzen kann. Tatsache ist auch, daß viele Junge nach der Ausbildung an einen andern Arbeitsplatz überwechseln. Weil es in Romanischbünden keinen zweiten ähnlichen Betrieb gibt, heißt das: sie wandern ab.

Ein Augenschein in Lumbrein bestätigt zum Teil Sutters Thesen. Gemeindepräsident Gieri Capaul glaubt nicht, daß eine nächste Generation noch zur Schicht nach Ems pendeln werde. Von den 500 Einwohnern Lumbreins fahren knapp fünfzig täglich weg, um sich den Lebensunterhalt auswärts zu verdienen, ein Großteil ist in Ilanz und Umgebung tätig. Alle sind voll ins Dorfleben integriert. Eindrückliches Beispiel ist der Schicht-Arbeiter Gion Giusep Caminada, der das Amt des Schulratspräsidenten bekleidet. Gemeindeversammlungen werden so angesetzt, daß die «Emser» dabei sein können, ebenso Zusammenkünfte der Vereine. Die Stammtischrunden im «Alpina» oder im «Crestaulta» haben sich längst daran gewöhnt, daß ein paar Lumbreiner genau dann in die Federn müssen, wenn das Politisieren am interessantesten wird.

*

Das Emser Großunternehmen leidet darunter, daß in der Region kein ähnlicher Betrieb arbeitet, mit dem ein Austausch der Beschäftigten stattfinden könnte. Personalchef Fischer: «Wer weggeht, der zieht oft ins Unterland, zum Beispiel zu einer Basler Chemiefirma, und findet nur in Ausnahmefällen zurück nach Graubünden. Kaderleute sucht das Unternehmen nie mit einem

Inserat in der «Gasetta Romontscha», denn die Romanen dieses Ausbildungsstandes haben ihre Zelte bekanntlich oft im Unterland aufgeschlagen.

Die Sensibilität gegenüber dem Rätoromanischen ist heute im Emser Großbetrieb eher größer als früher. Dem international tätigen Unternehmen, in dem Menschen aus aller Herren Länder arbeiten, sind freilich in dieser Beziehung enge Grenzen gesetzt. Immerhin spricht man potentielle Lehrlinge aus dem Bündner Oberland in einer surselvischen Broschüre an. In Zusammenarbeit mit der «Lia Rumantscha» möchte man die wichtigsten Begriffe aus dem Arbeitsalltag in romanischer Sprache zusammenstellen und zum Beispiel die betreffenden Lehrlinge damit konfrontieren. Das letzte Wort werden die selbstbewussten Romanen an den Produktionsanlagen haben; denn sie werden sich nicht ohne weiteres von oben herab befehlen lassen, daß sie statt «Schalter» jetzt «interruptur» oder «claviala» zu sagen haben.

k) «Truns – fabrica da ponn»

Am Lagerhaus der Truns Tuch- und Kleiderfabrik am Dorfeingang von Trun hieven zwei Arbeiter den Schriftzug «Truns fabrica da ponn» in die richtige Position. Im Zuge einer Romanisierungs-Kampagne werden im surselvischen Dorf alle deutschen Firmenanschriften durch romanische ersetzt. Das 1912 gegründete Unternehmen ist mit seinen 250 Arbeitsplätzen eine der wenigen größeren Fabriken Romanischbündens. Eine Tafel «Zutritt verboten» auf dem Firmenareal ist auf Deutsch, Französisch, Spanisch und Türkisch, jedoch nicht auf Surselvisch verfaßt, was beweist, daß in der «fabrica da ponn» im Herzland des Rätoromanischen nicht nur Einheimische werken. Wie der Direktor, der Engadiner Cleto De Pedrini, erklärt, ist jeder fünfte Mitarbeiter in der Produktion ein Ausländer. Der Hauptharst der Belegschaft setzt sich aus Einheimischen zusammen, die zum Teil ähnlich wie in der «Ems Chemie» mit Firmenbussen oder Privatautos von den umliegenden Dörfern nach Trun zur Arbeit fahren. Das Unternehmen geriet in den siebziger Jahren arg ins Schleudern, konnte jedoch dank dem finanziellen Engagement einer Oberhalbsteiner Bergbahn, des Kantons Graubünden, der Gemeinden des Kreises Disentis und der beteiligten Banken wieder auf Gewinnkurs gebracht werden. Cleto De Pedrini kämpft als Firmenkapitän in der sturmgepeitschen Textilbranche mit mannigfachen Schwierigkeiten. Nicht die geringste: Personalprobleme! «Während Monaten suchten wir einen Mitarbeiter für die Verkaufsadministration», seufzt er, «bis jetzt ohne Erfolg. Die guten Einheimischen ziehen nach Chur oder noch weiter, obwohl wir vergleichbare Löhne zahlen.» Der Direktor vermutet, daß manchen jüngeren Einheimischen die Dörfer einfach zu eng geworden sind. Hier sei es beispielsweise kaum möglich, mit seiner Freundin ohne Trauschein zusammenzuleben. «Ja, am Wochenende kommen sie in hellen Scharen, aber hier arbeiten wollen längst nicht alle.» Mancher junge Surselver läßt sich zwar in der Tuchfabrik zum Industrieschneider ausbilden, verläßt dann aber oft den Beruf und arbeitet später im Verkauf. Auch in Trun sind kaufmännische Berufe begehrter als der Job in den Fabrikhallen. Als große Konkurrenz gilt der Kanton: Immer wieder wandern Schneider ins Zeughaus nach Chur ab. Am ehesten finde man Mitarbeiter durch einen persönlichen Hinweis; auf Inserate melde sich kaum jemand. Die angespannte Lage auf dem Personalsektor mag auch mit dem in Zeiten der Flaute etwas ramponierten Image des Betriebes zusammenhängen.

*

Meistersitzung im Konferenzzimmer: Die einheimischen Vorarbeiter reden surselvisch, der Chef aus dem ladinischen Sprachraum spricht deutsch, weil er sein Puter in dieser Umgebung als künstlich empfindet. Im obersten Kader der Tuchfabrik dominieren die Auswärtigen; nur gerade der Personalchef ist Bündner Oberländer. In den Werkhallen, wo Tuch gewoben und gefärbt wird, und in der Schneiderei ist Surselvisch die allgegenwärtige Sprache. Trun als weitgehend romanische Gemeinde verfügt offensichtlich über eine so große Assimilationskraft, daß auch die Gastarbeiter zu einem guten Teil Romanisch lernen. Wo es um die Arbeitsprozesse geht, nehmen freilich auch hier deutsche Begriffe überhand. Plazi Cajochen, Appreturmeister: «Oft gibt es das exakte Wort auf romanisch nicht. Wir sagen zum Beispiel ‹va ella Wäscherei›. Ein Wort für ‹Wäscherei› existiert zwar, aber ‹lavandaria› tönt einfach schaurig schlecht.» Auch das Wort für Färberei, in einer Tuchfabrik etwas Allgegenwärtiges, findet keinen Eingang in die lokale Sprache: «Wenn jemand ‹tenscharia› sagt, dann lachen wir.» Das Wort «Spule» fehlt offenbar, und so heisst «umspulen» in surselvisch simpel «far igl umspulen». Cajochen ist der Vorgesetzte von zwanzig Arbeitern; davon spricht ein einziger nicht romanisch, ein Walser aus Obersaxen. Direktor De Pedrini ist aufgefallen, daß sich Lehrer und Berufsberater keine große Mühe geben, auf die Arbeits- und Ausbildungsplätze in der Trunser Tuchfabrik hinzuweisen: «Einheimische Lehrer, die mit ihren Schulklassen unseren Betrieb anschauen wollen, sind so selten, daß man die Kirchenglocken läuten könnte», wundert er sich. Die Tuchfabrik stellt einen gewichtigen Aktivposten im lokalen Wirtschaftsleben dar. Allein dreiundvierzig Mitarbeiter besitzen ein Haus oder eine Wohnung in Trun. Eine bedeutende Anzahl der

Montage einer romanischen Firmen- ▷
Anschrift in Trun.

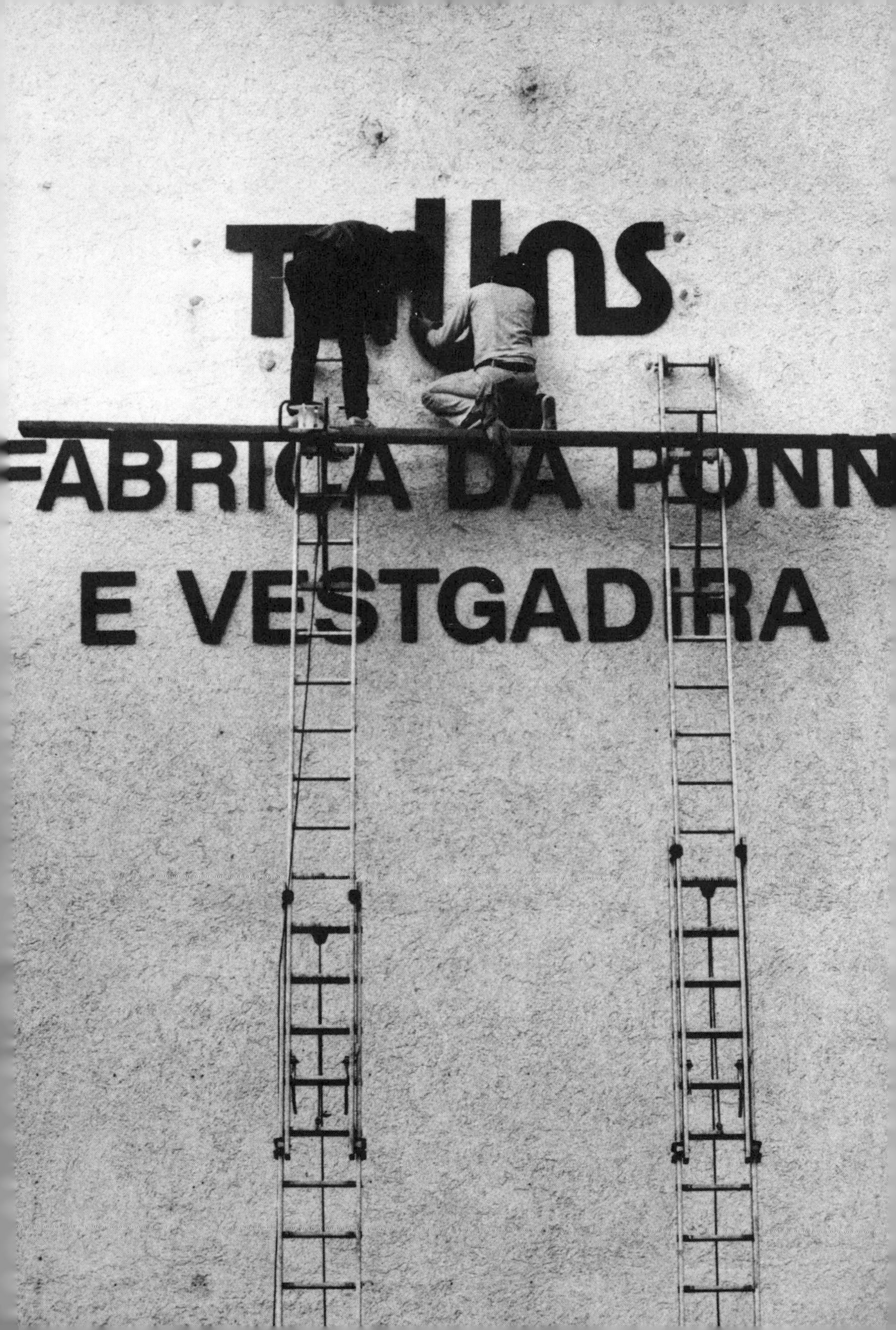
E VESTGADIRA

Arbeitsplätze wird im übrigen von einheimischen Frauen belegt, die sonst kaum eine Beschäftigung gefunden hätten. Wie die Emser Werke ist die Tuchfabrik jedoch weit und breit der einzige Betrieb seiner Art, so fällt auch hier der Wechsel von Mitarbeitern von einem ähnlichen Betrieb in den andern weg. Wer in der Truns SA den Dienst quittiert, muß abwandern, wenn er in einem verwandten Bereich arbeiten will.

l) Weißer Elefant in Disentis/Mustér

Der dritte größere Industriebetrieb Romanischbündens arbeitet seit 1967 in Disentis. Damals eröffnete Landis & Gyr im romanischen Klosterdorf ein Zweigwerk, denn zur Zeit der Konjunkturüberhitzung, fehlten im Unterland an allen Ecken und Enden Arbeitskräfte. «Wenn die Arbeiter nicht zu uns kommen», hieß die Devise, «dann verlegen wir die Produktionsstätten in wirtschaftliche Randgebiete, also dorthin, wo wir noch Beschäftigte finden können.» Die Medien feierten den Schritt der Zuger Firma als Pioniertat, die den Auszug der jungen Romanen eindämmen werde. Während der ersten Jahre lernten gegen vierzig Jünglinge aus der Surselva ihr Metier in der modernen Lehrlingswerkstätte. Doch die große Ernüchterung folgte auf dem Fuß. Die meisten Lehrlinge wollten verständlicherweise nach der Ausbildung noch etwas fremde Luft schnuppern. «Doch von achtzig, die wegzogen», erklärt Direktor Josef Kreiliger, «kamen ganze vier zurück. «Auch Landis & Gyr in Disentis leidet wie die andern beiden größeren Industriebetriebe im rätoromanischen Gebiet darunter, daß das Unternehmen quasi wie ein weißer Elefant in der Umgebung steht, eine Art Fremdkörper in einer von Landwirtschaft, Tourismus und Kleingewerbe geprägten Region. Der notwendige und wichtige Austausch unter verwandten Betrieben, wie er in Chur, Zürich oder Basel selbstverständlich ist, kann hier nicht stattfinden. Was sich auf dem Papier als Ei des Kolumbus präsentierte, erweist sich nur als bedingt lebensfähig. Der Direktor kann seine Enttäuschung nicht verbergen: «Wären die Fachkräfte geblieben, dann hätten wir die Abteilung für Werkzeugfabrikation vergrößert. Gegenwärtig suchen wir fünf Werkzeugmacher, doch die finden wir hier nicht, obwohl wir Dutzende ausgebildet haben.»
Ähnlich wie in der Trunser Tuchfabrik besteht an ungelernten Einheimischen, die zum Beispiel Stromspulen und mechanische Teile produzieren, kein Mangel. Hier arbeiten viele Frauen, darunter manche, die aus dem Gastgewerbe mit seinen unregelmäßigen Arbeitszeiten in die Werkhalle überwechselten. Ein Rundgang durch den ausgedehnten Fabrikationsbetrieb beweist, daß die romanische Sprache die Szene beherrscht. Doch auch hier

der bekannte Tatbestand. Pauline Paly, eine bodenständige Surselverin, wie sie im Buche steht: «Ich rede romanisch, wo ich kann, aber die technischen Wörter fehlen mir alle. Wenn ich einmal im Vocabulari nachschaue, finde ich entweder gar nichts oder etwas so Sonderbares, daß man es nicht sagen kann. Mich stören die deutschen Wörter nicht.» Wie Cleto De Pedrini beklagt sich Josef Kreiliger über mangelndes Interesse der Lehrer am Betrieb; kaum je rafft sich einer auf, mit einer Schulklasse die Lehrlingswerkstätte und den Produktionsbetrieb zu besuchen. Erstaunlich auch, daß die «Gasetta Romontscha» die Existenz des Industriebetriebes praktisch ignoriert und kaum je über das Landis & Gyr-Werk berichtet, das in Disentis immerhin achtzig Arbeitsplätze geschaffen hat.

*

Lehrlings-Instruktor Placi Hosang, Surselver vom Scheitel bis zur Sohle, erklärt: «Weder die Lehrlinge noch ihre Eltern, niemand will hier eine romanische Ausbildung! Mit unserer Sprache kommen wir beruflich nicht weit; da muß man einfach Deutsch können. Wer das hier nicht merken sollte, dem wird es spätestens in der Gewerbeschule bewußt.» Der Werkzeugmacher hat bei der Landis & Gyr in Disentis die Lehre gemacht, arbeitete dann für ein paar Jahre im Unterland und kehrte «wegen der Berge, wegen unserer Landschaft» zurück. Von den zwölf Lehrlingen, die er gegenwärtig betreut, ist nur ein einziger deutscher Muttersprache, dennoch ist die Ausbildung offiziell durchgehend deutsch, was den Lehrmeister und seine Schützlinge nicht davon abhält, privat und zum Teil auch an der Werkbank in der Muttersprache zu reden. Ein Unbehagen über die Stellung des Romanischen im Betrieb liegt trotzdem in der Luft. Battesta Levy, der neun Jahre im Unterland arbeitete, dann wieder in sein Heimattal zurückkehrte und jetzt Lehrlinge ausbildet, erklärt: «In den Schulen bessert es eindeutig mit dem Romanischen, die Kinder reden sorgfältiger als wir. Vielleicht sollten wir uns doch daran machen, zusammen mit der ‹Lia Rumantscha› die wichtigsten Wörter für unseren Arbeitsbereich zusammenzustellen. Aber, ob das wohl geht? Viele Begriffe sind so spezifisch, daß sie nur für einige Spezialisten aktuell sind.»

Battesta Levy, ein Mann mit offenen Augen, der über seine Nasenspitze hinaus sieht, liefert die Schlußpointe zu diesem Kapitel. «Hier in Disentis fehlt einfach in allen Bereichen die Konkurrenz», erklärt er, «wir haben *eine* politische Partei, die CVP; *eine* Kirche, die katholische; *eine* Zeitung, die ‹Gasetta Romontscha›, und *eine* Fabrik, Landis & Gyr.

m) Chancen?

Wo der Tourismus die Szene beherrscht, gerät das Rätoromanische in Gefahr, denn Ferien- und Sportzentren ziehen so sicher fremde Arbeitskräfte, Zweitwohnungsbesitzer und natürlich Scharen von Touristen an, wie das Amen auf die Predigt folgt. Die Aufteilung des Berggebietes in Entwicklungsregionen hat zwar den regionalen Schwerpunkten einen Wirtschaftsaufschwung beschert, konnte jedoch das Absacken der Bevölkerungszahlen in den kleinen Dörfern nicht stoppen. Die regionalen Zentren bieten viele Arbeitsplätze für Zuzüger. Resultat: der Anteil der Rätoromanen sinkt.

In den drei größeren Fabriken Romanischbündens finden zwar viele Einheimische Arbeit, doch das Romanische fristet am industriellen Arbeitsplatz ein Mauerblümchen-Dasein. Das Vokabular und die Fachliteratur fehlen, um der Sprache im Betrieb einen adäquaten Platz zu sichern. Auch beschäftigen die Industriebetriebe viele Nichtromanen. Im Gewerbe, einer der tragenden Säulen des Wirtschaftslebens, wird viel, jedoch oft nachlässig, romanisch geredet. Auch hier finden technische Begriffe kaum Eingang in die Umgangssprache.

Stimmt also die griffige Formel: «Wer die Wirtschaft fördert, gefährdet die romanische Sprache»? Träfe sie zu, dann wären die Tage des Rätoromanischen gezählt! Kann eine Sprache nur noch unter künstlichen, realitätsfernen Bedingungen existieren, dann vertrocknet sie. Jedes lebendige Kommunikationsmittel muß sich im Kontakt mit der heutigen Wirklichkeit behaupten und wandeln können.

Noch lebt das Romanische, noch ist es kein in Formalin eingelegtes Relikt aus vergangenen Zeiten. Ja, es gibt Anzeichen, daß sich die geschundene Sprache nach dem gewaltigen Erdrutsch der letzten Jahrzehnte behaupten kann, daß sie unter radikal veränderten Umständen neue Wurzeln faßt. Um das zuwege zu bringen, müssen freilich alle Beteiligten im rätoromanischen Sprachgebiet, die Einheimischen und die Zuzüger, die Arbeitgeber und die Arbeitnehmer, dieser Sprache eine größere Chance geben.

11. Die Einwanderer

a) Jeder zweite Ehepartner ist fremdsprachig

Frau Christa Rauch ist St. Gallerin und lebt seit zwanzig Jahren im Engadin. «Ich wollte einfach in die Berge», erklärt sie, «und fand dann in Scuol eine Stelle in meinem Beruf als Drogistin. Scuol war damals noch viel mehr ein romanisches Dorf als heute. Es blieb einem gar nichts anderes übrig, als die Sprache zu lernen, was ich im Gespräch mit den Kunden und meinen einheimischen Bekannten auch bald schaffte.» Bald lernte sie ihren aus Cinuos-chel gebürtigen Mann kennen; seit der Heirat lebt die Familie in Zernez. Frau Rauch ist eine von rund zwei Dutzend jüngeren Frauen deutscher Muttersprache, die in Zernez verheiratet sind. Was im romanischen Dorf am Eingang zum Nationalpark gang und gäbe ist, nämlich eine «Fremde» zu heiraten, hat zwischen Müstair und Disentis Tradition. Fast die Hälfte aller verheirateten Romanen schlossen den Bund fürs Leben mit einem anderssprachigen Partner! Und die Tendenz zu diesen «Mischehen» ist steigend. In ihrem persönlichsten Entscheid, der Wahl des Lebensgefährten, orientieren sich die Rätoromanen viel weniger an sprachlichen Kriterien als die übrigen Schweizer, denn in unserem Land ist nur jede zehnte Ehe gemischtsprachig. Die Romanen zeigen, wie der Soziologe sagt, kein Ingroup-Verhalten, keine ausgeprägte Tendenz, innerhalb des eigenen «Volkes» zu heiraten. Das Bewußtsein der Zugehörigkeit zu einem Volk, einem Stamm oder einer Religion setzt der Partnerwahl in anderen Regionen der Erde oft sehr enge Grenzen, Ingroup-Verhalten hat vielen Völkern und Sprachen das Überleben gesichert. Juden beispielsweise suchen sich ihre Lebenspartner fast immer unter ihresgleichen, auch rassische Minderheiten im sogenannten «Schmelztigel Amerika» mischen sich wenig mit Vertretern anderer Einwanderer-Völker. Die Chinesen-, Italiener- oder Puertoricanerviertel in den großen US-Städten geben Zeugnis von einem starken Gruppen-Bewußtsein.

Afrikanische Stämme, wie zum Beispiel die Massai, würden sich niemals mit Vertretern anderer Stämme mischen. Ingroup-Verhalten geht oft einher mit Fanatismus, mit Herablassung oder Haß gegenüber andern Volksgruppen. Alles Wesenszüge, die nicht charakteristisch für die Rätoromanen sind. Die einzelnen romanischen Idiome grenzen sich bekanntlich *untereinander* ab. Viel eher heiratet ein Engadiner eine Zürcherin als eine Frau aus der Surselva. Das nicht besonders ausgeprägte Zugehörigkeitsgefühl zur eigenen

Volksgruppe, jedoch auch die mobile Gesellschaft und «das Gesetz der kleinen Zahl» sind die Gründe, daß Romanen ihre Lebenspartner so oft im deutschsprachigen Raum finden. Vier Millionen Deutschschweizer stehen 5500 Personen, die Vallader reden, gegenüber. Die Chancen, daß eine Unterengadinerin einen Deutschschweizer ehelicht, sind daher rein statistisch gesehen groß.

*

Wo die Assimilationskraft der romanischen Bevölkerung so groß ist, wie seinerzeit in Scuol oder heute noch in Zernez, sind die Zuwanderer gezwungen, die lokale Sprache zu lernen, wenn sie zur Dorfgemeinschaft gehören wollen. Wer das nicht fertigbringt, trägt Zeit seines Lebens das Stigma der «Unterländerin», des «Fremden». Eine in Zuoz aufgewachsene Absolventin des Churer Lehrerseminars sagt: «Unsere Familie zog aus der Deutschschweiz ins Engadin. Mein Papa lernte bald Romanisch, die Mama schaffte es nicht. Sie war in Deutschland aufgewachsen und hatte einfach keine Beziehung zu romanischen Sprachen. Sie probierte es immer wieder, aber es klappte nicht. Irgendwie ist sie darum bis heute im Dorf Außenseiterin geblieben.» Die Tochter einer deutschsprachigen Mutter in Susch erinnert sich: «Meine Mama redete zuerst mit meinem älteren Bruder deutsch, konnte sich aber nicht durchsetzen, niemand nahm Rücksicht auf sie, es blieb ihr nichts anderes übrig, als schleunigst Romanisch zu lernen.» In den meisten Dörfern der Surselva, des Unterengadins und auch des Oberhalbsteins kommen Zuzüger auch heute noch kaum darum herum, das Idiom des Tales zu lernen. Die eingeheirateten Frauen sind in diesen romanischen Kerngebieten praktisch dazu gezwungen, weil der Nachwuchs den romanischen, Kindergarten und die romanische Schule besucht.

b) Mutter-Sprache

Es ist kein Zufall, daß der Mensch die Sprache, die ihm am nächsten liegt, Muttersprache nennt, denn die Mutter nimmt tatsächlich eine Schlüsselrolle bei deren Weitergabe ein. Sie hat die innigste Beziehung zum Kind, sie prägt es, redet zu ihm in der Zeit, wo es am formbarsten ist. Sie trägt die Hauptverantwortung für die Weitergabe der Muttersprache. Was aber, wenn die Sprache der Mutter wie bei Tausenden von Frauen im rätoromanischen Gebiet Deutsch ist?

Frau Elisabeth Poo, eine Solothurnerin, die nach Sent geheiratet und romanisch gelernt hat, erklärt: «Ich rede mit meinen Kindern romanisch, so

Romanischkurs für Eingewanderte in Danis. ▷

oft es geht, wenn ich mich ihnen aber ganz nahe fühle, wenn ich zärtlich mit ihnen bin, dann kann ich nur in meiner Solothurner Mundart reden.» Ähnlich wie Frau Poo äußern sich manche Frauen, die Romanisch lernten, ihre eigene Sprache aber dennoch nicht wie ein Hemd abstreifen wollten und konnten.

Chasper Pult, Romanischlehrer am Bündner Lehrerseminar, erinnert sich an einen oft widerkehrenden Dialog in seiner Familie, wo man strikte romanisch sprach, obwohl die Familie in Chur lebte. Wenn die deutschsprachige Mutter einmal auf ihre Mundart überwechselte, riefen die Kinder: «Discuorra rumantsch!» (rede romanisch), worauf sie sich jeweils mit dem Ausruf wehrte: «Tudais-ch es mia lingua!» (Deutsch ist meine Sprache). Ein Stoßseufzer, der vermutlich mancher zugezogenen Frau in den intakten ladinischen, surselvischen und surmeirischen Dörfern gelegentlich entfährt. Gerade in den Gemeinden, die heute noch überwiegend romanisch sind, ist das Sprachbewußtsein heute geschärfter denn je. Wer nach einer Schonfrist von ein, zwei Jahren das lokale Idiom nicht wenigstens radebrechen kann steht im Abseits. Eine zugezogene Unterländerin in Sent erzählt aufgebracht, daß man sie rüffelte, weil sie mit einem ebenfalls deutschsprachigen Mann (beide beherrschen die romanische Sprache) in der Dorfbibliothek selbstvergessen deutsch und nicht, wie erwartet, valläder geredet hatte.

Auf den vielen eingeheirateten Frauen lastet eine große Verantwortung; müssen sie doch den Kindern eine später gelernte Sprache als Muttersprache weitergeben. Und sie tun es, zumindest dort, wo das Romanische noch wirklich lebt, mit großem Einsatz. Manche dieser Mütter aus Basel, St. Gallen oder Chur lernen das lokale Idiom erst mit ihren Kindern richtig, erzählen ihnen romanische Geschichten, lesen Märchenbücher und vertiefen sich später in romanische Schulbücher, um den Kindern bei den Hausaufgaben helfen zu können. Diese Leistung ist freilich nur möglich, wenn das Dorf durch die Allgegenwart der einheimischen Sprache einen Druck ausübt, der einsichtig macht, daß es «ohne» einfach nicht geht.

Die Situation der Zuzüger ist dennoch anders als die Lage eines Deutschsprachigen in der französischen, englischen oder italienischen Provinz: Dort beherrschen die allermeisten Menschen nämlich nur *eine* Sprache. Renate Casanova, geborene Lorenz aus Berlin, die mit ihrem Brigelser Mann in dessen surselvischem Heimatdorf ein Hotel betreibt: «Ich muß so oder so Romanisch lernen, denn es ist die Sprache des Dorfes. Aber glauben Sie mir, das ist nicht einfach, wenn man weiß, daß jeder einzelne hier auch *Deutsch* kann!»

Die beiden Kinder der Familie Casanova sind in Berlin geboren, wo Gion Risch Casanova in einem Hotel arbeitete. Der Vater redete mit den beiden Buben in Berlin konsequent romanisch, während die Mutter natürlich hochdeutsch sprach. Jetzt drückt sie mit zwei Dutzend anderen Zuzügern die Schulbank, um in einem Romanischkurs beim pensionierten Sekundarlehrer Pieder Antoni Livers gründlich Surselvisch zu lernen. Die «Lia Rumantscha» hilft bei der Organisation des Kurses und beteiligt sich auch an den Kosten.

Mit steigenden Teilnehmerzahlen finden an vielen Orten in Graubünden solche wertvollen Lehrgänge statt, Signal dafür, daß mehr und mehr Einwanderer sich der Verantwortung gegenüber der gefährdeten Sprache bewußt werden. In Breil folgen überwiegend zugezogene Frauen den Lektionen, doch auch Männer konjugieren nach einem harten Arbeitstag noch unregelmäßige surselvische Verben.

c) Berufsbedingte Einwanderung

Der Zuger Wendelin Hürlimann büffelt mit seiner Aargauer Frau Romanisch, weil ihn die Brigelser als Förster anstellten. «Über die Sprache hier habe ich mir vorher keine großen Gedanken gemacht», gesteht er, «die Engadiner in der Försterschule in Maienfeld warnten mich allerdings vor dem ‹Kauderwelsch› da hinten. Da realisierte ich zum ersten Mal, daß es mehrere Arten Romanisch geben müsse.» Die Hürlimanns lernen die Sprache, um den Kontakt mit den Dorfbewohnern zu verstärken; beruflich braucht der Förster das Surselvische kaum: Die Gemeinde Breil ist stolze Besitzerin von 7,4 Quadratkilometern Wald, fand aber weder einen surselvischen Förster noch einen einzigen einheimischen Waldarbeiter (!).

So fällt denn eine Brigade Tiroler unter der Leitung eines Zugers die Bäume in den Forsten eines romanischen Dorfes ... «Wir schätzen uns glücklich, daß wir wenigstens zwei einheimische Forstwart-Lehrlinge ausbilden können», meint Hürlimann. Waldwirtschaft und Landwirtschaft gehören neben dem Tourismus zu den wichtigsten Wirtschaftszweigen des surselvischen Dorfes. Verblüfft nimmt man zur Kenntnis, daß auch der Käser und seine Frau im Romanischkurs im Schulhaus sitzen. Ruth und Peter Leuthold sind Berner, denn die Brigelser fanden auch für die Molkerei keinen Einheimischen! Obwohl Graubünden landwirtschaftlich von der Talsohle bis hinauf zu den Gletschern genutzt wird, kann man heute die Bündner Käser-Lehrlinge an einer Hand abzählen. An den Sennereikursen der Landwirtschaftlichen Schule Plantahof in Landquart überwiegen ebenfalls die außerkantonalen Teilnehmer. Nicht nur in den Dorfsennereien Romanischbündens, sondern auch auf den Alpen hört man eher Züritütsch als das lokale Idiom, denn der Trend «Zurück zur Natur» hat offenbar die Unterländer stärker erfaßt als die Bergler.

An den Leutholds soll es nicht liegen, daß in der Brigelser Sennerei die lokale Sprache nicht ihren gebührenden Platz behält; sie versuchten schon von Anfang an, ihren guten Willen zu zeigen und zur Freude der Einheimischen wenigstens ein paar Sätze in Surselvisch zu reden.

Auf den guten Willen der Einwanderer sind die Rätoromanen in großem Maß angewiesen, denn ein gesetzlicher Zwang zur sprachlichen Assimilation besteht nicht. Wie das Beispiel von Breil, einem sprachlich noch nahezu intakten Dorf, zeigt, würden ohne die fremden Arbeitskräfte selbst im romanischen Kernland viele Räder stillstehen. Dank dem Tourismus erfreut sich das Dorf auf der Sonnenterrasse hoch über dem Vorderrhein eines sichtbaren Wohlstandes. Im Hotel «Crestas» der Familie Casanova-Lorenz beispielsweise sind zehn Mitarbeiter beschäftigt; außer zwei einheimischen Serviertöchtern setzt sich das ganze Team aus Zugezogenen zusammen, aus Unterländern und Ausländern, die zum Teil nur für eine Saison bleiben und verständlicherweise das lokale Idiom nicht lernen. Breil ist keine Ausnahme, sondern ein Beispiel, das für viele steht: Sobald sich ein Bauerndorf zu einer Gemeinde mit Tourismus oder gar Industrie entwickelt, strömen Anderssprachige ein.

d) Anpassungs-Streß im intakten Gebiet

Anpassung an die lokalen Verhältnisse eines romanischen Dorfes kann für die Zuzüger durchaus mit Streß verbunden sein. Die Frauen aus der Stadt erleben in den überschaubaren Dörfern zum Teil eine Art «Kulturschock», denn sie müssen sich nicht nur sprachlich umstellen.

«Das ganze Dorf weiß morgen, daß Sie mit mir gesprochen haben», erklärt eine der zugezogenen Frauen in Zernez, als wir uns in einem Restaurant treffen und sie alle zwei Minuten jemanden begrüßt oder verabschiedet; «diese allgegenwärtige Kontrolle macht mir manchmal arg zu schaffen. Ich komme aus einer Stadt; wenn ich mich wirklich erholen will, dann fahre ich in die Anonymität eines Ortes, wo mich niemand kennt.»

Es tut der sprachlich voll assimilierten Frau wohl, über ihre Probleme im «vollromanischen» Zernez zu reden, denn die Zugezogenen müssen immer wieder aufs Maul hocken, um sich nicht unbeliebt zu machen. Sie sehen die Dorfgemeinschaft oft kritischer, als die Einheimischen vermuten. «Zernez ist ein kleines Seldwyla», erklärt die Frau aus dem Unterland, «das Dorf ist völlig überzeugt von sich und innerlich abgeschlossen gegen alles Fremde. Dieses ‹Sich-selbst-ganz-Sein› hat die Sprache gerettet. Die Fremden werden ausgeschlossen; nur als Publikum akzeptiert und verkraftet man sie.» Zum sarkastischen Bild eines hochalpinen Seldwyla paßt, daß die meisten Einheimischen mit guten Berufen abgewandert sind und sich von der Zürcher Goldküste oder einem andern exzellenten geschäftlichen Nährboden aus für das Romanische stark machen. «Es ist im stockromanischen Gebiet wie in den Entwicklungsländern», macht sich die Frau Luft, in deren Schrank immerhin eine Engadiner Tracht hängt; «die Elite lebt dort ja auch in Paris oder London.» Wer als Eingeheiratete solche Lageanalysen öffentlich zum besten gäbe, hätte die Chance definitiv verspielt, jemals «dazuzugehören».

Die starke Identität von Dörfern wie Sumvitg, Sent oder Zernez spiegelt sich im unverwechselbaren Ortsdialekt. Zwischen den Dörfern bestehen nicht selten tief verwurzelte Animositäten, welche sich auf eine für Zuzüger unverständliche Art äußern. Einzelne der in Zernez verheirateten Unterländerinnen lernten in Scuol Romanisch. «Mir ist mehrmals nahegelegt worden, endlich den Zernezer Dialekt zu lernen», empört sich eine der Zuzügerinnen, «doch das lehne ich energisch ab!»

Trotz der kritischen Anmerkungen überwiegen für die meisten Zuzüger im intakten romanischen Gebiet die positiven Seiten. Die nachbarliche Hilfe funktioniert noch, die Generationen leben nicht wie in der Stadt separiert voneinander, die Kinder genießen einen ungleich größeren Freiraum. Dennoch: die eigene Muttersprache aufzugeben, dazu ist niemand bereit. Es scheint, daß trotz aller Anpassung, trotz allen guten Willens, sich einzufügen, die Deutschschweizerinnen «auflüpfiger» sind als die Tirolerinnen, welche wegen der geographischen Nähe reihenweise Unterengadiner zum Traualtar geleiten. Meist haben sie schon eine Zeitlang, in der Regel im Gastgewerbe, im Tal gearbeitet und Ladin gelernt. Sie passen sich williger an, assimilieren sich rascher und vollständiger. Grund: Es gilt als sozialer Aufstieg, einen Schweizer zu ehelichen.

e) Zuzüger im sprachlich gefährdeten Randgebiet

«Eigentlich müßte man ein Verbot von gemischtsprachigen Ehen erlassen», lacht Toni Halter. Der surselvische Schriftsteller weiß, daß das nicht viel mehr als ein schlechter Witz ist, denn das rätoromanische Gebiet, im Schnittpunkt zwischen mehreren Sprachen und Kulturen gelegen, erlebt seit jeher immer wieder Einwanderungs- und Auswanderungswellen. Einer Invasion, dem Einfall der Römer, verdankt das Rätoromanische sogar seine Existenz!

Wo die Dörfer die Kraft haben, die «Fremden» zu assimilieren, bringt die Blutauffrischung viele positive Impulse, ohne daß die einheimische Sprache an die Wand gedrückt wird. In Gemeinden freilich, welche die Assimilationskraft nicht mehr aufbringen, gerät das Rätoromanische in große Gefahr. In meiner Heimatgemeinde Pignia konnte die Dorfbevölkerung während vieler Jahre weder Hochzeiten noch Geburten feiern. Die Läden des Schulhauses schlossen sich für immer, denn für die wenigen Kinder bewilligte der Kanton keinen Lehrer mehr, sie gehen jetzt ins Nachbardorf Andeer zum Unterricht. Das sprachlich fast intakte Bauerndorf drohte zu überaltern. Da kam die Wende: innert weniger Jahre heirateten mehre Pignier, jedoch ausnahmslos deutschsprachige Frauen. Verständlich, daß diese jungen, eingeheirateten Frauen untereinander deutsch sprechen, verbinden sie doch mit dem Aufziehen der Kinder ähnliche Freuden und Sorgen. Die einheimischen Frauen, welche ihre Kinder noch romanisch erzogen, sind inzwischen Großmütter geworden; eine Generation romanischer Mütter fehlt. Obwohl die Väter mit den Kindern auch sutselvisch reden, kann der Pignier Nachwuchs kaum mehr Romanisch: das Dorf droht sprachlich umzukippen. Könnten die Kinder eine romanische Schule besuchen, wäre die Gefahr eher zu bannen. Der Unterricht im überwiegend germanisierten Andeer ist jedoch von der ersten Klasse weg deutsch. Obwohl die Pignier die Blutauffrischung, das Kinderlachen in den heimeligen Dorfgassen, von Herzen begrüßten, konnten manche Einheimische den Rückzug des Romanischen nicht akzeptieren. Ein paar Vertreter der älteren Generation reden mit den Zuzügerinnen konsequent romanisch. Diesem Beharrungsvermögen ist es vielleicht zu verdanken, daß man jetzt in Pignia versucht, das Steuer doch noch herumzureißen. Die jungen Frauen vertiefen sich während des Winters in Romanischkursen, welche der Andeerer Gion Mani erteilt, in die Geheimnisse der Talsprache und wagen es neuerdings auch, mit der alteingesessenen Bevölkerung sutselvisch zu parlieren. Ob die Kinder sich in Zukunft an der Dorfsprache erwärmen wollen, muß vorläufig eine offene Frage bleiben.

*

Ortschaften mit einer ähnlichen sprachlichen Konstellation wie Pignia sind die Regel in Mittelbünden, am Eingang zur Surselva, im Albulatal und im Oberengadin. Die neueste Volkszählung hat es mit erschreckender Deutlichkeit bewiesen, daß hier die Rätoromanen in die Minderheit geraten sind und in manchen Dörfern nur noch 30 oder wie zum Beispiel in Flims lediglich 20 Prozent der Bevölkerung ausmachen. Tot ist das lokale Idiom freilich auch in Flims nicht. Der romanische Kindergarten wird, auch von Zugezogenen, rege benutzt, in der Primarschule sind zwei Romanisch-Lektionen pro Woche obligatorisch. Eine Umfrage des Flimser Schulrates unter 217 Elternpaaren, viele davon Zuzüger, ergab, daß 182 sich für die Beibehaltung und nur 35 gegen die Romanischstunden aussprachen. «Der Goodwill der Deutschsprachigen ist groß», folgert Gieri Seeli, Lehrer in Flims und regelmäßiger Leiter von Romanischkursen. Manche Teilnehmer belegen bereits den vierten Kurs; vor allem Mütter mit Kindern in der «Scoletta» lernen erstaunlich rasch. «Schade, daß sie in Flims auf der Straße so wenig Gelegenheit haben, ihre Kenntnisse anzuwenden», bedauert er. Immerhin: wenn man will, kann man auch in Flims mehr romanisch reden, als es die deutschsprachige Oberfläche vermuten läßt.

*

Bergün/Bravuogn, durch das Kesch-Massiv vom Engadin getrennt, konnte sich als eine, wenn auch vom Deutschen arg durchsetzte, romanische Insel halten. In der nächsten größeren Gemeinde, in Filisur, kann man die Romanen bald an einer Hand abzählen. In Bravuogn, wie das Dorf im lokalen Idiom heißt, gehört nur noch jeder fünfte Bewohner der gefährdeten Sprachgruppe an. Erschwerend für den Fortbestand der Sprache wirkt sich aus, daß die Bergüner einen charakteristischen eigenen Dialekt reden. «Auch wenn man hier den guten Willen zeigt», meint eine Zuzügerin, «kommt man kaum zum Romanischreden. Sobald man einen Fehler macht, wechseln die Einheimischen auf Deutsch über.»

Die romanische Substanz des Paßdorfes ist ausgehöhlt; der Bau der Albulabahn leitete die Wende ein, denn bei der Volkszählung im Jahre 1860 redeten noch 85 von 100 Bergünern romanisch. Heute hat das Dorf die Kraft nicht mehr, die Überzahl der Fremden sprachlich zu assimilieren, obwohl – wie im Kapitel über die Schule nachzulesen ist – der Unterricht bis zur dritten Klasse noch in Romanisch gehalten wird.

Unter der Schar der Einwanderer, die keinen Anlaß mehr hätten, Romanisch zu lernen, sind jedoch immer wieder Menschen, welche die Mühe nicht scheuen und sich die Sprache aneignen oder zumindest verstehen lernen. Peter Sönnichsen, ein Norddeutscher, und seine Frau, französischer Muttersprache, verstehen den Bergüner Dialekt. «Ich bin sehr für das Romanische», erklärt er, «wichtig ist, daß man den Kindern diese Sprache nicht vermiest, sie gehört doch zum Dorf. Und wer Romanisch kann, der lernt leichter weitere Sprachen.» Das Verständnis für die Bündner Sprachenvielfalt kommt bei Peter Sönnichsen nicht von ungefähr, denn er wuchs an der Nordseeküste, wenige Kilometer von der dänischen Grenze auf, wo fast jedermann Dänisch, Plattdeutsch, Friesisch und Hochdeutsch versteht. Seine Kinder wachsen mit großer Selbstverständlichkeit dreisprachig auf und beherrschen das Bergüner Idiom so gut, daß die Einheimischen staunen.

f) Flagge zeigen!

Sobald ein Dorf wirklich Flagge zeigt und nicht nur aus umsatzfördernden romanischen Kulissen besteht, sind die Zuzüger bereit oder sehen sich gezwungen, die einheimische Sprache zu lernen. Wo jedoch die Assimilationskraft fehlt, wo die deutsche Sprache die Szene beherrscht und sich das Romanische sozusagen in den Untergrund verdrängen ließ, sinkt die Bereitschaft der Einwanderer, weil sie keinen Sinn in der zusätzlichen Anstrengung sehen. Die steigende Zahl von Romanischkursen (gegenwärtig über 50 pro Jahr), darunter manche im gefährdeten Gebiet, belegen ein wachsendes Engagement.

Bernard Cathomas glaubt, daß von den 30 000 Deutschsprachigen im rätoromanischen Gebiet etwa die Hälfte das lokale Idiom zumindest versteht. Tatsächlich stößt man oft auf Leute, die Romanisch verstehen, es aber nicht zu reden wagen. Diese vielen Tausende tauchen in keiner Statistik auf, doch sie bedeuten einen Aktivposten in bedrohlicher Lage.

Die Anstrengungen der «Ligia Romontscha» und die staatliche Unterstützung sind nötig; die Sprache lebt freilich nur, wo sie von möglichst vielen Einheimischen und Zugewanderten geredet und geschrieben wird.

12. Obersaxen: von Romanen eingekreiste Walsergemeinde

«Wir sind deutsch und wir bleiben deutsch», stellt der Posthalter von Obersaxen fest und fügt lachend bei: «Eher spricht das ganze Oberland deutsch als wir romanisch!» Die Vorväter des jungen Mannes zogen vor siebenhundert Jahren aus dem Wallis über die Pässe Furka und Oberalp in die Surselva und besiedelten die Gegend von Obersaxen, eine Terrasse, die hoch über der Talsohle liegt. «Wir Walser beackerten die Höhenlagen, wofür die Romontschen zu faul waren», stichelt ein anderer Einheimischer aus Obersaxen, «unsere Ahnen rodeten die Wälder und urbarisierten das Land, sonst wären hier sicher auch heute noch nichts als Wald und Steine!»

Selbstsicherheit und Gelassenheit inmitten einer romanischen Umwelt charakterisieren die Walser in der deutschsprachigen Insel von Obersaxen. Seit Jahrhunderten leben sie auf ihrer sonnigen Anhöhe als «freie Walser», denn die mittelalterlichen Lehensherren förderten die Kolonisation der Höhenlagen in ihrem Herrschaftsgebiet durch die Einwanderer aus dem Westen und honorierten sie durch bedeutende Freiheiten und Vorrechte. Die Walser nahmen zwischen dem 12. und dem 14. Jahrhundert große Teile Romanischbündens in Beschlag. Im Tavetsch beispielsweise konnte die angestammte Bevölkerung die Siedler romanisieren, das Walserdeutsch erlosch wieder. Obersaxen hielt sich standhaft, völlig abgeschnitten vom Valsertal und den kräftigen Einwanderer-Regionen des Schanfiggs, des Prättigaus und von Davos.

«Arweigga» sagt man in Obersaxen für «bewegen» und «appisch Guatsch» für «etwas Gutes». In der Sprachinsel, umgeben vom fremden Surselvischen, konservierte sich das urchige Walseridiom viel besser als dort, wo die Zuwanderer mit deutschsprachigen Talbewohnern in Berührung kamen und sich im Laufe der Zeit mit ihnen mischten: Im St. Galler Oberland, im Tirol oder im Lauterbrunnental verflachte der urtümliche Dialekt bald.

Ein stolzes Bewußtsein, von jenen freiheitliebenden Wallisern abzustammen, blieb bei den Nachkommen jener Kolonisatoren wach und hat sich sogar in den letzten Jahrzehnten wieder verstärkt. Trotz der allgegenwärtigen Abgrenzung gegen die Surselver, welche Obersaxen mit ihrer – in der Walser-Optik – mächtigen Sprache einkreisen, ist nirgends Haß gegen die Romanen zu spüren, höchstens eine typische Form von liebenswürdigem Spott. «Wir haben so unsere Sprüche», schmunzelt der Posthalter. Ab und zu heiratet eine Surselverin nach Obersaxen oder zieht eine Familie namens Cavelti in die Gemeinde, wo der Walliser Familienname Sax gleich zwanzigmal im Telefonbuch steht. «Die müssen hier natürlich deutsch reden, und in der Schule gibt es keinen romanischen Sonderzug!» lacht der Mann am Schalter. Hochzeiten über die Sprachgrenze galten nicht immer als unproblematisch. 1457 erließen die Lugnezer im Blick auf die Einwanderer, vor allem aus dem deutschsprachigen Vals, Heiratsbeschränkungen und verboten den Verkauf von Gütern an Fremde! Ein Verbot, das die Lugnezer, um die Konjunktur anzukurbeln, längst wieder aufgehoben haben.

Trotz unterschiedlichem Volkscharakter, anderer Mentalität und Sprache arrangierten sich die Walser von Obersaxen mit der romanischen Umgebung. Dieses Nebeneinander der Sprachen ist typisch für den ganzen Kanton, denn im Laufe der Jahrhunderte rauften sich die Sprachgruppen zu einem tragfähigen «modus vivendi» zusammen. Obersaxen gehört politisch zum stockromanischen Kreis Rueun. Die Kreisversammlung geht in freundschaftlicher Manier zweisprachig über die Bühne; versteht ein Walser einmal nicht, was sein Kollege aus Rueun sagt, dann wird eben auf deutsch übersetzt. Findet die Versammlung turnusgemäß in Obersaxen statt, so richtet der Gemeindepräsident ein paar romanische Worte an die Delegierten, was eventuelles Eis sofort bricht. Zu den Nachbargemeinden Surcuolm und Flond, beide bis ins Mark romanisch, herrschen gute Kontakte. «Für die restliche Surselva ist Obersaxen jedoch eine unbekannte Welt», sagt der katholische Priester Alois Venzin, der es wirklich wissen muß. Venzin stammt aus dem vollständig romanischen Acla im Val Medel und erlebt jetzt, wie sein klangvolles Surselvisch in Obersaxen immer mehr verblaßt. Könnte er nicht mit seiner Oberhalbsteiner Haushälterin täglich romanisch plaudern, so brächten es die Walser, bei Gott, noch fertig, ihn zu germanisieren!

*

«Das Walserdeutsch ist genau so bedroht wie das Romanische», hört man in Obersaxen immer wieder. Doch die Walser haben zur Verteidigung ihrer Sprache geblasen; im Jahresheft ihrer aktiven Vereinigung «Pro Supersaxa» sind jeweils lange Reihen von urigen Wörtern aufgelistet, damit die Walser auch in Zukunft statt «Butterbrot» «Britschi» und statt «schwatzen» «bladara» sagen.

Bei der Volksabstimmung im Jahre 1938 votierten von den 154 Stimmenden in Obersaxen 134 für die Anerkennung des Rätoromanischen als vierte Landessprache, Beweis für das gutnachbarliche Verhältnis der Sprachengruppen. Dennoch finden manche Walser, gegenwärtig werde zuviel «Rummel» um das Romanische gemacht. Ein Lehrer aus einer Prättigauer Walsergemeinde, wo ein Allerweltsdialekt das charakteristische «Tüütsch» immer mehr verdrängt, meint sarkastisch: «Ich verstehe die Romanen ja, aber unsere Walserdialekte verflachen jetzt auch enorm schnell. Doch davon redet niemand. So ist es halt: Die Walsersprache wird in den Familien still beigesetzt, und das Romanische bekommt ein Staatsbegräbnis.»

13. Das Dilemma der rätoromanischen Schule

«Igl rumantsch ò per mè ena valeta scu nign oter lungatg. Parchegl stuessan nous giovens vurdar, tgi chel lungatg vigna betg amblido. Ozande ins raschunga prest angal anc tudestg. Angal cugl mies tat discurriva anc rumantsch, ma chel è avant 5 onns mort. Igl mies bab è en rumantsch. Ma mia mamma è da Bern. Avant tg'igls mies pitschens frars gevan a scola, savevan els navot da chel lungatg. Ia discor prest mai ple rumantsch, chegl è fitg donn. Rumantsch geida er bler per amprender oters lungatgs. Ma la schleta vart da chel lungatg è, tg'ins fo alloura daples sbagls per screiver tudestg. Ainten la 2. e 3. classa va er ia savia bler pi bagn rumantsch tgi ossa.»

(Surmiran)   Thomas Evelyne, Brinzouls, 2. reala

Das Romanische hat für mich einen Wert wie keine andere Sprache. Darum müßten wir Junge dafür sorgen, daß diese Sprache nicht vergessen wird. Heutzutage spricht man bald nur noch Deutsch. Nur mit meinem Großvater sprach ich noch Romanisch, aber der ist vor fünf Jahren gestorben. Mein Vater ist ein Romane. Aber meine Mutter ist Bernerin. Bevor meine kleineren Brüder in die Schule gingen, wußten sie nichts von dieser Sprache. Ich spreche fast nie mehr Romanisch, das ist sehr schade. Romanisch hilft auch sehr, andere Sprachen zu erlernen. Aber die nachteilige Seite dieser Sprache ist, daß man dann mehr Fehler macht im Deutschen. In der 2. und 3. Klasse konnte auch ich viel besser Romanisch als jetzt.

Thomas Evelyne, Brinzouls, 2. Kl. Realschule

a) Zum Beispiel Pieder in Rabius

Nennen wir ihn einmal Pieder, den «Modellromanen», der in einem sprachlich weitgehend intakten Dorf, beispielsweise Rabius, seine Kindheit verbringt. Pieders Eltern reden mit ihm selbstverständlich romanisch. Verwandte und Nachbarn, die ihn zuerst in der Wiege, dann im Laufgitter bewundern, wenden sich ebenfalls in der vokalreichen Alpensprache an den Kleinen. Geborgenheit und Wärme, die Nähe zu den Mitmenschen, erfährt er in den ersten Lebensjahren fast ausschließlich durch das Surselvische; Deutsch vernimmt der Kleine höchstens am Rande, vielleicht im Sommer, wenn ihn Touristen begrüßen. Manchmal auch daheim in der Stube, wenn die Familie vor dem Fernseher sitzt und ein Skirennen miterlebt, das natürlich nicht in Romanisch kommentiert wird. Pieder fühlt sich dennoch ohne «Wenn und Aber» in seiner Muttersprache aufgehoben. Auch in der «Scoletta», dem romanischen Kindergarten, ist seine sprachliche Welt noch in Ordnung, wenn ihm auch langsam aufdämmert, daß da eine zweite Sprache existiert, an der er

126   Im romanischen Kindergarten von Donath. ▷

nicht vorbeikommen wird. Selbst während der ersten drei Schuljahre wächst er in Harmonie mit seinem vertrauten Idiom auf, denn der Unterricht wickelt sich vollständig in Romanisch ab. In der vierten Primarklasse ist es soweit: das Deutsche taucht als Fremdsprache auf, die Pieder und seine gleichaltrigen Schulkameraden jetzt in zügigem Tempo lernen müssen. Das vertraute Romanisch tritt im Unterricht immer mehr zurück, umso mehr als der aufgeweckte Knabe sich auf die Sekundarschulprüfung vorbereitet. Diese Hürde muß er voll und ganz in der Fremdsprache nehmen. Spätestens jetzt realisiert er, daß er ohne die deutsche Sprache nicht vorwärtskommen wird. In der Sekundarschule schrumpft der Anteil des Romanischen auf wenige Wochenstunden zusammen, fast alles, was «zählt», vermitteln die Lehrer auf Deutsch. Zwar sprechen die Schüler nach wie vor selbstverständlich romanisch miteinander, auch daheim prägt das Surselvische den Alltag. Doch das Deutsche gewinnt immer mehr an Terrain, der Druck, diese Sprache perfekt zu beherrschen, wächst. Pieder ergreift den Beruf des Automechanikers. In der Garage spricht er zwar meist romanisch, doch in einem deutsch-romanischen Fach-Kauderwelsch, das ihn nicht recht befriedigen will. Die Gewerbeschule wickelt sich von A bis Z in Deutsch ab.

Die ersten zwanzig Jahre im Leben des jungen Rätoromanen sind gekennzeichnet von einem Bruch in der sprachlichen Entwicklung, den weder Welschschweizer, noch Tessiner noch Deutschschweizer durchstehen müssen. Die Schule in Romanischbünden steht im Dilemma, in den ersten drei Jahren ein tragfähiges Fundament in der Muttersprache erstellen zu müssen, um dann darauf ein möglichst perfektes Gebäude in der Fremdsprache Deutsch zu bauen.

b) Leidensweg des romanischen Unterrichts

Seit in Rätien Kinder die Schulbank drücken, existiert dieses Dilemma; wie anders wäre es möglich, daß bereits 1560 der Tiroler Leopold Schornschlegel als Schulmeister im vollständig romanischen Ilanz sein Brot verdienen konnte, während bald darauf der Walser Johann Ardüser im ebenfalls romanischen Lantsch begann, *die jugend zuo leeren tütschi sprach samt schryben u. läsen.* Der Schulmeister machte sich auch in Savognin, Scharans und Thusis um die Verbreitung der weltläufigeren *tütschen sprach* verdient. Wie sollte man damals auch Rätoromanisch unterrichten, wo Bücher in den lokalen Idiomen fast völlig fehlten?

*

Im 18. Jahrhundert gewann das Deutsche auch in den Engadiner Schulstuben mächtig an Boden, obwohl im Hochtal des Inn seit dem 16. Jahrhundert eine reiche Palette gedruckter Werke in ladinischer Sprache entstanden war. Die als fortschrittlich gelobten, erfolgreichen Privatschulen a Porta in Ftan und Stupan in Zuoz bildeten, wie mehrere ähnliche Institute in Mittelbünden, ihre Zöglinge in deutscher Sprache aus. Grammatiken für Deutsch und Romanisch erschienen, so die *Nova grammatica romontscha e tudeschgia* des Baseli Veith, der im Vorwort die Realitäten unzimperlich beim Namen nennt: «Die Lage unseres Rätien fordert, daß ein guter und gemeinnütziger Bürger die deutsche Sprache beherrsche, nicht nur, um so viele schöne Bücher benutzen zu können, sondern hauptsächlich, weil der ganze Verkehr mit unseren Nachbarn deutsch ist.» Der Engadiner Pfarrer und Politiker Heinrich Bansi regt gar an, daß die Bündner Regierung das Deutsche als Umgangssprache im Engadin durchsetzen solle ... Noch 1821 wird das Rätoromanische am Lehrerseminar in Chur mit keiner Silbe erwähnt!

*

Der älteste Entwurf für ein Bündner Schulgesetz geht auf das Jahr 1794 zurück. Die in Chur tagende Standesversammlung machte den Gemeinden den Vorschlag, durch Schulunterricht die Kinder «unabhängig zu machen».

Erst die Schulordnung von 1846 schrieb allerdings den Grundatz des obligatorischen Schulbesuches fest. Große Auflagen ließen sich die auf Gemeindesouveränität eingeschworenen Dörfer freilich nicht machen. Die Wahl der Schulsprache beispielsweise lag damals wie auch heute noch im Kompetenzbereich der Gemeinde. Das Romanische besaß kein großes Prestige als Unterrichtssprache. Zwar setzten sich der evangelische und der katholische Schulverein bereits zu Beginn des Jahrhunderts für Schulbücher in der Muttersprache der Kinder ein, doch übereifrige Schulinspektoren unternahmen später alles, um die romanischen Idiome aus den Schulstuben zu verdrängen.

Der Kanton druckte zwar im Laufe der Jahre eine Handvoll Schulbücher in den Hauptidiomen, doch die Übermacht des Deutschen erwies sich als fast erdrückend. Der Leidensweg der romanischen Schule wird erst verständlich auf dem Hintergrund des heraufziehenden Maschinenzeitalters: Nach dem Ausbau der Bündner Alpenstraßen strömten die ersten Touristen ins Bergland, die Erstellung der Rhätischen Bahn (Baubeginn 1888) zog viele Fremdarbeiter in den Kanton und schloß Graubünden an die europäischen Eisenbahnnetze an. Die Tage des Rätoromanischen schienen gezählt.

*

Die Germanisierung von Bonaduz in geschichtlicher und sprachlicher Schau
heißt eine sechshundert Seiten starke wissenschaftliche Arbeit von Pieder
Cavigelli, die mit akribischer Genauigkeit die Austreibung des Romanischen
aus Schule und Kirche der Mittelbündner Gemeinde nachzeichnet. Obwohl
die Kinder von Haus aus fast samt und sonders romanisch redeten, erhielten
sie in einer Gesamtschule mit siebzig bis neunzig Schülern fast durchweg von
deutschsprachigen Lehrern, nicht selten Tirolern, Unterricht! Wer es wagte,
im Klassenzimmer oder auf dem Pausenplatz in seiner Muttersprache zu
reden, mußte zwanzigmal den Satz «Man soll nicht romanisch reden» daheim
zur Strafe schreiben oder 20 Rappen in die Schulkasse bezahlen! Die Schule
entwickelte sich – offenbar mit Billigung der Behörden und eines beträchtlichen Teiles der Bevölkerung – als Anstalt zur Germanisierung des Dorfes.
Selbst die beiden einheimischen Lehrer Bieler und Maron, die 1891 die zwei
Klassen übernahmen, konnten das Steuer nicht mehr herumwerfen. Schulrat
und Inspektoren, jedoch auch manche Eltern stemmten sich dagegen. Cavigelli zitiert eine alte Frau, die 1890 bis 1899 in Bonaduz die Schulbank
drückte: «Die Lehrer duldeten in der Schule einfach kein Romanisch; nur
ganz im Versteckten redeten einige ältere Schüler noch romanisch.» Ein
Mann erinnert sich an die höhnische Bemerkung des Lehrers: «Man merkt
euch schon das Romanische an; so geht es halt, wenn man daheim ‹ro-
mantscht›.»

Bonaduz ist kein Einzelfall; reihenweise brannten Dörfer im Soge des
Zeitgeistes die althergebrachte Sprache aus dem öffentlichen Leben, aus
Schule und Kirche aus. Gerade in Mittelbünden, am Rande des mächtigen
deutschen Sprachraumes machte der Germanisierungsprozeß vor kaum einem größeren Dorf halt. Starke Kräfte innerhalb der Gemeinden unterstützten den Rückzug des Rätoromanischen, weil die Formel offensichtlich lautete: «Die Zukunft gehört den Deutschsprachigen.»

Einen besonders schweren Stand hatten die lokalen Idiome dort, wo noch
keine offizielle Schriftsprache existierte, so auch im Oberhalbstein. Schulinspektor Brügger nahm in seinem Inspektionsbericht von 1880/81 folgender-
maßen Stellung: «Es sind nämlich im Oberhalbsteiner Romanisch weder
Fibel noch sonstige Schulbücher vorhanden und werden daher Scherr'sche
Übersetzungen aus dem Oberländer Idiom benützt, die in vieler Beziehung
nach Ausdruck, Form und Bedeutung dem Oberhalbsteiner Kind so fremd
sind, als das Deutsche selbst, und ist es daher wirklich zum Erbarmen, wie das
arme junge Völklein gleich anfangs verurteilt wird, eine Fremdsprache zu
erlernen und dann erst von dieser aus zum Deutschen überzugehen. (. . .) Ich

meinerseits mag zwar der romanischen Bevölkerung Bündens ihre Sprache herzlich gerne gönnen, allein gleichwohl bin ich überzeugt, daß weder die täglichen Hausmittel noch auch die homöopathischen Gaben der Schulkultur sie von der Schwindsucht retten werden.»

Das Surselvische als stärkstes Idiom verfügte bald über den größten Stock an Unterrichtsmaterial. Mehrfache Anläufe, diese Bücher in Tälern mit anderen Idiomen zu verwenden, schlugen fehl. Der Versuch, das Surselvische in Schule und Kirche in anderen romanischen Gebieten zu etablieren, weckte Aggressionen gegen das Bündner Oberland, die bis heute noch nicht voll abgeklungen sind. Der Schamser Giachen Conrad erinnerte sarkastisch daran, daß er als Rätoromane keine einzige Schulstunde in seiner Muttersprache genoß! Von diesem Tiefpunkt konnte es nur noch aufwärts gehen. Die Gründung der «Lia Rumantscha» gab der Schule Auftrieb. Neue Lehrmittel entstanden; die zuständigen Behörden und die Schulinspektoren begannen, dem Romanischen etwas mehr Respekt zu zollen.

c) Romanische Primarschule in Rabius . . .

In der Primarschule in Rabius im Kernland der Surselva erzählt der einheimische Lehrer Giachen Degonda seinen Erstklässlern die Geschichte des Rotkäppchens. Auf romanisch, versteht sich, denn Rabius ist noch romanisch bis ins Mark. Zugezogene, wie zwei Mädchen aus Kiel in Lehrer Degondas Klasse, lernen auf der Gasse Surselvisch, denn eine andere Sprache hören sie kaum. Da sind keine Rettungsprogramme nötig, denn das Dorf bringt die natürliche Kraft auf, Fremde zu assimilieren. Eine heile romanische Welt also? Nicht ganz, denn auch Giachen Degonda spürt das große Rieseln, das schleichende Abbröckeln. Rabius, politisch zur Gemeinde Sumvitg gehörend, erlitt in der letzten Dekade einen Bevölkerungsverlust von zehn Prozent. Das halbleere Schulhaus, wo die Gemeinde Zimmer an eine Privatfirma vermietet, wirkt wie ein Symbol des Substanzverlustes. 1973 drückten in Rabius noch 18 Erstkläßler die Schulbank, 1980 schrumpfte ihre Zahl auf elf, zwei Jahre später auf sechs.

Mit einem halben Dutzend Bauernhöfen, mehreren Handwerks- und Gewerbebetrieben sowie zwei Hotels und zwei Restaurants verfügt das Dorf jedoch über eine gesunde wirtschaftliche Basis. Der Zenit der Abwanderungswelle ist überschritten; mehr Junge als früher finden Lehrstellen und Arbeitsplätze in der Gegend. Auf diesem Boden kann die romanische Grundschule gedeihen. Giachen Degonda: «Die Bewegung für die Sprache kommt hier von unten, vom Volk her. Ich muß nicht pauken, wie Kollegen in weniger intakten romanischen Dörfern, wo man immer wieder hört: ‹Wenn die Schule nicht wäre, dann könnten wir mit dem Romanischen zusammenpacken!›»

Den Rabiuser Schülern wird es freilich so wenig wie allen andern Kindern mit romanischer Grundschule erspart, ziemlich abrupt nach der dritten Klasse im Unterricht mehr und mehr auf Deutsch überzuwechseln.

Drei Varianten des Romanischunterrichts haben sich an den Bündner Schulen herausgebildet: Kinder, die in einigermaßen sprachlich intakten Gemeinden aufwachsen, erleben die Schule so wie Pieder am Eingang zu diesem Kapitel: Auf ein gutes romanisches Fundament wird der vorwiegend deutsche Unterricht in den oberen Klassen gestellt.

Wo das Deutsche die Oberhand gewonnen hat, wie zum Beispiel in Ilanz, Flims oder St. Moritz, ist das Romanische auf zwei Wochenstunden beschränkt. In anderen Gemeinden mit deutscher Grundschule ist der Romanisch-Unterricht mehr oder weniger dem Zufall überlassen.

d) . . . in Bravuogn/Bergün . . .

Von Verhältnissen wie in Rabius kann Staschia Guidon, Lehrerin in Bergün, höchstens träumen. Obwohl der Anteil der romanisch Sprechenden in Bergün auf unter zwanzig Prozent abgesackt ist, zieht die Gemeinde die romanische Grundschule auch heute noch durch. Staschia Guidon, eine junge Engadinerin, unterrichtet die ersten drei Klassen mit gegenwärtig vierzehn Schülern. Nur bei einem einzigen Kind reden beide Eltern romanisch, bei der Mehrzahl sind Mutter und Vater deutschsprachig! Zwar leistet der romanische Kindergarten willkommene Vorarbeit, doch die Tatsache bleibt, daß die meisten Bergüner Kinder ihren ersten Schultag in einer Fremdsprache erleben. Theoretisch dürfte die Lehrerin während des Unterrichts in den ersten drei Jahren nur romanisch reden, doch das muß graue Theorie bleiben, denn ohne Erklärungen in der Muttersprache der Kinder wäre der romanische Unterricht in Bergün vollkommen unmöglich. «Ein intelligentes Kind könnte auch noch Chinesisch dazu lernen», meint Staschia Guidon mit einem Anflug von Resignation, «aber die Schwachen bekunden enorme Mühe, wenn sie in der Schule mit einer Sprache konfrontiert werden, die sie zuhause nie und auf der Straße nur noch selten hören.» Kompliziert wird die prekäre Situation noch dadurch, daß Bergün einen charakteristischen, eigenen Dialekt spricht, jedoch die Schulbücher aus dem Oberengadin in Puter verwenden. Kinder von zugezogenen Familien lernen also aus ihren Büchern nicht das Romanisch des Dorfes, sondern eine andere Variante, was bei den Dreikäsehochs begreiflicherweise zu Konfusionen führt! «Es ist überhaupt ein Wunder, daß es in Bergün die romanische Schule noch gibt», erklärt der ehemalige Schulinspektor Tumasch Steiner.

Bergün hat den Engadiner Schulinspektor während Jahren in Atem gehalten, denn an diesem Extremfall entzündeten sich die Geister. «Es beschäftigte mich wahnsinnig, ob da eine romanische Schule noch sinnvoll ist», gesteht er, «es ist nämlich fast so, wie wenn man in Grüsch im Prättigau eine romanische Grundschule hätte!» Vor rund zehn Jahren gründete man eine Kommission, die für Gemeinden wie Bergün oder Pontresina gangbare Lösungen suchen sollte. Ein Vorschlag lautete dahin, den Unterricht von der ersten Klasse weg zweisprachig zu gestalten, wie das bei den Romanen in den Dolomiten praktiziert wird (dort kommen von Anfang an gar drei Sprachen zum Zug: Ladin, Italienisch und Deutsch!). Der Idee der Parallelführung erwuchs vehemente Opposition vor allem vom streitbaren Engadiner Sprachenrechtler Ruedi Viletta, der darin einen gefährlichen Präzedenzfall sah, eine Wegleitung für andere Gemeinden, das Romanische in der wichtigen Bastion der Schule zu schwächen. Auch der Vorschlag, bereits in der zweiten Klasse mit Deutsch zu beginnen und später als Ausgleich etwas mehr Romanisch zu erteilen, drang nicht durch. Schließlich einigte man sich auf einen Kompromiß, der niemanden recht befriedigt: Statt erst in der vierten Klasse, erhalten die Schüler bereits ein halbes Jahr früher Deutsch-Lektionen. Noch läuft das «Experiment Bergün»; doch ein Vorbild für andere Gemeinden in ähnlicher Lage konnte es nicht werden.

Das Romanische lebt in Bergün kaum mehr, es hat sich auf ein paar Familien zurückgezogen und wird in der Schule als schwindsüchtiges Pflänzlein drei Jahre lang hochgepäppelt, um dann wieder dem Deutschen den Vorrang zu lassen. Offiziell ist die romanische Schule im Dorf kein Thema, es herrscht eine Art stille, zähneknirschende Übereinkunft, daß man die «heilige Kuh» nicht schlachtet. Oder, wie es ein deutschsprachiger Bergüner sagt: «Mit einem Krebskranken redet man nicht vom Tod.» Wer die glatte Oberfläche etwas aufkratzt, erlebt jedoch Ausbrüche, die ahnen lassen, daß das Thema «romanische Schule» für das fast vollständig germanisierte Dorf noch nicht vom Tisch ist.

Frau Nicolay, in Bergün aufgewachsen und mit einem Einheimischen verheiratet, hängt an ihrer Muttersprache. Sie zieht ihre Kinder romanisch auf, erklärt jedoch nach einigem Nachdenken: «Manchmal habe ich ein schlechtes Gewissen, wenn ich sehe, wie sich schwächere Schüler mit der Fremdsprache Romanisch abmühen. Wenn die Kinder wenigstens außerhalb des Schulzimmers Gelegenheit hätten, romanisch zu reden . . .»

Tatsächlich tragen in Gemeinden wie Bergün der romanische Kindergarten und die romanische Grundschule die Hauptlast der Spracherhaltung. Doch damit sind sie heillos überfordert, stehen fast einsam auf verlorenem Posten. Laut Kantonsverfassung können die souveränen Bündner Gemeinden die Schulsprache selber festsetzen. Bergün könnte also – theoretisch – die rätoromanische Schule aufgeben, wie das andere Gemeinden in den letzten Jahrzehnten taten; beispielsweise Surava im Albulatal, weil man keinen romanischen Lehrer fand. In der heutigen Zeit gesteigerter Sensibilität und größeren Verantwortungsbewußtseins gegenüber dem Rätoromanischen, würde das freilich ein kontroverses Echo auslösen. Zumal es umstritten ist, ob das eigenmächtige Verändern der Schulsprache durch eine Gemeinde nicht Bundesrecht verletzt, denn das Bundesgericht hat in mehreren Entscheiden die Unverrückbarkeit der Sprachgrenzen geschützt. Juristische Spitzfindigkeiten oder Bollwerk gegen die bedrohte Sprache? Tatsache ist, daß sich bei Bergün, Pontresina oder Ilanz die Sprachgrenze längst verschoben hat; das einst unangefochtene Rätoromanische ist zurückgewichen wie Schnee an der Sonne.

e) ... in Donath

«Die Lehrerinnen und Lehrer sind die stillen Helden der romanischen Sprachbewegung», lobt Tumasch Steiner, der es als ehemaliger Schulinspektor wissen muß. Dabei meint er weniger die Lehrkräfte in den noch intakten Gebieten des Unterengadins, des Münstertals, der Surselva und des Oberhalbsteins, sondern Kämpferinnen wie Staschia Guidon oder Georgina Schaller.

Frau Schaller unterrichtet in Donath am Schamserberg die romanische Unterstufe. Von ihrem knappen Dutzend Schützlingen redet die Mehrzahl daheim sutselvisch; in der Oberstufe im Nebenzimmer dominieren die Romanen ebenfalls. Also ein viel günstigeres Bild als in Bergün, möchte man auf den ersten Blick meinen. Doch der Schein trügt, denn Donath beherbergt die einzige verbliebene sutselvische Schule überhaupt! Weil das gefährdete Idiom erst 1944 nach längeren Auseinandersetzungen als Schriftsprache festgelegt werden konnte, existiert sehr wenig Unterrichtsmaterial. Georgina Schaller, übrigens eine Oberländerin, die Schamserromanisch gelernt hat, wehrt sich auf exponiertem Posten in bewundernswürdiger Art für die eingekreiste Sprache. «Wir sitzen mit dem Lehrstoff immer auf dem trockenen», gesteht sie, «von Chur dürfen wir nicht zuviel erwarten, denn wir verstehen, daß man für die paar Schüler nicht unbegrenzt Bücher drucken kann.» Wie man bei Lehrkräften im ganzen rätoromanischen Gebiet immer wieder beobachten kann, leistet auch Frau Schaller einen Extraeinsatz für die Sprache. Als ich die Schule besuchte, las die Klasse gerade den «Schellenursli», ein populäres Buch, das es leider in Sutselvisch nicht gibt. Die Lehrerin übersetzte den Text selber, kopierte ihn und klebte ihn ihren Schützlingen in das von Carigiet reich bebilderte Buch.

«Diese Festung wird nicht aufgegeben», erklärt sie und bekennt sich damit zu einem rätoromanischen Idiom, das buchstäblich an einem Faden hängt: Nur noch 1200 Personen (!), darunter mehr und mehr ältere Leute, sprechen das klangvolle Romanisch der Sutselva.

Bartholome Tscharner stellt seinen Mann an der Werkschule in Zillis. Die Schule wird wie alle Werk- und Sekundarschulen Romanischbündens fast ausschließlich deutsch geführt; zwei wöchentliche Romanischstunden signalisieren, daß Zillis im sutselvischen Gebiet liegt. «99% meiner Schüler kämpfen mit Sprachproblemen», erklärt er, «denn sie fühlen sich weder im Romanischen noch im Deutschen sattelfest.» Bartholome Tscharner stellt fest, daß Kinder, die zuhause eindeutige sprachliche Verhältnisse haben, eher die Sekundarschulprüfung bestehen. Doch diese eindeutigen Verhältnisse lassen sich nicht konstruieren: das Schams liegt in einer sprachlichen Übergangszone.

f) Probleme mit den Lehrmitteln

«Stellen sie sich das einmal plastisch vor», beginnt Erziehungsdirektor Otto Largiadèr unser Gespräch über die Probleme der Bündner Schule, «unser Kanton muß Lehrmittel in sieben Sprachen bereitstellen!» Er beginnt als Pontresiner mit dem Oberengadiner Idiom; bedächtig zählt er alle Perlen im rätischen Sprachen-Geschmeide auf: «Puter, Vallader, Surselvisch, Surmeirisch, Sutselvisch und natürlich Deutsch und Italienisch.»

Wo bevölkerungsreiche Kantone wie Zürich oder Aargau in einer einzigen Sprache eine reiche Palette von Schulbüchern bereitstellen und sich erst noch auf Werke aus dem riesigen Potential Deutschlands abstützen können, muß der dünnbesiedelte Bergkanton eine Leistung erbringen, die weltweit vermutlich einmalig dasteht. Wen wundert's, daß die romanische Schule bis in die jüngste Zeit mit einem Minimum an Lehrmitteln auskommen mußte. Immerhin stellte Domenic Cantieni, Präsident der kantonalen Lehrmittel-Kommission für die deutschen und romanischen Schulbücher, mit einem hörbaren Aufatmen fest, «daß der Berg überschritten» sei und jetzt ein Stock aktueller Lehrmittel existiere, darunter ein Biologie-Lehrgang in den Hauptidiomen, der durchgehend von der Primarstufe über Werk- und Sekundar- bis zur Mittelschule aufgebaut wird.

Eine Bereicherung im Lehrmittel-Angebot bilden die «Contuorns», moderne Sprachbücher aus der Feder von Jachen Curdin Arquint, Rektor der Bündner Kantonsschule. Der aufgefächerte rätoromanische Sprachraum ist naturgemäß nicht in der Lage, soviel an Gedrucktem zu produzieren wie die ungleich größeren benachbarten Sprachgebiete. Es ist nicht leicht, für die vielen notwendigen Schulbücher Autoren und Übersetzer zu finden, die sich für die anspruchsvolle Arbeit freistellen können.

Trotz großen Anstrengungen bleibt das romanische Angebot immer weit im Hintertreffen. Serafin Nay gibt in der kantonalen Lehrmittelzentrale die Schulbücher ab. «Von einzelnen romanischen Titeln brauchen wir pro Jahr nur acht bis zehn Stück», erklärt er und ergänzt mit einem Augenzwinkern, «da reicht auch eine kleine Auflage für hundert Jahre.» Kein Wunder, daß solche Lehrmittel teuer zu stehen kommen: der Ladenpreis eines Werkes für die Surmeirer Schüler beträgt 51 Franken; Nay händigt es mit dem Segen des Kantons für vier Franken aus. «Platzmangel ist hier unser größtes Problem», seufzt er, «da sind Stöße von romanischen Büchern, die wir nie losbringen werden.» Wenn Forderungen der Rätoromanen nach neuen Lehrmitteln laut werden, sagt Erziehungsdirektor Largiadèr manchmal: «Braucht zuerst die alten auf!» Das kann durchaus seine Tücken haben, wie der Rabiuser Lehrer Giachen Degonda feststellt: «Im Lesebuch für die Drittkläßler aus dem Jahr 1974 handelt ein Abschnitt vom Fliegen. Das neueste Flugzeug darin ist eine propellergetriebene DC-3, obwohl bei der Drucklegung des Buches bereits die ersten Jumbos in Kloten landeten. Meine Schüler interessieren sich brennend für Flugzeuge und lachen nur, wenn sie diesen Text auf romanisch lesen.»

Schulbücher veralten heute viel rascher als zu Zeiten, wo der Sämann noch symbolträchtig durch die Furchen schritt. Auch in diesem wichtigen Gebiet zeigt sich das Dilemma der Rätoromanen mit aller Schärfe: Wenn der romanische Unterricht glaubwürdig sein soll, dann müssen die Lehrmittel den Vergleich mit den deutschsprachigen einigermaßen aushalten können, was allein bezüglich der Vielfalt ein hoffnungsloses Unterfangen bleiben muß.

g) Die Ausbildung der Lehrer

«Erst hier in Samedan habe ich realisiert, wie schlecht ich eigentlich Romanisch kann», erklärt Renate Müller aus Zuoz. Sie will Lehrerin werden und besucht darum in der Evangelischen Mittelschule in Samedan während dreier Jahre das sogenannte «Preseminar ladin», die beiden letzten Jahre ihrer Ausbildung wird sie an der romanischen Abteilung des Churer Lehrerseminars absolvieren. Wie schlecht es vor allem um ihre schriftlichen Romanisch-kenntnisse bestellt ist, wurde ihr und den meisten Klassenkameraden in den Lektionen von Jost Falett klar, einem Lehrer, der seine Muttersprache begeisternd und überzeugend weiterzugeben versteht. In Lektionen, wo der Lehrer im mündlichen und schriftlichen Ausdruck souverän mit der Mutter-sprache umgeht, wird manchem der zukünftigen Primarlehrer schmerzlich bewußt, daß er genau bis zum zehnten Altersjahr rein romanischen Unter-richt genoß und daß dann die ladinische Sprache von Jahr zu Jahr mehr zurückgestuft wurde.

Die Absolventen des «Preseminar ladin» wissen, daß der heute geltende Aufbau der Primarschule sozusagen «die Kunst des Möglichen» darstellt. Eine rein romanische Primar- und vielleicht sogar Sekundarschule würde den Schülern aus den rätoromanischen Tälern später enorme Probleme verursa-chen, denn Mittel- und Hochschulen, der gewerbliche Unterricht und die gesamte Fachliteratur ungezählter Berufe sind nur durch die perfekte Kennt-nis des Deutschen zugänglich. Umso größer ist das «Aha-Erlebnis» der Seminaristen in Samedan, wenn sie in einem Romanischunterricht auf hohem Niveau erkennen, daß sie ihre eigene Muttersprache nicht beherrschen. Wenn sie sehen, wie die während Jahren in der Schule ins Abseits gedrängte Sprache plötzlich einen zentralen Platz einnimmt. Das zu gleichen Teilen faszinierende wie beängstigende Erlebnis feuert die Schüler meist zu intensi-ven Restaurationsanstrengungen an der eigenen Muttersprache an.

*

Das «Preseminar» in Samedan existiert erst seit den siebziger Jahren – als nämlich das Churer Lehrerseminar aus den Nähten platzte und der Vorschlag auftauchte, eine zweite Lehrerbildungsstätte in Thusis zu errichten. Die Engadiner wehrten sich vehement und setzten durch, daß die einheimischen Seminaristen ihre ersten drei Jahre an der Mittelschule in Samedan absolvie-ren können.

Im Engadin ist der Trend zur Mittelschulausbildung besonders stark, seit der Kanton das Lyceum Alpinum in Zuoz, das Töchterinstitut Ftan und die Evangelische Mittelschule in Samedan in den Rang regionaler Kantonsschu-len erhoben hat. Weil der Unterricht an den drei privaten Mittelschulen mit beträchtlichen Kosten verbunden war, besuchten früher die meisten Engadi-ner die Kantonsschule in Chur. Heute übernimmt der Kanton Graubünden für die einheimischen Absolventen den größten Teil der Unterrichtskosten. (Dies gilt auch für die einheimischen Schüler des Gymnasiums im Kloster Disentis und der Evangelischen Mittelschule in Schiers.) Der Zug zur höheren Bildung ist dem Romanischen nicht unbedingt förderlich, denn wer die Matura im Sack hat, geht dem Tal oft verloren. Er studiert an einer der deutsch- oder französischsprachigen Universitäten und kehrt, wie die Erfahrung zeigt, meist nicht mehr zurück. So sind denn die regionalen Kantonsschulen eine durchaus zweischneidige Institution: sie erleichtern den Zugang zur Mittelschule, bewirken, daß die Jungen bis zum zwanzigsten Altersjahr im Tal bleiben können, doch im Endeffekt fördern sie die Abwanderung, bedenklicher noch, sie leisten der negativen Selektion Vorschub: die Gescheiten gehen, die Schwächeren bleiben. Eine Ausnahme macht das «Preseminar» in Samedan, denn wer sich zu diesem Ausbildungsgang entschließt, der bekundet seinen Willen, später in Romanischbünden als Lehrer zu wirken. Im bereits arg verdeutschten Samedan wird wohl nirgends von jungen Menschen so viel romanisch geredet wie unter den Seminaristen.

*

«Alle Macht der Phantasie» steht auf einem Kleber an der Wohnungstüre von Chasper Pult, Lehrer an der romanischen Abteilung des Seminars in Chur. Ohne Phantasie, Kreativität und Optimismus wäre jede Sprache dazu verurteilt, im Museum der Geschichte zu enden. Etwas von den lebensspendenden Eigenschaften wird im Klassenzimmer des Seminarlehrers spürbar, der seine ladinischen Schüler in den beiden letzten Jahren der Ausbildung auf ihren verantwortungsvollen Beruf als Lehrkräfte in rätoromanischen Gemeinden vorbereitet. Der Enthusiasmus springt vom Lehrer auf die Schüler über; in den Oberseminar-Klassen ist mit Händen zu greifen, daß das Rätoromanische nicht Alibiübung, sondern zentrales Anliegen ist. Diese jungen Menschen wissen um ihre zukünftige Verantwortung und wollen sich der Herausforderung stellen. Dabei sind die Voraussetzungen längst nicht bei allen optimal. Ein respektabler Teil ist in sprachlich gefährdeten Dörfern aufgewachsen, andere haben eine deutschsprachige Mutter oder gar zwei nichtromanische Elternteile, verbrachten jedoch ihre Schulzeit in Dörfern mit genügender Assimilationskraft. «Wir reden romanisch wie verrückt», lacht eine Schülerin der letzten Seminar-Klasse, «nicht nur im Unterricht, sondern auch in der Freizeit, es ist irgendwie ein großes Nachholbedürfnis da.»

Die zukünftigen Primarlehrer aus der Surselva, dem Surmeir und der Sutselva absolvieren die gesamte Ausbildung in Chur. Den Romanischunterricht erteilt der Oberländer Lehrer Isidor Winzap im surselvischen Idiom.

In mehreren intensiven Gesprächsrunden mit Seminarklassen in Samedan und Chur kristallisierte sich heraus, daß da eine realistisch denkende Lehrer-

Generation heranwächst, die dennoch Optimismus ausstrahlt. Allen ist bewußt, daß der Spielraum für das Rätoromanische begrenzt ist, daß es die radikale Lösung in Form einer komplett romanischen Volksschule nicht geben kann.

*

Christina Gregori aus Bergün, wo die Romanen längst in die Minderheit geraten sind: «In Bergün möchte ich vorläufig nicht Schule geben, der Abstand zu den Schülern, die ich ja alle persönlich kenne, wäre noch zu gering. Anderseits würde ich mich derart für die Sprache einsetzen, daß ich bald mit dem halben Dorf Streit bekäme.»

*

Peder Clalüna aus dem sprachlich intakten Dorf Sent: «Gerade in romanischen Dörfern wie Sent muß man als Lehrer darauf achten, daß die Schüler auch gut Deutsch lernen. Damit sie, wenn sie einmal fortgehen, nicht Schwierigkeiten bekommen und sich gegen ihre Muttersprache stellen.»

h) Romanisch an den Bündner Mittelschulen . . .

Von den tausend Schülern an der Kantonsschule in Chur haben 85 zwei Lektionen pro Woche mehr in ihrem Stundenplan als ihre Mitschüler: die Rätoromanen. Das vollgepackte Pensum der Gymnasiasten läßt keine andere Möglichkeit zu, als den Romanen den Unterricht in ihrer eigenen Muttersprache *zusätzlich* zu erteilen. Was einige extreme Vertreter in der romanischen Sprachbewegung als Skandal empfinden, wird von der Mehrheit der Betroffenen als gangbare Lösung akzeptiert. Kaum einer wäre bereit, zum Beispiel Englisch- oder Französischstunden für das Romanische abzutauschen oder, statt Mathematik oder Latein zu büffeln, rätoromanische Literatur zu analysieren. Zu genau wissen alle, daß diese Fächer für das Bestehen der Matura (bei den Handelsmittelschülern des Diploms) die gesamte, gesetzlich vorgeschriebene Stundenzahl erfordern.

Romanisch an der Kantonsschule: ein langer Leidensweg, der 1914 begann. Erst zu Beginn des Ersten Weltkrieges, sechzig Jahre nach der Einführung des Rätoromanischen am Bündner Lehrerseminar, erschien Romanisch im Lehrplan der Kantonsschule als fakultatives Fach. In langwierigen Etappen stieg es zum Obligatorium und schließlich zum Promotionsfach mit Aufnahme- und Schlußprüfungen auf. Erst wenn das Rätoromanische jedoch von der Eidgenössischen Maturitätskommission in den Rang eines Maturafaches erhoben wird, ist das wichtige Etappenziel erreicht, auf das die Sprachbewegung seit Jahren hinarbeitet. Das Klima ist günstig; mit der Anerkennung wird 1983 gerechnet. Heute legen die Rätoromanen die Prüfung im Fach «Muttersprache» in Deutsch ab. Die kommende Regelung sieht vor, Deutsch und Romanisch je zur Hälfte zu werten, die wirkliche Muttersprache der Rätoromanen also dem Deutschen gleichzustellen.

Jachen Curdin Arquint, Rektor der Churer Kantonsschule, erklärt: «Die neue Regelung befriedigt zwar keine Maximalforderungen, doch sie stellt einen guten und realistischen Kompromiß dar.» Der Engadiner, der sich als Autor für ladinische Unterrichtsmittel einen Namen gemacht hat, bekennt: «Ich bin Pragmatiker. Wir dürfen nicht mehr durchsetzen, als die Betroffenen, die Schüler, wollen.» Mit zwei Wochenstunden beansprucht das Romanische das Gewicht eines Faches wie Biologie, während Fremdsprachen wie Italienisch und Französisch und Englisch mit drei bis vier Lektionen pro Woche im Stundenplan figurieren. Rektor Arquint und der Surselver Arnold Spescha erteilen die Lektionen, wobei Schüler mehrerer Klassenzüge, fast in Form einer Gesamtschule, zusammengezogen werden. Wer die sieben Jahre Romanisch absolviert hat, kann sich über gründliche Kenntnisse der Grammatik, der Morphologie und der Syntax ausweisen und ist in der Lage, rätoromanische Texte zu interpretieren.

Das Engagement, die Freude am Umgang mit der eigenen Muttersprache auf einer «höheren Ebene» gibt den Romanisch-Stunden an der Churer Kantonsschule Gewicht, zumal die Anerkennung als Maturafach in der Luft liegt, also die geleistete Arbeit bei der Schlußprüfung «zählen» wird.

Auch an den regionalen Mittelschulen in Samedan, Zuoz, Ftan und Disentis figuriert Romanisch im Stundenplan. Wie an der Kantonsschule deklarieren die Eltern beim Eintritt der Kinder die Muttersprache; eine Aufnahmeprüfung hält den Stand der Romanischkenntnisse fest. In Disentis äußerten sich Gymnasiasten einer höheren Klasse allerdings nicht sehr positiv über die Regelung mit den zusätzlichen Stunden. Ein Bursche aus Trun: «Wir sind schon mit den andern Fächern so belastet, daß man froh ist, wenn das Romanische einmal ausfällt!»

i) . . . und an den Universitäten

Der Lehrbeauftragte Gion Deplazes bewertet vor einem Dutzend Zuhörern in einem Hörsaal der *Universität Zürich* das Buch *Randulins* des Dichters Giovannes Mathis, ein Werk über das für Rätoromanen immer aktuelle

Thema der Auswanderung. Romanisten, die sich über den Besuch von Vorlesungen in Rätoromanisch ausweisen müssen, folgen den Ausführungen ebenso wie ein angehender Arzt, ein Soziologe und zwei Historiker. Außer einer gepflegten Dame vom Zürichberg, die Romanisch in freien Stunden als «Hobby» betreibt, sind alle Zuhörer surselvischer Muttersprache. Darum kann Gion Deplazes mit gutem Gewissen romanisch dozieren.

Im schier uferlosen Vorlesungsangebot der Universität Zürich, wo es Lehrstühle für so exotische Sprachen wie Chinesisch gibt, nehmen sich die vier wöchentlichen Vorlesungen für Rätoromanisch nicht gerade imposant aus. Der Zustrom ist mit zehn bis dreißig Hörern pro Veranstaltung auch nicht so groß, daß sich der Bau einer rätoromanischen Universität aufdrängt, wie das der Verfasser der Studie *Der Tod des Romanischen* fordert. Trotz dieses schmalen Angebots bietet die Hochschule in Zürich die größte Auswahl an Vorlesungen aller Schweizer Hochschulen. Einen Lehrstuhl für die vierte Landessprache gibt es allerdings auch in Zürich nicht; der Vorstoß für eine *Romanisch-Professur an der ETH* liegt zur Prüfung in Bern. Professoren für Romantistik lehren in Zürich neben anderen Vorlesungen rätoromanische Philologie; Lehrbeauftragte, wie Iso Camartin, halten Literatur-Vorlesungen und erteilen Kurse zum Erlernen der Hauptidiome. Neben Schriftstellern wie Andri Peer lehren die Romanisten Jon Pult, Jachen Curdin Arquint, Ricarda Liver und Alexi Decurtins in Zürich. Die Verantwortlichen achten darauf, daß die beiden Hauptidiome möglichst paritätisch zum Zuge kommen und auch die andern Mundarten eine bescheidene Präsenz genießen. Traditionell studieren Rätoromanen an der *Universität Fribourg;* nicht zuletzt, weil der «Löwe von Truns», Caspar Decurtins, zu den Gründern dieser Hochschule gehörte. Mit zwei Wochenstunden, vom Lehrbeauftragten Alexi Decurtins gehalten, ist das Angebot schmal. Die Rätoromanen sind in diesen Vorlesungen praktisch unter sich, weil «einem deutsch oder rätoromanisch geführten Kurs die welschen Studenten – leider – a priori fern bleiben», wie Ricarda Liver bedauert.

In *Bern* und *Genf* figuriert Rätoromanisch neuerdings regelmäßig in den Lehrplänen, an den Universitäten von *Basel, Neuenburg* und *Lausanne* höchstens ausnahmsweise. Die Lehrbeauftragten an den Hochschulen kämpfen mit einem offenbar für die romanischen Vorlesungen typischen Problem: In den Veranstaltungen sitzt oft ein bunt gemischtes Publikum, zusammengesetzt aus Romanisten, Studenten anderer Fachgebiete und interessierten Laien, einige beherrschen Romanisch, andere sind darin nicht genügend sattelfest. Die Romanistin Ricarda Liver hat die Probleme, ja zum Teil die Misere des Rätoromanischen an unseren Hochschulen untersucht und in einem Referat unter anderem folgendes zu bedenken gegeben: «Wo die

Ausbaumöglichkeiten beschränkt sind, muß man sich auf das Wichtigste konzentrieren. Im Falle des Rätoromanisch-Unterrichtes ist das Wichtigste unzweifelhaft eine *philologische Darstellung* der Sprache. Wo die Mittel begrenzt sind (und das sind sie an den meisten Orten) gebührt ihr der Vorrang vor einer literaturgeschichtlichen Veranstaltung (...) Im Falle des Rätoromanischen scheint es mir evident, daß sich rätoromanische Philologie eher als Ergänzungsfach oder gar als Hauptfachstudium eignet als rätoromanische Literatur. Man darf in diesem Punkt bei aller Sympathie für die Förderung von Minderheiten die Augen nicht vor der Tatsache verschließen, daß in der rätoromanischen Literatur das Vorhandene einfach nicht genügt, um den Gegenstand für ein Hauptfachstudium abzugeben.»

«Es wäre nicht zu verantworten, für ein gleichwertiges Hauptfachexamen vom einen Studenten die Kenntnis der rätoromanischen Literatur zu verlangen», gibt Ricarda Liver zu bedenken, «und vom andern Studenten die der deutschen, französischen oder italienischen Literatur.» Rätoromanisch ist eine Randsprache ohne das Gewicht und die Bedeutung der großen Kultursprachen. Dennoch: ein Ausbau des Angebotes an unseren Hochschulen ist dringend nötig; die vierte Landessprache ist an manchen Schweizer Universitäten weniger präsent als Serbokroatisch! Rätoromanisch muß in den Lehrplänen unserer Universitäten fest verankert und auch als Prüfungsfach etabliert werden.

«An den Schweizer Universitäten gibt es Lehrstühle für alles, nur nicht für Rätoromanisch, und das ist ein Skandal!» erklärt der surselvische Romanistik-Student Florentin Lutz. «Daß weder in Zürich noch Fribourg das Geld selbst für einen Assistenten reicht, macht uns wütend. Weil das Rätoromanische so unterbewertet wird, zieht es natürlich auch wenige Studenten an.» Florentin Lutz und einige weitere Studenten arbeiten im Sommer zu einem bescheidenen Salär (das durch eine Spende der Migros überhaupt erst bezahlt werden kann!) im Haus der «Ligia Romontscha» am Neologismenprogramm. Die engagierten jungen Rätoromanen, die Entscheidendes für die Anpassung ihrer Muttersprache an die Bedürfnisse der heutigen Zeit leisten, sind aufgebracht, innerlich erregt, als wir über die Geringschätzung des Rätoromanischen an unseren Hochschulen sprechen. Wer die Gruppe unter kargen Bedingungen an einem Programm arbeiten sieht, das unter der Schirmherrschaft einer Schweizer Universität verwirklicht werden könnte, versteht den Grimm. Es tut nicht gut, wenn man die eigene Muttersprache, die gleichzeitig vierte Landessprache ist, als viertklassig eingestuft sieht. Die Kritik betrifft nicht die Lehrbeauftragten, die unter den gegebenen Umständen zum Teil ein Maximum leisten, sondern geht an die Adresse der Universitäten.

Einen gewissen Ersatz für die mangelnde Hochschulpräsenz könnte das seit langem geplante *Institut für rätische Forschungen* bieten. Diese kantonale Forschungs- und Dokumentationsstätte wäre jedoch ausdrücklich kein rein rätoromanisches Zentrum, sondern ein Institut, wo Deutschbündner, Walser, Italienischbündner und Rätoromanen zu gleichen Teilen wirken könnten.

Ausländische Universitäten leisten zum Teil bedeutend mehr für das Rätoromanische als Schweizer Hochschulen. In Disentis treffe ich Professor Helmut Stimm, der mit einigen Studenten an Ort und Stelle Aspekte der surselvischen Sprache erforscht und erklärt: «Bei uns in München ist es möglich, mit einer linguistischen Arbeit aus dem Rätoromanischen zu doktorieren. Kürzlich ist eine vergleichende Untersuchung Rätoromanisch/Italienisch abgeschlossen worden.» Professor Stimm gibt Vorlesungen in Romanistik; eine Stunde wöchentlich widmet er dem Rätoromanischen. Neben München bieten gelegentlich auch die Hochschulen von Tübingen, Heidelberg, Innsbruck, Salzburg, Mannheim und Bonn Vorlesungen; Bibliotheken mit rätoromanischen Werken in Europa, den USA und sogar in Japan zeugen vom Interesse, das die Sprache in internationalen Fachkreisen findet. Die erstaunlichste Leistung erbrachte jedoch die russische Romanistin Maria Borodina: Die Leningraderin hat eine wissenschaftliche rätoromanische Grammatik verfaßt. Auf russisch; in kyrillischer Schrift!

14. Komplizierte Parteienlandschaft

a) CVP-Hochburgen

«Cumin» in Disentis, die Landsgemeinde des Wahlkreises Cadi: zweitausend Stimmberechtigte drängen sich am 1. Sonntag im Mai auf dem Landsgemeindeplatz vor der imposanten Kulisse des Klosters. Obwohl seit einigen Jahren auch Frauen das Stimmrecht haben, ist das zarte Geschlecht in der Masse der sonntäglich gekleideten Männer praktisch nicht vertreten. Die Herrschaft der Männer gehört, wie das ganze Ritual des «Cumin», zur konservativen Aura der Cadi.

Am Morgen des Landsgemeindetages holt ein historischer Festzug den amtierenden Kreispräsidenten, den Mistral, vom Bahnhof ab. In der Eskorte marschieren die Bannerträger der sieben Kreisgemeinden, Pfeifer, Trommler und Spießträger. Traditionsgemäß fehlt auch die Abordnung der Jungbürger, in militärischer Formation, nicht im Festzug. Der Mistral, hoch zu Roß, grüßt immer wieder die ehrerbietig winkenden Schaulustigen. Als Kreispräsident übt er auch richterliche Funktionen aus und ist damit der höchste Mann einer Region mit 8000 Einwohnern. Landsgemeinden finden an diesem Tag in manchen Kreisen in Graubünden statt, nirgends jedoch mit soviel Zeremoniell und historischem Gepränge. Der «Cumin» beginnt traditionell mit dem Segen des Abtes. Die Präsenz der Kirche an der Lansgemeinde von Mustér, wie Disentis auf Romanisch heißt, ist Symbol für das enge Zusammengehen der dominierenden politischen Kräfte in der Cadi mit der katholischen Kirche. Jetzt singt der vielstimmige Männerchor das Landsgemeindelied in surselvischer Sprache. Darauf verliest der Weibel die Namen der Gerichtsgemeinden: Breil, Mustér, Medel, Schlans, Sumvitg, Tujetsch und Trun. Der Block der Stimmbürger jeder Gemeinde meldet sich im Chor mit «gie» (ja). Der «Cumin» wählt die Großräte, deren Stellvertreter und die Richter-Ämter im Kreis. Wer sich in dieser Arena dem Volk stellen will, braucht eine Portion Zivilcourage, denn die Stimmbürger geben bei jedem Vorschlag durch Rufe «si cun el!» («hinauf mit ihm») oder «giu cun el» («hinunter mit ihm») vor der Wahl Zustimmung oder Mißfallen kund. Wenn also am «Cumin» auch alles andere als sicher ist, wer gewählt wird, so ist mit großer Sicherheit schon am Anfang klar, welcher Partei er angehört: der CVP. Wer hier oben in der Cadi ein politisches Amt erringen will, muß zudem katholisch getauft sein und romanisch reden. Die Cadi und die Lumnezia, Kerngebiete der Surselva und neben dem Unterengadin die wichtigsten Stützpunkte des Rätoromanischen, sind seit dem «Cumin» von 1877 fest in der Hand der Konservativen Volkspartei. An jener denkwürdigen Landsgemeinde erkor das Stimmvolk den jungen Caspar Decurtins zum Mistral. Decurtins, als der «Löwe von Truns» in die Bündnergeschichte eingegangen, verhalf den Konservativen endgültig zum Durchbruch und läutete damit eine Ära im Bündner Oberland ein, die bis heute anhält. Caspar Decurtins war freilich kein verknöcherter Konservativer, sondern ein inspirierender, eigenwilliger Politiker, der sich vehement für die Besserstellung der Arbeiterklasse einsetzte. «Der Katholizismus ist ein großes Haus mit vielen Stockwerken und einem rechten und einem linken Flügel», sagte er einmal, «ich wohne auf dem linken Flügel.» Decurtins, mit 21 Jahren bereits im Besitze seines Doktorhutes, gab der romanischen Sprache starke Impulse durch die Edition der *Rätoromanischen Chrestomathie,* der riesigen Textsammlung mit Zeugnissen aus mehreren Jahrhunderten und den verschiedenen Regionen Romanischbündens. Er verkörperte einen starken politischen Trend, der offensichtlich mehr dem Volkswillen entsprach als die von einer kleinen Elite getragene liberale Politik der vorausgegangenen Jahrzehnte.

Der mehrheitlich katholischen, überwiegend bäuerlichen Surselva lag das konservative Gedankengut naturgemäß näher. «Nicht einmal Friedhofgärtner kann man hier oben werden, wenn man nicht CVP stimmt», spottet ein junger Oberländer, dem die surselvische Einparteienschau gegen den Strich läuft. Er, wie mancher andere Bürger der Cadi und der Lumnezia, stimmt zwar meistens CVP, wenn es darum geht, einen Politiker für die Regierung in Chur oder ins Parlament nach Bern zu schicken. Dennoch geht er immer wieder auf Distanz zu dieser Partei und wünscht sich eine Alternative, die in Katholisch-Bünden erst ein echtes demokratisches Spiel der Kräfte ermöglichte. Die fast absolute Dominanz der CVP in der Surselva läßt sich nur durch den konfessionellen Aspekt erklären: Wie in der ganzen Schweiz sind die Katholiken auch in Graubünden in der Minderheit. Um sich gegen die Protestanten abzugrenzen, stimmen die Katholiken im Kanton größtenteils CVP. Und das nicht nur in der Surselva; auch im Oberhalbstein, in den katholischen Kreisen des Münstertales oder im Puschlav beherrscht die CVP die politische Landschaft. Das «Einparteiensystem» schafft denn auch Bedingungen, die dem Demokratieverständnis der protestantischen Bündner zuwiderlaufen. Politisch und mentalitätsmäßig kann ein evangelischer Engadiner einem protestantischen und deutschsprechenden Churer näherstehen als seinem Disentiser Mitromanen, der hinter der CVP marschiert. Der Brand von Chur hat die Rätoromanen ihres natürlichen Zentrums beraubt, und die Reformation spaltete die bereits sprachlich zersplitterten Regionen nochmals auf.

Der Chefredaktor des CVP-Blattes «Gasetta Romontscha», Giusep Capaul, erklärt: «Man kann die Geschichte nicht ungeschehen machen. Die Unterschiede unter den Romanen müssen wir bestehen lassen; eine künstliche Einheit würde vieles an Eigenart und Originalität zerstören.»

b) Mehrere Parteien bei den protestantischen Romanen

«Mir jagt der oberländische Einheitsbrei von CVP und katholischer Kirche einen kalten Schauer über den Rücken», erklärt mir ein Zernezer stellvertretend für viele Engadiner, mit denen ich Bündner Politik diskutiert habe. Im Engadin, wie im ganzen mehrheitlich evangelischen Teil des Kantons, beherrschen die bürgerlichen Parteien SVP und FDP die Szene, wobei die Schweizerische Volkspartei deutlich mehr Anhänger hat als die FDP. Die einzige «Linkspartei», die Sozialdemokraten, konnte sich nur im Raum Chur eine bedeutende Wählerschicht erobern. Die politischen Fronten laufen in Graubünden viel häufiger entlang der Konfessions- als der Sprachgrenzen.

Während in Evangelisch-Bünden mehrere Parteien und ihre Exponenten um die Gunst der Wähler kämpfen, bietet die CVP vor den Wahlen regelmäßig das gleiche Schauspiel: Diadochenkämpfe unter den Spitzenkandidaten der Partei mit bösen Verunglimpfungen, die ihren Niederschlag in den Wahlinseraten in der «Gasetta Romontscha» und im «Bündner Tagblatt» finden. Offensichtlich bringt die Katholisch-konservative Partei mehr politisch Ambitionierte hervor, als Posten zu vergeben sind. Die innerparteilichen Kämpfe in der CVP und die Tatsache, daß das katholische Wahlvolk doch immer wieder fast unisono hinter der Partei steht, erfüllten die Anhänger anderer Parteien immer wieder mit Unbehagen.

Wenn es darum geht, einen Vertreter ins eidgenössische Parlament nach Bern zu schicken, kontrastiert der Parteien-Pluralismus auf der einen Seite, eindrücklich mit dem «Einparteiensystem» auf der andern. Bei der Ersatzwahl für den Ständerat vom 10. Juni 1979 fegte die gefürchtete «schwarze Lawine» aus der Surselva die FDP-Kandidatin aus dem Felde. Lisa Bener bekam zwar in Chur 67% der Stimmen, das genügte jedoch nicht, um den fast geschlossen für Luregn Matthias Cavelty (CVP) votierenden Oberländer-Block zu neutralisieren. Im Kreis Disentis stimmten 92% für den CVP-Kandidaten, in der Lugnezer Gemeinde Morissen entfiel nicht eine einzige der 131 abgegebenen Stimmen auf die Kandidatin der FDP! Der denkwürdige Wahltag macht auch den traditionellen Gegensatz zwischen Chur und dem Bündner Oberland deutlich. Um «Chur eins auszuwischen», rücken die Surselver, wenn's drauf ankommt, immer wieder zusammen.

c) Partei und Konfession wichtiger als Sprache

Auffallend, daß in der Bündner Politik praktisch nie sprachliche Argumente für und wider einen Kandidaten ins Feld geführt werden; Partei, Religion und die geographische Herkunft zählen weit mehr. In der Bündner Regierung, in der Kantonsvertretung in National- und Ständerat, jedoch auch in der kantonalen Verwaltung erfreuen sich die Romanen einer überproportionalen Vertretung. Gegenwärtig sind von fünf Regierungsräten drei Rätoromanen. Bei den Wahlen von 1982 verfehlte der qualifizierte Anwärter Martin Bundi (SP) allerdings das Ziel aus Gründen der Sprachzugehörigkeit: Bei einer Wahl des evangelischen Surselvers wäre die große, deutschsprachige Mehrheit nicht mehr in der Regierung Graubündens vertreten gewesen!

Die Rätoromanen agieren parteipolitisch seit jeher nicht als Einheit, ja sie versagen einem Angehörigen ihrer Sprache die Stimme, wenn er ihnen parteipolitisch nicht in den Kram paßt. Würden sprachliche Anliegen für die Romanen Priorität genießen, dann hätten die Oberengadiner den Präsidenten der «Lia Rumantscha», Romedi Arquint, in den Großen Rat gewählt. Sie votierten mehrheitlich gegen ihn, weil er als Sozialdemokrat der «falschen» Partei angehört. Aus der Sicht der gefährdeten romanischen Sprache wirkt der negative Entscheid der ladinischen Stimmbürger unbegreiflich, hätte doch der Präsdent der «Lia Rumantscha» im Kantonsparlament für die Sache der Romanen eintreten können. Erst die komplexe politische Geographie Graubündens, die sich um Sprachgrenzen und Sprachzugehörigkeit foutiert, erklärt Volksentscheide, die auf den ersten Blick fast absurd erscheinen. Die Romanen fühlen sich nicht als «ein Volk»; sie haben keine besonders ausgeprägte Gruppenidentität über die Grenzen der Idiome hinweg. Darum wird eine Rätoromanen-Partei, wie sie engagierte Sprachvertreter aus der Taufe heben wollen, wohl kaum auf eine große Basis zählen können.

*

Die komplizierte politische Landschaft des Kantons erweist sich als erstaunlich stabil. Traditionell wählen zum Beispiel mehr als 90% der Bündner bürgerlich; die Sozialdemokraten bleiben im Kanton Randpartei. Verblüffend geringen Schwankungen unterworfen ist der Anteil der Parteienvertreter in den verschiedenen politischen Gremien. Welcher Sprachgruppe sie jedoch angehören, ist – wie die Zusammensetzung der Bündner Regierung beweist – von zweitrangiger Bedeutung.

147

15. Ein Territorium für die romanische Sprache?

Mantener il romontsch vul dir crear *relaziuns da lungatg normalas* per il romontsch en la Svizra quadrilingua ed el Grischun triling. Normalas ein las relaziuns per il romontsch, sche quei lungatg ei presents e ha ina clara funcziun en la veta da mintgadi dils Romontschs sco *lungatg naziunal* ed *ufficial* el ver senn dil plaid. Confederaziun, cantun Grischun ed ils Romontschs ston perquei sestentar da cuminonza da
- segirar il territori da lungatg
- mantener en quei territori ina solida basa economica
- risguardar il romontsch en quei territori consequentamein sco lungatg dominont per tut las domenas dalla veta: Baselgia, scola, administraziun, consum, mieds da massa, menaschis publics (PTT, viafiers, etc.), inscripziuns, uniuns, radunonzas e.a.v.
- realisar in lungatg da scartira unificau che possibilitescha ella pratica quella vasta preschientscha dil romontsch
- enrihir cuntinuadamein lungatg e cultura dil pievel romontsch

(Sursilvan)   Lia Rumantscha 1982

Die Sprache erhalten heißt, *normale Sprachverhältnisse* für das Rätoromanische herstellen, sowohl in der viersprachigen Schweiz wie im dreisprachigen Kanton Graubünden. Normal sind die Verhältnisse erst dann, wenn die Sprache im Alltag der Rätoromanen als *Landessprache* und *Gebrauchssprache* benutzt wird. Der Bund, der Kanton Graubünden und die Rätoromanen müssen deshalb in einer gemeinsamen Anstrengung erreichen,
- daß das rätoromanische Sprachgebiet gesichert wird
- daß in diesem Gebiet eine solide wirtschaftliche Grundlage erhalten wird
- daß in diesem Gebiet das Rätoromanische konsequent als dominierende Sprache in allen Domänen berücksichtigt wird: in Kirche, Schule, Verwaltung, Massenmedien, öffentlichen Betrieben (PTT, Bahnen usw.), im Konsum, in Aufschriften, Vereinen, Versammlungen usw.
- daß eine einheitliche Schriftsprache geschaffen wird, die diesen umfassenden Gebrauch der Sprache ermöglicht
- daß sich Sprache und Kultur des rätoromanischen Volkes organisch entfalten.

Lia Rumantscha 1982

a) Eine Petition löst eine Lawine aus

«Es wirke wie ein Schock auf mich, als ich die totale Resignation unserer geistigen Elite realisierte», erinnert sich Rudolf Viletta. Mit dieser bitteren Erkenntnis verließ der damals fünfundzwanzigjährige Engadiner eine Tagung, zu welcher die «Lia Rumantscha» in Tiefencastel eingeladen hatte. «Ich fuhr wütend und niedergeschlagen zugleich heim, denn ich hatte den Eindruck gewonnen, daß die, welche sich als Elite und Hüter der Sprache verstanden, bereit waren, immer mehr zurückzustecken.»

Was auf Viletta so provozierend gewirkt hatte, war kein Rückzugsgefecht der rätoromanischen Sprachbewegung, sondern ein Gespräch, welches die Philosophie, das Lebensgefühl der romanischen Elite, spiegelte, die da laute- te: Nur ja keine zu großen Forderungen stellen und damit die deutschsprachi- gen Mitbürger vor den Kopf stoßen. Nie etwas fordern, sondern immer nur bitten und für jeden vom Staat hingeworfenen Happen vielmals danken.

«Das konnte und wollte ich nicht akzeptieren!» erklärt Rudolf Viletta, der heute als selbständiger Jurist in Lavin lebt und arbeitet. Wenig später stürzte er den Bündner Großen Rat mit einer Petition in arge Verlegenheit. Das Petitionsrecht steht zwar jedem Stimmbürger zu, doch bis dato hatte noch niemand von diesem in Artikel 3 der Kantonsverfassung festgeschriebenen Recht Gebrauch gemacht. Der Petitionär setzte sich in der Eingabe für wirksame Rechtsgrundlagen zugunsten des Rätoromanischen ein. «Wer ist dieser Viletta eigentlich?» fragte ärgerlich ein Ratsherr, als die Petition aufs Tapet kam. Eine Frage, die sich schon bald erübrigte, denn der streitbare Engadiner geriet rasch als Revoluzzer, der sich anmaßte, den Bündner Sprachenfrieden zu stören, in die Schlagzeilen. Auf Anraten einer eigens gegründeten Kommission erklärte sich der Große Rat für nicht zuständig und reichte die heiße Kartoffel an die «Lia Rumantscha» weiter. Die Petition löste eine Art Totalmobilmachung des Gesprächs aus, eine schier unüberseh- bare Flut von Bestandesanalysen, Stellungnahmen und Reformvorschlägen. Der Petitionär selbst verbreitete seine Ideen, beispielsweise in der ladinischen Studentenzeitung «Corw»; sie lassen sich auf eine einzige Grundthese redu- zieren: das Rätoromanische braucht, wie die drei übrigen schweizerischen Nationalsprachen, ein fest umrissenes Territorium, in dem die Sprache ge- setzlichen Schutz und vom Gesetz garantierte Rechte genießt. In diesem romanischen Gebiet sollte im öffentlichen Bereich, also in Schule, Kirche, in der Gemeindeversammlung und auf der Ebene der Behörden Rätoromanisch als alleinige Sprache verankert werden. Die «Neue Bündner Zeitung» witter- te im jungen Engadiner einen Separatisten, der im Endeffekt einen neuen, romanischen Kanton anstrebe. Das wies Viletta als Diffamierung weit von sich: «Was ich will, ist eine Behandlung des Romanischen, wie sie die übrigen Sprachen der Schweiz seit jeher selbstverständlich genießen.»

b) Spärliche Grundlagen in der Bundesverfassung

Das schweizerische Sprachenrecht hat in lediglich zwei Artikeln der Bundes- verfassung eine spärliche Regelung erfahren. Das Zusammenleben der vier Sprachengruppen unseres Landes beruht im wesentlichen auf Gewohnheitsrecht und Überlieferung. *Im privaten Bereich* gilt der Grundstz der *Sprachen-freiheit,* während das schweizerische Sprachenrecht *im öffentlichen Bereich* die Grundsätze der *Unverschiebbarkeit der Sprachgrenzen* und der Homoge-nität der Sprachgebiete gewährleistet. Konkret: in Zürich ist es jedem unbe-nommen, französisch oder italienisch zu reden, wenn er jedoch hier lebt, muß er sich mit deutschen Weisungen für Abstimmungen abfinden, muß seine Kinder in die deutschsprachige Schule schicken und kann auch nicht erwar-ten, daß eine Quartierversammlung wegen ihm auf französisch oder italie-nisch abgehalten wird. Das Bundesgericht bewilligte beispielsweise die «Eco-le française» in Zürich, eine Privatschule für Französischsprachige, nur mit der Auflage, daß die Kinder soviel Deutschunterricht erhalten, daß sie in zwei Jahren in die städtische Schule übertreten können. Es ist also weder in Zürich, noch Lausanne oder Lugano möglich, Schulen für zugewanderte Sprachminderheiten in einer anderen als der im Gebiet gebräuchlichen Sprache zu eröffnen. Obwohl in Ascona laut der letzten Volkszählung die Deutschsprachigen mit einem Anteil von 55 Prozent der Bevölkerung in der Mehrheit sind, gibt es für die Zugezogenen keine Extrawurst in Form einer deutschsprachigen Schule.

Wenn also der Artikel 116 der Bundesverfassung die Sprachenfreiheit voraussetzt, so setzt er dieser Freiheit zugleich eine Schranke in Form des Territorial-Prinzips.

c) In Graubünden bestimmen die Gemeinden Amts- und Schulsprache

Im ehemaligen rätischen Freistaat liegen die Dinge offensichtlich etwas anders, obwohl er seit 1815 der Schweiz als Kanton angehört. In der 1892 vom Bündner Souverän angenommenen Kantonsverfassung heißt es in Arti-kel 46 lediglich: «Die drei Sprachen des Kantons sind gewährleistet.»

Als bündnerische Amtssprachen gelten im übrigen Deutsch, Surselvisch, Vallader und Italienisch. Traditionell sind die auf Autonomie erpichten Bündner Gemeinden zuständig für die Wahl der Amts- und Schulsprache. Deutsch als Amtssprache ist in manchen romanischen Gemeinden schon seit Jahrhunderten gang und gäbe, im Bereich Schule wechselten im Zuge der Germanisierung immer wieder Gemeinden auf die deutsche Sprache über, ohne daß auf kantonaler oder eidgenössischer Ebene Alarm geblasen wurde. Das für den Rest der Schweiz gültige Territorialprinzip, die Unantastbarkeit der Sprachgrenzen, spielt offenbar bezüglich des Rätoromanischen nicht; die vierte Landessprache ist auch hier ein Sonderfall. Auf eidgenössischer Ebene zwar National-, jedoch nicht Amtssprache, auf kantonaler Ebene nur durch

In Graubünden bestimmen die Gemeinden ▷
ihre Amts- und Schulsprache selbst. Im
Bild Villa im Val Lumnezia.

zwei der fünf Idiome vertreten, wird sie rechtlich nicht für voll genommen. Diese Zurückstellung spiegelt freilich ziemlich genau eine Realität, die kein Sprachgesetz wegwischen kann: Es gibt keine reinen Rätoromanen mehr; die Romanen sind samt und sonders im Minimum zweisprachig, was ja bereits durch das Schulsystem vorprogrammiert wird. Eine Umfrage der SRG hat ergeben, daß der Rätoromane im statistischen Mittel drei Sprachen (genau 2,7) spricht, das ist eine Sprache mehr als der Durchschnitts-Schweizer!

Mindestens zwei Komponenten prägen das Lebensgefühl der Rätoromanen seit Generationen: Das Bewußtsein, einer kleinen sprachlichen Gruppe anzugehören, jedoch gleichzeitig in weitgehend autonomen Gemeinden zu leben, die nicht von einem entfernten politischen Zentrum fremdbestimmt werden können.

Der juristisch und historisch bewanderte Viletta kennt diese Axiome der rätischen Geschichte und Gegenwart natürlich bis ins Detail. In seiner fulminanten Dissertation *Abhandlung zum Sprachenrecht mit besonderer Berücksichtigung des Rechts der Gemeinden des Kantons Graubünden* fächert er alle Aspekte des komplexen Themas auf. In einer persönlichen Bewertung kommt er dennoch zum Schluß, daß das Territorialprinzip sprachliche Minderheiten am ehesten schützen könne.

Acht Jahre nach der denkwürdigen Petition gab die Delegiertenversammlung der «Lia Rumantscha» den Segen zu einem Entwurf für ein Bündner Sprachengesetz. Fünf Fachleute aus allen drei Sprachgruppen (Viletta figuriert nicht unter den Autoren) hatten den Gesetzesentwurf unter der Ägide der Arbeitsgemeinschaft «Dreisprachiges Graubünden» und der «Lia Rumantscha» verfaßt. Die Bündner Regierung, Empfängerin des brisanten Papiers, stellte das 17 Paragraphen umfassende Werk Gemeinden, Parteien und Regionalverbänden zur Vernehmlassung zu.

d) Bruchlandung für den Entwurf eines Sprachengesetzes

Artikel 2 des Entwurfs sieht vor, jede einzelne Bündner Gemeinde entweder als deutsch, romanisch, italienisch oder zweisprachig zu deklarieren. Umstrittenster Punkt: nicht die Gemeinde selbst, sondern der Kanton nimmt die Einteilung vor und zieht damit die Grenzen um die Sprachgebiete. In romanischen Dörfern soll, nach dem Willen der Verfasser des Gesetzesentwurfs, das Rätoromanische in allen Bereichen des öffentlichen Lebens inklusive der Schule zur einzigen Sprache deklariert, in zweisprachigen Gemeinden beide Sprachen einander gleichgestellt werden. Die Assimilierung der Zuzüger wird gesetzlich verankert, Kurse zum Erlernen des lokalen Idioms werden vom

Kanton finanziert. Der Gesetzesentwurf, der noch eine ganze Reihe weiterer Bestimmungen zum Schutz der gefährdeten Kantonssprachen enthält, löste eine weitere Welle von Diskussionen und Stellungnahmen aus. Tenor: in der großen Mehrheit ablehnend. Daß eine höhere Instanz die Einteilung der Gemeinden nach Sprachgruppen vornehmen sollte, stieß auf entschiedene Ablehnung. Die zwangsweise Verordnung einer Sprache von oben geht offensichtlich den Bündnern gegen den Strich. Nicht zuletzt Gemeinden mit großer deutscher Mehrheit, wo trotzdem noch die romanische Volksschule besteht, verwarfen die Hauptpunkte des Vorschlages mit dem Argument, durch das Gesetz würde Unfriede gesät, der gute Wille aufs Spiel gesetzt. Pontresina (Romanenanteil 14,5 Prozent, romanische Schule) etikettierte den Entwurf als «totgeborenes Kind». Der Gemeinderat erklärte: «Das Vorgehen gefährdet das Bestreben, die romanische Sprache zu erhalten, ja der ‹Burgfriede›, im Kanton wird durch ein solches Gesetz in Frage gestellt.» Auch die gemischtsprachigen Gemeindeverbände konnten dem Gesetzesvorschlag nicht viele gute Seiten abgewinnen, laufen doch die Sprachgrenzen quer durch diese regionalen Körperschaften. Die Stellungnahme des Gemeindeverbandes Surselva gipfelte in der Feststellung: «Toleranz ist wichtiger als ein neues Gesetz!»

*

«Die Sprachgrenze geht mitten durch jeden von uns hindurch», kommentiert ein junger Lehrer aus dem Oberengadin das Papier. Er ist einer von vielleicht hundert Betroffenen, die ich auf den umstrittenen Gesetzesentwurf angesprochen habe. Hier eine kleine Auswahl von Zitaten:

Nicola Mosca, Lehrer an der Berufsschule in Samedan, wo er sich erfolgreich für mehr Rätoromanisch im Unterricht einsetzte: «Wir Romanen haben das Messer am Hals! Wir müssen etwas Wirksames unternehmen, und das können wir nur, wenn wir die Sprache mit einem Gesetz schützen. Die Gemeindeautonomie kann das Romanische nicht retten!»

*

Primarlehrer Giachen Degonda aus der sprachlich nahezu intakten Gemeinde Rabius: «Das Sprachengesetz würde eine offene Auseinandersetzung über etwas ermöglichen, das wir bis jetzt nicht gelöst, sondern verdrängt haben. Wenn es auch kurzfristig Schaden anrichten und den Frieden zwischen den einzelnen Sprachgruppen stören würde, so könnte es doch langfristig helfen, unsere Sprache zu retten. Zu was hat denn der Sprachenfriede in Graubünden bis jetzt geführt, wenn nicht zum ständigen Rückgang des Romanischen?»

*

Der ladinische Schrifsteller Andri Peer: «Das Territorialprinzip hätte man viel früher verwirklichen müssen, vor der großen Einwanderungswelle in die romanischen Kurgebiete. Wenn man das heute noch machen will, dann nur mit größter Sorgfalt; für jede Gemeinde so, daß niemand verletzt wird. Der Freiheitsdrang des Bündners ist fast krankhaft; wenn man darüber hinweggeht, wirkt das Gesetz kontraproduktiv.»

*

Beim Stichwort Sprachengesetz zögert die achtzigjährige Domenica Messmer, ehemalige Redaktorin des «Fögl Ladin», lange, bis sie sich zu einer Antwort durchringt. «Übers Ganze gesehen, glaube ich, daß das mehr schadet als nützt», sagt sie schließlich; «wir sind im ganzen romanischen Sprachgebiet auf den guten Willen der Anderssprachigen angewiesen. Wenn ihnen nun plötzlich von der Kanzel, auf Steuerformularen oder am Postschalter eine Sprache aufgezwungen wird, könnte das sehr wohl negative Auswirkungen haben. Hier in Samedan, das doch mitten im romanischen Gebiet liegt, noch eine Gemeindeversammlung in Puter abhalten zu wollen, das geht nicht mehr.»

*

Während der Vernehmlassung über den Entwurf des Sprachengesetzes gingen in manchen Dörfern Diskussionsabende über die Bühne. Im altehrwürigen Plantahaus in Samedan füllen die interessierten Zuhörer den Saal bis auf den letzten Platz. Als Hauptredner verteidigt der Sekretär der «Lia Rumantscha», Bernard Cathomas, die Idee einer territorialen Abgrenzung für die gefährdete Sprache. Er begrüßt die Zuhörer, darunter auffallend viele junge Menschen, in seiner Mundart, Surselvisch. Das Referat hielt er dann aber auf deutsch, denn eine ganze Reihe der interessierten Zuhörer verstehen nicht Romanisch. Die Oberengadiner Zuhörer mit der Muttersprache Puter hätten im übrigen einem surselvischen Referat nicht ohne weiteres folgen können. Die ganze Situation sprach für sich, wirkte symbolisch: Der Romane muß sprachliche Konzessionen machen. Selbst die Verfechter einer härteren Linie fügen sich im Interesse der Verständigung immer wieder den Vertretern der mächtigen deutschen Sprache, die praktisch jeder Romane beherrscht.

e) Die Initiative liegt jetzt bei den Gemeinden

Der Kanton Graubünden ist ein historisch in langen Zeiträumen gewachsenes, sprachlich hochkompliziertes Gebilde. Die einzelnen Sprachgruppen lernten nebeneinander und miteinander zu leben, ja sie fließen ineinander über. Die ganze Bündnergeschichte verzeichnet keine ernsthaften Sprachenkämpfe; diesen Konsens durch ein Ziehen von Grenzlinien zu stören oder zu zerstören, wie viele befürchten, ist offensichtlich politisch nicht durchsetzbar. Es bleibt die schwer akzeptierbare Tatsache, daß gerade die schwächste Sprache der Schweiz, die als einzige stetig an Boden verliert, territorialen Schutz nicht genießt.

Die mehrheitlich ablehnenden Reaktionen auf den Entwurf zu einem Sprachengesetz zeigen deutlich, daß ein anderer, ein «bündnerischer» Weg gesucht werden muß. In fast jeder Stellungnahme wird zugebilligt, daß das Rätoromanische einer stärkeren Unterstützung durch rechtliche Maßnahmen bedarf. So steht die kantonale SVP der Idee von abgezirkelten Sprachgebieten nicht negativ gegenüber, nur ist man der Meinung, daß die Gemeinden selbst entscheiden sollen, wohin sie gehören wollen.

Der Entwurf zu einem Bündner Sprachengesetz sah vor, die aufgesplitterte Kleinsprache ohne Hinterland den großen europäischen Kommunikationssprachen Deutsch, Französisch und Italienisch gleichzustellen. Dies geht rein gefühlsmäßig der Mehrzahl der Rätoromanen zu weit. Sie wissen nur zu genau, daß ihr Schicksal, ihre Herausforderung die Zweisprachigkeit ist. Ein Universalitätsanspruch der kleinräumigen Idiome auf ihrem Gebiet, meist einem einzigen Tal, wird als unrealistisch, als Fiktion empfunden.

f) Zukunftsperspektiven

Mit dem Scheitern des ersten Anlaufes ist das wichtige Thema freilich nicht erledigt. Die Diskussionen um den Sprachenschutz haben den Boden aufgepflügt, die Öffentlichkeit in Graubünden für den Existenzkampf des Rätoromanischen sensibilisiert. Die «sprachliche Raumplanung» bedarf ordnender Kräfte. Nur so können unkontrollierte und unerwünschte Wucherungen vermieden werden, wie sie bei schlechter Zonenplanung unseres Grundes und Bodens allenthalben zu beklagen sind. Ähnlich wie die Raumplanung von den Gemeinden getragen wird, liegen die Dinge offenbar bei der sprachlichen Zonenplanung. Bund und Kantone setzen zwar Rahmenbedingungen, die Gemeinde selbst jedoch scheidet die Zonen aus.

Stefan Sonderegger, ein Kenner der schweizerischen Sprachenlage, erklärt in seinem Exposé «Die viersprachige Schweiz zwischen Geschichte und Zukunft»: «Ohne einen lebendigen Föderalismus wird es keine viersprachige Schweiz der Zukunft mehr geben; ohne eine starke und eigenständige Stellung der Kantone und ihres verschiedensprachigen Bildungswesens, das sie in eigener Kompetenz regeln, müßte es um die mehrsprachige Schweiz geschehen sein. Ohne eine starke Autonomie der Gemeinden, die ihre Schulsprache pflegen und ihre Amtssprache bestimmen, wird es kein örtliches und regionales Sprachbewußtsein mehr geben.»

Offensichtlich zeigte sich in der Vergangenheit manche Bündner Gemeinde ihrer Aufgabe als Hüterin der sprachlichen Identität nicht gewachsen. Das Unbehagen über die stetige Erosion an der schwächsten Sprache des Kantons hat die Bündner Regierung bewogen, den Juristen Daniel Thürer mit einem Rechtsgutachten zu beauftragen. Der Zürcher Fachmann klärte ab, ob der Kanton Graubünden, basierend auf den Sprachenartikeln in der Bundes- und der Kantonsverfassung, verpflichtet ist, Territorien für die drei Sprachgebiete auszuscheiden.

Daniel Thürer vermag aufgrund der nicht eindeutigen rechtlichen und gesetzlichen Grundlagen keine klipp und klaren Direktiven zu geben. Immerhin kommt er zum Schluß, daß eine «Inpflichtnahme der Gemeinden» durch den Kanton, betreffend Festlegung von Amts- und Schulsprache «aus verfassungsrechtlicher Sicht nicht zu beanstanden» sei. Dies hat der Kanton bis heute freilich noch nie getan, denn die Sprachenhoheit der Gemeinden gilt als integrierender Bestandteil ihrer Autonomie. Der Jurist führt in seinem Gutachten, das für Normalbürger keine leichte Kost darstellt, weiter aus: «Dennoch scheint nun aber aus der vom Bundesgericht aus Art. 116 Abs. 1 der Bundesverfassung abgeleiteten Spracherhaltungsgarantie hervorzugehen, daß sich in gewissen Ausnahmesituationen für die Kantone eine unmittelbare Verpflichtung zur gesetzlichen Ausscheidung von Sprachgebieten ergibt. Dies wäre etwa dann der Fall, wenn eine verfassungsrechtlich anerkannte Nationalsprache ernsthaft gefährdet wäre.» Und das trifft auf das Rätoromanische vollumfänglich zu. Das Wörtchen «scheint» weist jedoch darauf hin, daß keine völlig eindeutige Antwort möglich ist. Thürer bezeichnet im übrigen das Sprachenrecht Graubündens «ohne Zweifel als reformbedürftig».

Auf dem steinigen Weg zu einem besseren Sprachenschutz soll jetzt ein Marschhalt, eine Denkpause eingeschaltet werden. Bernard Cathomas hält es in dieser Phase für entscheidend wichtig, ein günstiges Klima zu schaffen, die Bündner Bevölkerung vom Wert der Mehrsprachigkeit und der Notwendigkeit der Spracherhaltung und damit des Sprachenschutzes zu überzeugen. Daß dieser Schutzschirm nicht nur oben aufgehängt, sondern von der Basis in echter Zustimmung getragen werden muß, ist heute praktisch allen klar.

Viele Gesetze haben in unserem alles andere als einfachen Staat einen langen und gewundenen Leidensweg hinter sich und konnten schließlich, meist in modifizierter Form, dennoch unter Dach gebracht werden. Wie diese Form bei einem Sprachengesetz aussehen kann, muß sich erst herauskristallisieren.

Der Weg zur Stärkung der gefährdeten romanischen Sprache muß über die Gemeinden führen. Dort, wo die romanische Sprache noch von der Basis der Bevölkerung oder zumindest einem substantiellen Teil dieser Basis getragen wird, wo sie lebt, muß gesetzlicher Schutz wirksam werden. Dort müssen Kanton und Bund die ganze Kraft zur Unterstützung aufbieten. Die Anzeichen wachsen, daß heute, wo die Uhr fünf vor zwölf zeigt, mehr und mehr Gemeinden realisieren, daß der Ball jetzt bei ihnen liegt. Manifestiert sich der Wille der Gemeinden genügend stark, so wird es auch möglich werden, einen den Bündner Verhältnissen gerecht werdenden Sprachenschutz gesetzlich zu verankern.

16. Nachholbedarf auf kantonaler Ebene

a) Surselvisch und Ladinisch als Amtssprachen

Auf dem Pult von Fidel Caviezel, Direktor der Bündner Standeskanzlei, häufen sich Akten in vier Sprachen. Bei dieser Stabsstelle des Kantons laufen wichtige Fäden der Kantonsverwaltung zusammen, hier präsentiert sich die Vielsprachigkeit Graubündens sozusagen im Brennglas. Der Somvixer Rätoromane an der Spitze der Standeskanzlei ist in jahrzehntelangem Dienst beim Kanton zum Pragmatiker geworden. Maximalforderungen zugunsten seiner Muttersprache liegen ihm fern, weiß er doch, daß das Zusammenleben der verschiedenen Sprachgruppen immer auf «die Kunst des Möglichen» hinausläuft. Im übrigen ist er Beamter, der sich auf den Paragraphen des Gesetzes abstützen kann. Zum Beispiel auf die vom Volk abgesegnete Kantonsverfassung, wo es im Artikel 23 des «Gesetzes über die Ausübung der politischen Rechte im Kanton Graubünden» heißt, daß der Bürger seine Abstimmungsunterlagen entweder in Italienisch, Deutsch, Surselvisch oder Ladinisch (Vallader) bekommt. Die rätoromanische Sprache existiert also beim Kanton offiziell nur in ihren beiden Hauptidiomen. Der Paragraph 23 erleichtert zwar die Arbeit der Standeskanzlei und der ganzen Kantonsverwaltung, doch er fängt die sprachlichen Realitäten Romanischbündens nicht ein. Schreibt ein Oberhalbsteiner einen Brief an die Kantonsverwaltung, so bekommt er meist eine Antwort auf deutsch, vielleicht auch auf ladinisch oder surselvisch, jedoch nicht in seinem eigenen Idiom. Das Ignorieren der drei kleineren Idiome mag bei Briefen, die in der Regel nur wenige Amtsträger in den Gemeinden lesen, nicht ins Gewicht fallen, bei den Weisungen für Abstimmungen wirkt es sich gravierender aus. Gemeinden, deren Idiom gleichsam nicht existiert, fordern alle amtlichen Unterlagen in der Regel auf deutsch an. Dazu gehören das surmeirische Savognin und das noch vollständig romanische Dorf Mathon im sutselvischen Sprachraum. Die Bestellungen der Gemeinden an den Kanton sind aufschlußreich, zeigen sie doch, daß sich auch in «stockromanischen» Gemeinden viele Stimmbürger lieber in deutsche Weisungen vertiefen, weil sie offenbar mit den romanischen Texten über so komplizierte Gebiete wie «Berufsbildung» Mühe haben. In der romanischen Hochburg Trun beispielsweise bevorzugen von 180 Stimmbürgern 50 deutsche Unterlagen, Ilanz mit einem Drittel Rätoromanen wünscht überhaupt kein surselvisches Abstimmungsmaterial. In Zernez will fast ein Viertel der

Stimmbürger deutsche Unterlagen vom Kanton. In Chur schließlich, der Gemeinde mit den meisten Rätoromanen, bekommt überhaupt niemand Abstimmungsmaterial in seiner romanischen Muttersprache, obwohl das möglich wäre! Der Schwarze Peter liegt allerdings oft bei den Gemeindekanzlisten, welche über die Köpfe der Bürger hinweg das Stimm-Material bestellen. Auch hier gilt es also, Entscheidungsträger zu sensibilisieren und den Spielraum zugunsten des Rätoromanischen besser zu nutzen.

b) Übersetzungsprobleme

Ignaz Cathomen, ehemals Sekundarlehrer, aus Falera bei Laax, arbeitet als einer der drei fest angestellten Übersetzer beim Kanton; er übersetzt unter anderem Abstimmungsunterlagen ins Surselvische.

Als ich ihn in seinem Büro in der Churer Altstadt besuche, setzt er sich gerade mit einer Übersetzung zum Thema «Verwaltungsgerichtsstrafrecht» auseinander. Die rätoromanische Sprache macht aus diesem Wortmonster aus der Küche germanischer Rechtsgelehrter immerhin ein paar leichter verdauliche Brocken. Auf surselvisch heißt das Ungetüm «dretg penal administrativ». Anders als im Deutschen kann man in den romanischen Idiomen keine derart wüsten Wortschlangen bilden; anderseits wirkt manche kompakte deutsche Vokabel durch die in Einzelbegriffe auflösende Übersetzung unhandlich. Leicht ist der Job des Übersetzers beileibe nicht! Immer wieder greift Ignaz Cathomen zu sciner Kartei neben der Schreibmaschine, wo er etwa 4000 (!) Fachwörter gesammelt hat, die in keinem romanischen Wörterbuch stehen, zum Teil jedoch in Gesetzestexten und amtlichen Publikationen verwendet worden sind. Viele Begriffe, die er für seine Übersetzungen braucht, existieren, nur hat man sie nirgends gesammelt. Cathomen: «Längst hätte man ein einschlägiges Wörterbuch für Juristen und amtlichen Gebrauch schaffen müssen.» Immer wieder fehlen romanische Wörter für neue Sachgebiete. Cathomen kann diese Vokabeln jedoch nicht in eigener Machtvollkommenheit schaffen. Er bespricht sich in kritischen Fällen mit Ines Gartmann, die in Zernez für den Kanton Texte in die ladinische Sprache übersetzt, oder diskutiert das Problem mit juristischen Fachleuten und Philologen. Nicht selten setzt er sich mit dem «Dicziunari Rumantsch Grischun» in Verbindung, der Forschungsstelle für rätoromanische Mundarten. Bevor ein neues Wort verwendet werden kann, muß es jedoch den Segen der Sprachkommission der «Lia Rumantscha» haben. Seit dem Sommer 1982 arbeiten zwei Romanistikstudenten unter der Leitung von Felix Giger, Redaktor am *Dicziunari Rumantsch Grischun,* am *Vocabulari administrativ-giuridic,* einem einschlägigen

Wörterbuch, das als dringend nötiges Hilfsmittel den Kanzlisten romanischer Gemeinden zur Verfügung stehen wird.

Wie soll man zum Beispiel «Wärmedurchgangszahl», einen Begriff aus der Energielehre, übersetzen? Auf surselvisch heißt das Fachwort jetzt «cefra da penetraziun da calira». Ob das der technisch unbelastete Stimmbürger in Schnaus wohl auf Anhieb versteht, wenn schon der Übersetzer ständig seine Kartei mit Tausenden von Fachwörtern konsultieren muss?

Viele dieser Vokabeln, von denen die amtlichen Texte strotzen, sind Zusammensetzungen bekannter Wörter, dennoch wird mancher Oberländer zuerst den Kopf schütteln, wenn er im Wasserrechtsgesetz von der «regulaziun dalla curdada da cunzessiun» liest.

Wie auf allen Romanen, welche ihre Muttersprache auf die Anforderungen des modernen Lebens trimmen müssen, lastet auch auf Ignaz Cathomen ein großer Druck. In seinem Büro spürt man etwas von den Mühen, die es bereitet, aus der «Sprache des Herzens» eine «Sprache des Brotes» zu machen.

Lange fristete das Rätoromanische beim Kanton ein Schattendasein, obwohl die Romanen in den politischen Gremien wie auch in der Verwaltung gut vertreten sind. Das Bündner Rechtsbuch, eine vielbändige Gesetzessammlung, die in jeder Gemeindekanzlei greifbar sein muß, existiert nur in Deutsch und Italienisch komplett. In Surselvisch sind jetzt drei Bände verfügbar, der erste ladinische Band geht in Druck. Offenbar fügten sich die Rätoromanen bis in die Gegenwart hinein, dem scheinbaren Sachzwang, aus praktischen Gründen möglichst dem Deutschen den Vorrang zu geben ...

Langsam, aber stetig wächst der Druck von verschiedenen Seiten, allen Bündner Amtssprachen zu ihrem Recht zu verhelfen. So äußerte sich das Bundesgericht kürzlich zugunsten des Rätoromanischen als dem Deutschen gleichgestellte Sprache in Gerichtsfällen. «Soweit eine Nationalsprache als Amtssprache anerkannt ist», heißt es im Urteil vom 7. Mai 1982, «ist ihre Verwendung gegenüber Behörden und Gerichten weder rechtsmißbräuchlich noch unanständig.» Was für die andern Sprachgruppen als völlig selbstverständlich gilt, müssen sich die Rätoromanen vom höchsten Gericht der Schweiz bestätigen lassen!

Stärkerer Druck aus der Öffentlichkeit und von den Gemeinden bewirkt, daß der Kanton heute gezwungen ist, mehr für das Rätoromanische zu leisten als noch vor einigen Jahren. Resultat: Der Bedarf an Sekretärinnen, welche die beiden romanischen Amtssprachen in Wort und Schrift beherrschen, wächst. «An solchen Fachkräften herrscht bei uns Mangel», meint Fidel Caviezel und weist auf den Romanischkurs für Verwaltungspersonal hin, den der Kanton zusammen mit der «Lia Rumantscha» organisiert hat. Nicht weniger als vierzig Sekretärinnen und andere kantonale Angestellte surselvischer Muttersprache ließen sich bei Ignaz Cathomen in die Geheimnisse der romanischen amtlichen Korrespondenz einführen. Der Lehrer freute sich über «ein enormes Interesse» und ermahnte seine Schüler, beim Übersetzen deutscher Briefvorlagen unbedingt auf die romanische Satzstellung zu achten, alles andere sei «deutsch mit romanischen Vokabeln» und den Aufwand nicht wert.

Mit 2200 Angestellten ist der Kanton der größte Arbeitgeber in Graubünden. In dieser Zahl sind auch die Mitarbeiter der kantonalen Kliniken enthalten, die alle im deutschsprachigen Raum liegen. Ungefähr ein Drittel der kantonalen Angestellten sind Rätoromanen, während ihr Bevölkerungsanteil im Kanton lediglich einen Viertel beträgt. Weil praktisch die gesamte Kantonsverwaltung in Chur zentralisiert ist, zieht sie viele Rätoromanen aus ihren Sprachgebieten in die Hauptstadt.

Als einer der wenigen Bereiche hat die kantonale Motorfahrzeugkontrolle Filialen im romanischen Sprachgebiet. Weil schriftliche Unterlagen in Romanisch fehlen, wickelt sich die theoretische Fahrprüfung in jedem Fall in deutscher (oder italienischer) Sprache ab; beim praktischen Teil ist Romanisch möglich, falls der Experte das entsprechende Idiom versteht. Die Romanen ziehen jedoch meist das Deutsche vor, weil sie sich in dieser Sprache für das Examen präpariert haben. Der Oberhalbsteiner Georg Schaniel, Sektionsleiter der Abteilung «Fahrprüfung», erklärt: «Romanische Unterlagen werden erst möglich sein, wenn es die gemeinsame Schriftsprache gibt.» Tatsächlich könnte das «Rumantsch Grischun», die in Vorbereitung befindliche, geschriebene Verbindungssprache, dem Rätoromanischen auf kantonaler Ebene manche Bereiche erschließen.

c) Romanisch im Parlament

Als der frisch gewählte Engadiner Großrat Rudolf Viletta im Kantonsparlament in der ladinischen Amtssprache vereidigt werden wollte, löste er bei den Verantwortlichen Stirnrunzeln und Kopfschütteln aus. Noch kein einziger rätoromanischer Volksvertreter hatte bis jetzt dieses so naheliegende Recht beansprucht; alle ließen sich in der Fremdsprache Deutsch vereidigen! Als Viletta es später wagte, im Großen Rat in seiner Muttersprache Fragen zu stellen oder Voten zu halten, erhob sich Unmut, denn im Bündner Parlament paßten sich die Romanen seit der Kantonsgründung den Deutschsprachigen an. Rudolf Viletta: «Sobald der Romane seine Rechte wahrnimmt und sie wirklich lebt, stößt er auf Widerstand.»

161

Weil auch rätoromanische Parlamentarier in erster Linie einmal verstanden werden wollen, bleiben romanische Voten im Bündner Großen Rat die Ausnahme. Selbst Großräte aus den italienischsprachigen Südtälern reden oft deutsch, wenn sie sicher sein wollen, daß ihre Botschaft beim ganzen Rat ankommt. Deutsch ist eben seit jeher die Verbindungssprache in Graubünden und bleibt, nach einem – allerdings knapp ausgefallenen – Entscheid des Großen Rates weiterhin alleinige Protokoll-Sprache des Bündner Parlaments.

Ein Drittel der Großräte sind Rätoromanen, jeder einzelne spricht jedoch auch deutsch. Wenn Romanen im Bündner Parlament ein Votum in ihrer Muttersprache halten, was vornehmlich dann geschieht, wenn es um direkte Belange der romanischen Sprache geht, dann fassen sie es in der Regel am Schluß auf deutsch zusammen.

17. Die katholische Kirche und die romanische Sprache

Psalm 23

Nossegner e mieus bùn pastur,
jou sto pitir ni fom ni fred;
el magna me sur pastgs an flur,
tier aua frestga par la sed.

Ad ear scha vont tras stgira val,
jou tem zund nigna malvantira,
tei âs cunfiert par mintga mal,
tieus fest mi' senda semper tgira.

Tei rasas or agl mieus iral
igls fretgs dad er ad iert,
par pàn procuras segl masal,
das tut cun màn aviert.

Cun ieli unschas tei mieus tgieu,
igl mieus biher tei amplaneschas,
cun blear buntad, cun graztga tia
mi' olma semper saduleschas.

Nossegner e mieus bùn pastur,
ve nign? anguscha, nign starmaint,
cuntaint jou giod la targlischur
digl tieus bicgiamaint.

(Sutsilvan)   Übersetzt von Curo Mani

Psalm 23

Der Herr ist mein Hirte;
mir wird nichts mangeln.
Er weidet mich auf einer grünen
    Aue
und führet mich zum frischen
    Wasser.
Er erquicket meine Seele;
er führet mich auf rechter Straße
    um seines Namens willen.
Und ob ich schon wanderte im
    finstern Tal, fürchte ich kein
    Unglück;
denn du bist bei mir, dein Stek-
    ken und Stab trösten mich.
Du bereitest vor mir einen Tisch
    im Angesicht meiner Feinde.
Du salbest mein Haupt mit Öl
    und schenkest mir voll ein.
Gutes und Barmherzigkeit wer-
    den mir folgen mein Leben lang,
und ich werde bleiben im Hause
    des Herrn immerdar.

a) Kein Nachwuchs aus Romanischbünden

In der ehrwürdigen Stille des Konferenzzimmers im bischöflichen Schloß in Chur warte ich auf Giusep Pelican, Generalvikar für Graubünden, Glarus und das Fürstentum Liechtenstein. In respektvollem Abstand das verschneite Dächergewirr der Churer Altstadt, einst das Zentrum Romanisch-Rätiens. Im Hintergrund ragen als fast unwirkliche Schemen die Hochhäuser der Neustadt auf, in denen Hunderte von Rätoromanen leben. Meist Dorfbewohner aus der Surselva, die ihre Gemeinden in den sechziger und siebziger Jahren verlassen haben.

Den aus Surrein in der Surselva kommenden Generalvikar plagen ähnliche Sorgen wie Rico Parli, Präsident des Evangelischen Kirchenrates von Graubünden: Mangel an Geistlichen, Überalterung und kaum einheimischer Nachwuchs. Die jungen katholischen Romanen wenden sich von einer kirchlichen Laufbahn ab; während früher aus den kinderreichen Familien der Surselva in der Regel ein Sohn ins Kloster eintrat oder das Priesterseminar besuchte, ist heute diese Quelle versiegt. An der Theologischen Hochschule in Chur, wie das Priesterseminar jetzt heißt, studiert heute nicht ein einziger Rätoromane. Und wie Giusep Pelican resigniert anmerkt, sind auch an andern Seminarien keine Romanischbündner eingeschrieben. Was das für die Zukunft der romanischen Gottesdienste im katholischen Gebiet bedeutet, läßt sich leicht ausmalen. Im Klartext: Soll es den Gottesdienst in der lokalen Sprache auch in Zukunft geben, dann sind die Katholiken fast mehr noch als die Protestanten vom guten Willen Fremder abhängig. Von Deutschschweizern, Tessinern und Ausländern, die Surselvisch und Surmeirisch lernen müssen, damit sie ihren Schäfchen die Wärme des heimischen Idioms im Gottesdienst, bei der Beichte und beim Krankenbesuch vermitteln können.

Noch wirken in den katholischen Pfarreien etwa dreißig Weltgeistliche und zehn Ordensleute romanischer Zunge; jeder vierte betreut freilich eine Gemeinde im deutschsprachigen Gebiet und predigt somit nicht in seiner Muttersprache. Ein guter Teil dieser Geistlichen nähert sich dem AHV-Alter oder kann bereits auf ein fast biblisch langes Leben zurückblicken. Der Generalvikar spricht beim Nachwuchsmangel von einer allgemeinen Tendenz in den reichen europäischen Ländern; in Polen beispielsweise drängen sich junge Männer zu den Klöstern und Priesterseminarien. «Die Talsohle ist, so glauben wir, jetzt erreicht», erklärt Giusep Pelican, «in Deutschland und Österreich ist der Tiefpunkt überwunden; bei den Romanen allerdings spürt man die Wende noch nicht.» In den paar katholischen Kirchgemeinden des Unterengadins wirken zum Beispiel Kapuziner aus dem Südtirol; Zürcher, Basler, St.Galler versorgen Gemeinden überall im rätoromanischen Territorium. Klar, daß diese Geistlichen eher deutsch reden, vor allem in romanischen Gemeinden, die «auf der Kippe» sind.

b) Romanen als Minderheit im Bistum Chur

Das Bistum Chur umfaßt Graubünden, die drei Urkantone, Glarus, Zürich und das Fürstentum Liechtenstein. Im Verband der 900 000 Katholiken unter der Schirmherrschaft des Churer Bischofs bilden die 25 000 katholischen Rätoromanen eine kleine Minderheit. Und in der langen Geschichte des Churer Bistums hat die romanische Sprache nur in den ersten Jahrhunderten eine dominierende Rolle gespielt. Bereits 451 nach Christi Geburt, also wenige Jahrzehnte nach dem Rückzug der Römer, wird der erste Bischof in *Curia raetorum* erwähnt: Asinio. Zu dieser Zeit bauten rätische Christen hinter den schützenden Festungsmauern des verlassenen römischen Kastells auf dem «Hof» ihre Kirche, das älteste bekannte christliche Gotteshaus nördlich der Alpen!

Die rätoromanische Kirchensprache der alten Churer Diözese zeichnet sich durch einen betont archaischen Charakter aus. In kaum einem Kirchensprengel im Bereich der romanischen Sprachen von Portugal bis hinüber an die Küste Istriens hat sich eine derartige Fülle altkirchlicher Ausdrücke bis heute erhalten. Zum Beispiel «baselgia», nicht «chiesa» für Kirche oder «urar» für beten, statt des neueren «pregar». Das beweist eine ununterbrochene kirchensprachliche Überlieferung, die, anders als in Italien und Frankreich, kaum durch jüngere Ausdrücke verschüttet worden ist.

Nach dem Rückzug der Römer entstand in der Raetia prima unter der nominellen Oberherrschaft der deutschsprachigen Franken für zweieinhalb Jahrhunderte ein ziemlich selbständiger Kirchenstaat. Die Nachbaren nannten das Gebiet wegen der «welschen Sprache» Churwalchen oder Churwalen. Die Verschmelzung von Kirche und Staat charakterisiert den damaligen churrätischen Staat. Von der spätrömischen Verwaltung übernahm er die herrschende Oberschicht der Beamten. An der Spitze des Staates residierte der vom Klerus gewählte Bischof; als weltlicher Herrscher amtete zwar ein durch das Volk gewählter Präses, doch immer wieder trug ein und derselbe Potentat die Insignien der geistlichen *und* der weltlichen Macht. Auffallend oft wurden Männer mit dem Familiennamen Victor als Bischof oder als Präses gewählt; manchmal bekleideten Brüder oder Vater und Sohn die beiden Spitzenposten, darum reden Historiker von der Familienherrschaft der Viktoriden. Das Bistum Chur genoß seit seiner Gründung eine Sonderstellung, was darin zum Ausdruck kommt, daß es nicht etwa einer im Norden gelegenen fränkischen Metropole, sondern der Erzdiözese Mailand unterstand. Das änderte sich freilich – mit langfristig beträchtlichen Folgen für die rätoromanische Sprache – im 9. Jahrhundert, als Karl der Große das Bistum von Mailand löste und der Erzdiözese Mainz unterstellte. Der Kompaß des Bischofsitzes richtete sich fortan nach dem deutschen Norden. Die deutsche Sprache hielt in Rätien Einzug, deutsche Bischöfe besetzten den Stuhl in Chur, Adelige aus germanischen Landen zogen in die rätischen Täler: eine deutschsprachige Oberschicht «kolonisierte» die romanischen Lande. Parallelen zum ausgehenden 20. Jahrhundert?

Verständlich, daß bei dieser Konstellation während langer Zeit nur ausnahmsweise Rätoromanen die Churer Mitra trugen, obwohl die Bischofsstadt am Saume des zerrissenen romanischen Territoriums liegt. In unserem Jahrhundert hat sich das Blatt jedoch zugunsten der kleinen Sprachgruppe gewendet: immerhin drei von vier Churer Bischöfen waren Rätoromanen!

In Randgebieten war die katholische Kirche nie eine ausgeprägte Stütze des Rätoromanischen, ja sie half in Mittelbünden mit, das Sutselvische zurückzudrängen. Ähnlich wie in den Schulen hatte die Sprache hier auch in den Gotteshäusern einen schweren Stand. Pieder Cavigelli zeichnet in seinem Buch über die Germanisierung von Bonaduz den Rückzug des Sutselvischen aus der Kirche nach. Während das lokale Idiom, wie im Kapitel «Schule» beschrieben, bereits früher systematisch ausgerottet wurde, hielt es sich in der Kirche bis 1897. In diesem Jahr entsandte der Bischof einen bayrischen Geistlichen als Provisor in die Gemeinde über dem Zusammenfluß von Hinter- und Vorderrhein. Cavigelli schreibt: «Sämtliche Andachten, so z.B. der deutsche Rosenkranz, wurden in der Schule eingeübt und schon nach drei Wochen in der Kirche deutsch gehalten. Die Kinder wurden beauftragt, ihren Eltern, Großeltern und Verwandten die deutschen Gebete beizubringen. Die älteren Leute empfanden den Wandel überaus schmerzlich, aber mit ihnen auch alle jene, die trotz den neuen Tendenzen ihrer romanischen Muttersprache bisher in der Familie treu geblieben waren. Mit dem Sprachwandel in der Kirche verloren sie die letzte Stütze und wurden zudem in ihrem persönlichsten, innigsten Bereich erschüttert.» Das Umkippen ist nicht allein der Kirche anzulasten, «denn der bayrische Pfarrer Hoferer lebte sich auffallend rasch ein», schrieb Cavigelli, «und fand Unterstützung und Begeisterung bei der führenden Bonaduzerschicht».

c) Das Kloster Disentis

Der romanische Name von Disentis, Mustér, leitet sich vom griechischen Wort «Monasterion» her, was Kloster bedeutet. Bereits im Testament des Bischofs Tello aus dem Jahre 765 erwähnt, ist das Benediktinerkloster von Disentis heute Ort der Besinnung und der Arbeit für 53 Patres und Brüder. Ein halbes Dutzend der Mönche sind Rätoromanen, davon rücken zwei schon gegen die achtzig. Die Studie *Der Tod des Romanischen* nennt das Kloster Disentis wegen der Dominanz der deutschsprachigen Patres als «absolut unannehmbares Beispiel». Soll man denn die jungen Surselver für die Benediktiner-Abtei zwangsrekrutieren? Unter den vier Novizen verdient immerhin ein Mann aus Ilanz seine ersten Sporen im Kloster ab. Doch eine

Nach der Sonntagsmesse diskutieren die ▷
Männer vor dem Dorfbrunnen bei der Kirche in Breil.

Schwalbe macht noch keinen Sommer; die Romanen bleiben auf allen Ebenen bei weitem in der Minderheit.

Der aktivste und originellste Romane im Kloster Disentis ist ein ... St. Galler! Pater Ambros wirkt seit 1937 im Konvent und beherrscht Surselvisch perfekt. «Romanisch, das ist mein Plausch!» strahlt der jugendlich gebliebene Geistliche in seiner bis zur Decke mit Büchern vollgestopften Zelle. Er ist nicht der einzige auswärtige Pater, der die Sprache des Tales erlernte.

Im Kampf gegen die Protestanten entwickelte sich die Abtei Disentis während der Reformation zu einem bedeutenden romanischen Kulturzentrum, das eine große Bibliothek mit rätoromanischer Literatur aufbaute. Die reichhaltige Sammlung dient vorwiegend wissenschaftlichen Zwecken und wird von der breiten Bevölkerung selten benutzt. Professoren und Studenten aus aller Welt vertiefen sich immer wieder in die Schätze dieser Klosterbibliothek.

Dem Konvent ist eine Mittelschule angegliedert, heute eine der fünf regionalen Kantonsschulen Graubündens. Hier steht ein Minimum von zwei romanischen Wochenstunden für die einheimischen Mittelschüler auf dem Lehrplan; der Unterricht wickelt sich wie an allen kantonalen Mittelschulen auf Deutsch ab.

Das imposante Kloster mit der gewaltigen spätbarocken Kirche ist das Wahrzeichen des surselvischen Bevölkerungszentrums Disentis. Immer wieder werden Vorwürfe laut, die Abtei liege mit ihren auswärtigen Äbten, ihren fremden Patres wie eine Insel mitten im Land der Romanen. Aber wenn der Nachwuchs aus dem Tal fehlt: Wie kann sich das Kloster gemäß der Benediktinerregel «fest in seiner Umgebung einwurzeln»?

d) Das Rätoromanische profitiert vom Konzil

Wenn sich die katholische Kirche während längerer Zeit keine besonderen Meriten auf dem Feld des Rätoromanischen holte, so hat sich das Blatt in den letzten Jahrzehnten wieder gewendet. Dominierte noch vor dem letzten Konzil das Latein in den Gottesdiensten, so tritt jetzt die Muttersprache der Gläubigen viel stärker in den Vordergrund. Und davon profitiert auch das Rätoromanische. Generalvikar Pelican zeigt mir in der Bibliothek des bischöflichen Schlosses nicht ohne Stolz mehrere Bücherbretter mit geistlichen Werken: Bibelübersetzungen, liturgische Texte, das sogenannte «Rituale» mit den Sakramenten, das «Lecziunari» für Schriftlesungen im Gottesdienst, Kirchengesang- und Schulbücher mit religiösem Inhalt und als großes gemeinsames Werk der beiden Glaubensrichtungen eine ökumenische Ausgabe der Heiligen Schrift. Übersetzungen ins Surselvische überwiegen, denn im Bündner Oberland leben weitaus die meisten katholischen Romanen. Noch bis in die zwanziger Jahre schrieb die Kurie im übrigen das Surselvische als offizielles kirchliches Idiom für Romanischbünden vor, eine Maßnahme, die wenig Fingerspitzengefühl und kaum Verständnis für die delikate Sprachensituation in den rätischen Tälern verrät. Noch heute wirkt im Oberhalbstein der Groll gegen die Oberländer Priester nach, die, vom Bischof geschickt, das wenig geliebte fremde Idiom im Tal verbreiteten.

Wenn auch die katholische Kirche nicht immer eine glückliche Hand im Umgang mit der Kleinsprache hatte, so kommen ihr doch auch Verdienste zu. Bis ins 19. Jahrhundert bestritt sie praktisch die gesamte literarische Produktion in der Surselva und legte damit eine tragfähige Basis auch für die surselvische Schriftsprache.

e) Pfarrer Loza: ein surmeirisches Original

«Die Oberländer wollten uns kolonisieren!» wettert Pfarrer Duri Loza in der Stube des verwinkelten Pfarrhauses im surmeirischen Dörfchen Salouf. Um der Dominanz des Surselvischen endgültig den Garaus zu machen, übersetzte der originelle Kirchenmann auf eigene Initiative Tausende von Seiten religiöser Literatur in sein geliebtes Surmeirisch. Während er bedächtig Buch um Buch der beeindruckenden Arbeit auf den Tisch legt, schießt der bärtige Pater mit den schalkhaft blitzenden Augen immer wieder Pfeile in Richtung des Oberländer Klerus ab. «Mein Onkel, Pater Alexander Lozza, predigte ‹getreu der Weisung› surselvisch», merkt er an, «obwohl er als einer der bedeutendsten Schriftsteller des Tales alle seine Werke in Surmeirisch schrieb!» Duri Loza ist ein Original, wie es im Buche steht. Zu seiner Herkunft meint er: «Ich stamme aus dem Stausee von Marmorera.» Seine Heimatgemeinde ist vor Jahrzehnten durch den künstlichen See überschwemmt worden, und damit versank der charakteristische Ortsdialekt von «Murmarera» in den Fluten. Loza spricht als einer der letzten mit seiner betagten Schwester, die ihm den Haushalt besorgt, das Rumantsch da Murmarera. Ja er hat – sozusagen als Schwanengesang auf diese sterbende Sondervariante des Surmeirischen – ein Büchlein in Rumantsch da Murmarera verfaßt. Je länger ich Loza zuhöre, desto klarer wird mir, daß es «das Rätoromanische» gar nicht gibt; was da mit einem groben Sammelnamen versehen wurde, ist ein Bündel von Idiomen und Sub-Idiomen, die sich eifersüchtig gegeneinander abgrenzen. Wehe, wenn jemand in diesem coupierten Gelände einen Markstein verschiebt! Originalton Loza: «Das Surmeirische hat unseren Murmarera-Dialekt verpfuscht! Und die von Bivio wirkten mit ihrem Italienisch auf mein Heimatdorf ein.» Eine verzwickte Situation, wenn man noch in Rechnung stellt, daß das Rätoromanische sich im Schraubstock des Deutschen windet . . .

Loza löst mit seiner Übersetzer-Arbeit nicht überall eitel Freude aus. Das Gesicht von Gion Pol Simeon, dem Präsidenten der «Uniung rumantscha da Surmeir», verdüstert sich, als ich auf den streitbaren Gottesmann zu reden komme. Begreiflich, denn Loza setzt sich souverän über die mühsam erkämpfte offizielle Schreibweise des surmeirischen Idioms hinweg. Die im Kanton Zürich lebende Oberhalbsteiner Romanistin Mena Wüthrich-Grisch hatte 1939 die Normen für die Oberhalbsteiner Schriftsprache gesetzt. Vorher schrieb man zwar auch Surmeirisch, jedoch ohne feste Regeln. Seit der klärenden Arbeit der Exil-Romanin herrschte mehr oder weniger Ordnung in der surmeirischen Schriftsprache. Nur Loza stellt sich quer, indem er eine vereinfachende Diktion verwendet, die sich mehr der Schreibweise der übrigen Idiome annähert. Beispiel: statt «uniung» (Vereinigung) schreibt er nur «uniun» und anstelle von offiziell «chel» (dieser) setzt er «quel» wie in den andern Idiomen. «Man hat mich wegen der beiden Buchstaben ‹g› und ‹q› jahrelang verteufelt!» macht sich Loza Luft; «alte Lehrer schossen gegen mich, und einige Gemeinden verboten sogar den von mir übersetzten Katechismus (Dutregna catolica).» Der an einen biblischen Propheten erinnernde Kirchenmann hat auch den Doppelkonsonanten in der surmeirischen Schriftsprache den Kampf angesagt und damit gleich bei seinem eigenen Namen begonnen. Statt Lozza, wie seine Vorväter, schreibt er sich konsequent Loza.

Zähneknirschend akzeptieren jetzt auch die offiziellen Kreise im Tal die Aktivitäten des Individualisten, denn ohne seinen Einsatz gäbe es nicht annähernd so viele religiöse Bücher in der Sprache des Tales. Triumphierend schwingt Loza «sein» Kirchengesangbuch mit dem klangvollen Namen «Laudate» in der Luft: «Sonntag für Sonntag lesen die Kirchgänger meine Schreibweise und gewöhnen sich daran!» Der Pater konnte jetzt sogar staatliche Anerkennung für seine Leistungen entgegennehmen: der Kanton zeichnete ihn mit dem Bündner Anerkennungspreis für kulturelle Leistungen aus. Stolz lüftet der knorrige Oberhalbsteiner eine gehäkelte Decke; darunter blitzt eine blankgeputzte, elektrische IBM-Kugelkopf-Schreibmaschine, die er sich dank der Preissumme leisten konnte. Die Oberhalbsteiner können also mit weiteren Übersetzungen religiöser Literatur rechnen, deren Druck Loza zu einem guten Teil mit eigenem, ererbtem Geld finanziert!

Die Querelen um die surmeirische Orthographie könnten vermuten lassen,

Pfarrer Duri Loza, ein origineller und ▷
eigenwilliger Surmeirer.

daß es sich beim Pfarrer aus Salouf um einen sturen Fanatiker handle; statt dessen strahlt er Güte, Witz und auch Toleranz aus. Im Sommer amtet Loza als Custos in der Wallfahrtskirche von Ziteil unter dem Gipfel des Piz Curvèr, wo unter den 4000 Pilgern pro Jahr die deutschsprachigen das weitaus größte Kontingent bilden. Es würde ihm nicht einfallen, in Ziteil ausschließlich romanisch zu predigen, nur weil der Wallfahrtsort auf surmeirischem Territorium liegt. Auch im Tal predigt er zuweilen kurz entschlossen deutsch, wenn es die Umstände erheischen.

Die Berge bringen immer wieder Saftwurzeln wie Duri Loza hervor, Originale, die in kein Schema passen. «Ich bekleide auch weltliche Ämter», lacht er, «ich bin Kassier der Raiffeisenkasse und habe dabei bedeutend mehr Kontakt mit den Leuten als im Beichtstuhl.»

18. Die evangelische Kirche und die romanische Sprache

a) Geburt der ladinischen Schriftsprache während der Reformation

In der evangelischen Kirche von S-chanf betet der Pfarrer das «Unser Vater» in romanisch. Selbst ein fremder Besucher des Gottesdienstes merkt sofort, daß da ein Auswärtiger die Sprache des Unterengadins redet. Der Eindruck trügt nicht: der Mann im Talar kommt aus dem kalifornischen Napa Valley nördlich von San Francisco. Die vielen Bündner Amerika-Auswanderer hätten sich wohl nie träumen lassen, daß in ihren Heimatgemeinden dereinst Geistliche aus der neuen Welt den Pfarrdienst versehen würden! In Romanischbünden müßte heute manches Pfarrhaus leerstehen ohne den Einsatz Auswärtiger, denn an einheimischen Geistlichen herrscht krasser Mangel. Anders als zur Zeit der Reformation, wo sich auf der evangelischen wie auf der katholischen Seite Ungezählte für den christlichen Glauben engagierten. Damals übersetzte der Engadiner Jachiam Bifrun das Neue Testament und schenkte mit dem *Nuof Sainc Testamaint* seinen evangelischen Glaubensgenossen auch die ladinische Schriftsprache. Bis ins 16. Jahrhundert blieb Rätoromanisch praktisch ein mündliches Kommunikationsmittel. Bifruns Großtat aus dem Jahre 1560 erwies sich für die romanische Schriftsprache als fast so bedeutend wie für die Deutschen Luthers Bibelübersetzung; das Werk beeindruckt durch zahlreiche sprachschöpferische Impulse.

Hunderte von religiösen Pamphleten und Übersetzungen biblischer Texte im Gefolge der Reformation beweisen, daß die Romanen damals für ihr Glaubensbekenntnis auf die Barrikaden gingen. Vom Feuer der Reformationszeit ist nicht mehr viel übriggeblieben. Das ist zwar kein typisch bündnerischer Tatbestand; der Mangel an Nachwuchs aus den eigenen Reihen schafft für die romanischen Pfarreien jedoch besondere Probleme.

b) Mangel an romanischen Pfarrern

Pfarrer Rico Parli, Präsident des Evangelischen Kirchenrates des Kantons, erklärt im Pfarrhaus in Zuoz die personelle Situation in der evangelischen Kirche Graubündens: «Von den rund 110 Geistlichen sind ein Dutzend Rätoromanen, bedeutend weniger als wir brauchten.» Im Engadin wirken in sieben Gemeinden Romanen, in drei deutschsprachige Unterländer und in drei weiteren Pfarrer aus Deutschland. In Zernez amtet ein Italiener, in Bever ein Geistlicher aus dem rumänischen Siebenbürgen und in S-chanf/La Punt der Mann aus Kalifornien! Einige der rätoromanischen Pfarrer betreuen deutschsprachige Bündner Gemeinden, und nicht weniger als sieben romanisch sprechende evangelische Geistliche aus Graubünden sind im Unterland tätig! Auch für sie gilt das Stereotyp vom «Gehen-Müssen» nicht: Jeden einzelnen hätte man in Romanischbünden dringend nötig.

Und beim Nachwuchs sieht es bitter aus: ein einziger evangelischer Rätoromane studiert gegenwärtig Theologie, ein zweiter ist aus dem Studium ausgestiegen. Der Münstertaler Rico Parli: «Im Moment kämpfen wir mit einem wahnsinnigen Pfarrermangel. Die evangelische Kirchensynode sieht kaum einen anderen Ausweg, als weitere Geistliche aus dem Ausland zu motivieren, nach Graubünden zu kommen.» So werden Pläne geschmiedet, ein halbes Dutzend Pfarrer aus Kalifornien, wo es offensichtlich an Nachwuchs nicht mangelt, im Kanton anzustellen.

«Ein trauriges Kapitel bietet die Geschichte der einst so lebendigen romanischen Predigt, die allmählich aus den Kirchen verschwand und in Mittelbünden und im Oberengadin zur Seltenheit geworden ist», schreibt die «Lia Rumantscha» in der Eingabe von 1947 an den Bund, in welcher sie die Eidgenossenschaft um mehr Mittel bat, und fügt bei: «So mußte mancher Romane lernen, deutsch zu beten!» Ähnlich wie in den Schulen erlebte die romanische Sprache während des letzten und auch in den ersten Jahrzehnten unseres Jahrhunderts ein Rückzugsgefecht nach dem andern. Wo man den Tourismus als Erwerbsquelle entdeckte, machte man den Gästen bereitwillig Konzessionen. Romanisch, einst kraftvolles Instrument zur Verteidigung des evangelischen Glaubens, sank in den Kirchen des mehrheitlich protestantischen Engadins, in Mittelbünden und den evangelischen Gemeinden der Sutselva zur Nebensprache ab. Die warm anheimelnde romanische Predigt galt bei den Pfarrherren und den kirchlichen Gremien offenbar als zu wenig weltläufig. Dr. Gangale, heftig umstrittener Mitarbeiter der «Ligia Romontscha» zu Beginn der vierziger Jahre, erklärte gar, das religiöse Leben der Romanen sei als Folge des sprachlichen Zwitterlebens vertrocknet: «Sie haben keine Sprache mehr, die ihnen aus der Seele spricht!»

Das Dilemma des Rätoromanischen zeigt sich in der Laufbahn romanischer Pfarrer in aller Schärfe: Nur bis zur vierten Primarklasse genießen sie wie alle Rätoromanen einen vollständig romanischen Unterricht, dann dominiert mehr und mehr das Deutsche. Ältere Geistliche aus romanischen Mittelbündner Dörfern besuchten gar Schulen, wo man die Kinder von der ersten Klasse weg mit der fremden deutschen Sprache traktierte. Gymnasium und Hochschule absolviert jeder Geistliche in einer der bedeutenden Welt-

Ruine der spätromanischen St. Antonius- ▷
Kirche bei Mathon am Schamserberg.

sprachen, meistens Deutsch. «Sie leiden unter einem Bruch in ihrer geistigen Entwicklung», schreibt Arthur Baur in einem Lagebericht aus dem Jahre 1955, «da sich die konkrete Anschauung in ihrer Kindheit in der einen und die ideenmäßige Bildung in den Reifejahren in einer anderen Sprache vollzog. Sie vermissen eine gültige Sprache für die höheren Begriffe des geistlichen Lebens.» Dem Pfarrer, der eine intellektuell anspruchsvolle Predigt halten will, fehlt das Vokabular. Wie der in Scheid aufgewachsene, sutselvisch sprechende Pfarrer Luzi Battaglia erklärt, hat diese sprachliche Zwickmühle wenigstens einen Vorteil: «Bei deutschen Predigten ist die Gefahr des Theoretisierens und Intellektualisierens groß, die Gefahr auch, daß man über die Köpfe der Gemeinde hinweg predigt. Bei einem romanischen Gottesdienst taucht dieses Problem nicht auf, da bewegt man sich notgedrungen im Bereich des Verständlichen, Konkreten.»

c) Kein Gottesdienst ohne romanische Präsenz

Heute ist man sich der Bedeutung des Gottesdienstes in der Muttersprache wieder mehr bewußt, denn gerade für den Ausdruck der gefühlsmäßigen Werte des Glaubens läßt sie sich durch nichts ersetzen. Das evangelische Kolloquium (regionale Kirchenkonferenz) vom Engadin und Münstertal hat beschlossen, daß das Rätoromanische in jedem Gottesdienst präsent sein müsse. Auch in der Hochsaison, wo in den Kirchen von Sta. Maria, Pontresina und Ramosch oft mehr Fremdsprachige als Romanen sitzen, kommt das einheimische Idiom zum Zug, sei es in einer zweisprachigen Begrüßung, in einem romanischen Gebet oder Lied. Die Gäste reagieren positiv auf die Neuerung, wenn sie auch eher die Gottesdienste mit deutscher Predigt und romanischer Umrahmung besuchen. Pfarrer Schreich beispielsweise hält jeden Sonntag zwei Gottesdienste, einen in Sta. Maria und den andern in Valchava, abwechselnd mit romanischer Predigt und deutschen Begleittexten und mit deutscher Predigt und romanischer Umrahmung. Hanspeter Schreich ist 1950 in Oldenburg in Norddeutschland geboren und predigt zur Verblüffung der Münstertaler in perfektem Romanisch! Der jugendliche Geistliche ist ein ausgesprochenes Talent: Neben Griechisch, Hebräisch und Latein, obligat für Theologen, beherrscht er noch vier weitere Sprachen. Während eines Jugendlagers in Lavin begann er sich intensiv für die romanische Kultur zu interessieren. Einheimische machten ihn auf den großen Mangel an Pfarrern aufmerksam und regten an, er solle doch in ihrer Gegend eine Stelle übernehmen. In der Pfarrersfamilie Schreich herrscht eine außergewöhnliche sprachliche Situation: Frau Schreich ist zwar Ardezer Bürgerin, jedoch in

Landquart aufgewachsen und fühlt sich im Romanischen nicht so sattelfest, daß sie ihre Kinder mit gutem Gewissen in der Sprache des Tales aufziehen könnte. In die Bresche springt ihr Mann, der – als Norddeutscher! – mit den Kindern ausschließlich romanisch spricht. Die Mutter vermittelt in dieser Familie also naturgemäß ihre eigene Muttersprache, während der Vater aus Verantwortungsbewußtsein gegenüber dem Rätoromanischen seinen Nachkommen das Idiom des Münstertales weitergibt. Pfarrer Schreich gilt als leuchtendes Beispiel guter Integration. Vor dem Stellenantritt in Sta. Maria arbeitete er bei einem Gärtner in Lavin, um sich besser mit den Ausdrucksformen der Gegend bekannt zu machen. Im Januar 1975, wenige Wochen nach seiner Ankunft im Münstertal, überraschte er seine Gemeinde mit einer ersten romanischen Predigt! «Ich hatte diese Predigt in Deutsch verfaßt und ließ sie übersetzen», gesteht er schmunzelnd, «später begann ich meine Texte selber zu übersetzen, natürlich noch mit Fehlern. Die Einheimischen unterstützten und ermunterten mich immer wieder.»

In Sent, wo ein Pfarrer aus der Deutschschweiz wirkt, tönt es dennoch generell romanisch von der Kanzel herab, denn Pfarrer Pernet hat Vallader gelernt. Einmal pro Monat predigt er für die Touristen deutsch, natürlich immer mit romanischer Umrahmung. In Pontresina, wo die Romanen längst in die Minderheit versetzt sind, hält Pfarrer Gaudenz noch einmal pro Monat eine Predigt in Puter. In Flims, einem akuten Rückzugsgebiet, sind im Jahr sechs sutselvische Gottesdienste in der Fidazer Kirche angesetzt. Die evangelischen Kirchen in Chur bieten in letzter Zeit den Gläubigen aus Romanischbünden wieder vermehrt Gottesdienste in ihrer Sprache.

*

Die Vielfalt der romanischen Sprachenwelt macht auch den Kirchen zu schaffen, müssen doch Gesangbücher und geistliche Schriften in mehreren Idiomen bereitgestellt werden. Hier sind es gerade die zugezogenen Pfarrer, die auf romanische Unterlagen angewiesen sind und sich über Mangel beklagen.

In manchen Dörfern Mittelbündens ist die Erosion an der sutselvischen Sprache schon so weit fortgeschritten, daß sich pragmatische Lösungen aufdrängen. Pfarrer Michael in Zillis, ein Mann, dem die Romanen im Schams einiges zu verdanken haben, erklärt: «Für den letzten Sonntag bereitete ich eine romanische Predigt über den verlorenen Sohn vor. Als ich jedoch die Kirche von Lohn betrat, sah ich mehrere Reihen unbekannter Gesichter, da hielt ich meine Predigt halt auf deutsch.» Was romanische Dogmatiker als unbegründetes Preisgeben von Terrain auslegen könnten entspricht der Philosophie dieses Pfarrherren, dem man alles andere als mangelnden Einsatz für die Muttersprache vorwerfen kann. «Man darf die deutschsprachigen Mitbürger nicht kränken», sagt er in versöhnlichem Ton, «man darf ihnen das Romanische nicht verleiden.»

«Ein romanischer Gottesdienst tut unheimlich wohl», sagt Anna Capadrutt, die in Dalin am Heinzenberg lebt, einem sprachlichen Rutschgebiet, wo das Deutsche die sutselvische Ursprache schon fast verschüttet hat. Entsprechend selten erklingt das vertraute Idiom am Heinzenberg von der Kanzel. Kaum jemand ist dort noch imstande, einen Choral auf romanisch zu singen. Die Kirchengesangbücher sind deutsch. Die alte Sprache hat, auch in der Kirche, das Feld fast geräumt.

d) Konfessions- und Sprachgrenzen decken sich nicht

Das «Volk der Rätoromanen» präsentiert sich so wenig einheitlich wie das «Schweizervolk». Die Reformation hinterließ in Graubünden scharfe Trennlinien, die sich nicht mit den Sprachgrenzen decken. So existieren im überwiegend evangelischen Engadin katholische Kirchgemeinden, im «stockkatholischen» Oberland protestantische Dörfer. Obwohl sich die religiöse Glut der Glaubenskämpfe längst abgekühlt hat, sind die konfessionellen Grenzen unverrückt. Nicht zuletzt darum, weil sich in den beiden Konfessionsgebieten im Laufe der Jahrhunderte eine unterschiedliche Mentalität und eine beträchtlich verschiedene «politische Kultur» entwickelte. Reformierte Engadiner und katholische Oberländer reden beide rätoromanisch, gehören mithin dem gleichen «Volk» an, dennoch trennen Welten die beiden romanischen Haupttäler.

19. Streiflicht auf die Literatur

Jeu hai nuot auter ch'il lungatg

Jeu hai nuot auter ch'il lungatg
il vierv artau,
ch'jeu lessel prender sc'ina lira enta maun,
sc'in instrument
custeivel e prezius
e lessel ir cun mia detta sur las cordas
e schar sunar ils tuns,
tedlar sin lur accords,
udir en mi'ureglia
co els creschan
e s'uneschan
tiel grond choral,
tier la canzun
da mia patria e miu pievel,
da feins e faultschs,
d'amur e mort en farclas tarlischontas
in gi da stad,
e co els contan
da tschiens letezias
zuppadas
ch'ein en mei en siemis e giavischs
per tei, o mia cara . . .

Jeu hai nuot auter ch'il lungatg . . .

(Sursilvan)   Flurin Darms

Nichts andres als die Sprache . . .

Nichts andres als die Sprache ist's,
das Wort ererbt,
mein einziger Besitz,
mein Instrument
so kostbar und so teuer!
Wie eine Leier möcht' ich sie in meine
Hände nehmen,
möcht' mit den Fingern gleiten über ihre
Saiten hin,
zum Klingen bringen ihre Laute,
in meinem Ohr auf die Akkorde lauschen,
horchen, wie sie wachsen
und sich finden
zum Groß-Choral,
zum Lied
von meiner Heimat, meinem Volk,
von Gräsern und von Sensen,
von Liebe und von Tod,
aufleuchtend in den Sicheln
an einem Sommertag,
und wie sie singen
von hundert Freuden,
verborgen tief in mir,
in meinen Träumen, meinen Wünschen
für dich,
o meine Liebste . . .

Nichts andres als die Sprache ist's . . .

Deutsche Übertragung durch den Autor

a) Zum Beispiel Gion Barlac . . .

«Die Uhr tickt. Gion Barlac steckt im Gehege. Seit wann tickt die Uhr? Vielleicht seit eh und je. Seit wann steckt Gion Barlac im Gehege? Vielleicht seit seiner Geburt. Ist das Gehege enger oder Gion Barlac größer geworden?» Bohrende Fragen der Hauptfigur der *Historias da Gion Barlac* von Theo Candinas; das Gehege ist Symbol für eine Enge, aus der es kein

179

Entrinnen gibt. Der Titelheld beginnt, Geschichten zu schreiben, mit dem Ziel, aus dem Gefängnis auszubrechen. Doch alle diese erfundenen Fluchtversuche enden in der Katastrophe. Schließlich ergibt sich Gion Barlac in sein Schicksal und schreibt die Geschichte seines Geheges, der Pfosten und Latten, die ihn beengen und einschließen. «Mit dieser Geschichte war Gion Barlac sehr zufrieden», schreibt Theo Candinas zum Schluß, «weil sie die wahrste von allen war.»

Die in Surselvisch geschriebene Sammlung von zeitkritischen Kurzgeschichten des Oberländers Theo Candinas löste nach ihrem Erscheinen im Jahre 1975 ein Echo aus, von dem rätoromanische Schriftsteller sonst nur träumen können. Abgedruckt im «Nies Tschespet» (Unsere Scholle), einer traditionsreichen Bücherreihe der katholischen surselvischen Sprachgemeinschaft «Romania», wirkten sie wie ein Sprengsatz. Gion Barlac verläßt das gesicherte Terrain, auf dem sich Figuren der rätoromanischen Literatur in der Regel bewegen, bei weitem. Er macht nicht nur ein Kind («far in pop»), sondern betreibt gar schamlos Empfängnisverhütung! Gion Barlac, eine erfundene Figur, versetzte die Einflußreichen in der katholisch-konservativen Surselva in Rage, weil er es wagte, «am Gehege zu rütteln» und damit an den sogenannten tragenden Säulen der Gesellschaft. Theo Candinas entlarvt politischen Opportunismus und Scheinmoral in beißenden, kraftvoll geschriebenen Szenen.

Aufgebracht verlangten die Kreispräsidenten der Cadi in einer Stellungnahme in der «Gasetta Romontscha», das Werk sei einzustampfen! Glücklicherweise sind die Zeiten der Bücherverbrennungen vorüber. Das Volk, dem solche Kost nach der Meinung der geistlichen und politischen Würdenträger nicht zuzumuten war, riß sich um «Nies Tschespet». Das Periodikum, normalerweise mit braverem Inhalt gefüllt, verkaufte sich dank Gion Barlac über zweitausendmal!

In einem Schrifttum, wo die Schönheit der Natur, Jugenderinnerungen, Jagderlebnisse, Bilder aus Geschichte und Bergbauernleben die Szene beherrschen, mußte eine Figur, die eherne Dinge in Frage stellt und Tabus beim Namen nennt, schockartig wirken. Kam dazu, daß ein Surselver «das eigene Nest beschmutzte» und erst noch in romanischer Sprache. Was auf deutsch nicht halb so brisant gewirkt hätte, wirkte in der surselvischen Muttersprache auf viele Oberländer als Affront. Der Aufruhr entlud sich in einem monatelangen Leserbrief-Krieg in allen Bündner Gazetten. Das Gehege, das Gion Barlac einengt, existiert offensichtlich in der Realität. Wer die Pfosten und Latten zu direkt beschreibt, macht sich unmöglich . . . Der Autor Theo Candinas lebt längst nicht mehr in der Surselva im heimatlichen Surrein, das ihm vermutlich zu eng geworden ist, sondern in Chur.

b) . . . oder La Jürada

In der Gegenwartsliteratur der Rätoromanen bilden Bücher wie die *Historias da Gion Barlac*, die sich direkt mit zentralen Aspekten der Gesellschaft auseinandersetzen, die Ausnahme. Dennoch stellen sich Autoren immer wieder der Problematik, mit der die rätoromanische Gesellschaft, Kultur und Sprache heute ringt. Der in Heidelberg lebende surselvische Publizist Iso Camartin stellt in seinem Buch *Rätoromanische Gegenwartsliteratur in Graubünden* einige Autoren vor, welche die Herausforderungen der Zeit künstlerisch umsetzen. Zum Beispiel den kürzlich verstorbenen Engadiner Schriftsteller Jon Semadeni, der in seiner Geschichte *La Jürada* (Der Bannwald) die Bedrohung der romanischen Eigenständigkeit mit einer Lawine vergleicht, die über dem Bergdorf hängt. Wegen der Fahrlässigkeit der Bewohner ist der Bannwald, einziger Schutz vor dem Desaster, nicht genügend mit jungen Tannen aufgeforstet worden. Der Förster, welcher das Unheil nahen sah und den Wald verjüngen wollte, konnte sich bei den Dorfbewohnern nicht durchsetzen. Eines Nachts stürzt die Lawine zu Tal und begräbt das Dorf unter sich. Jon Semadeni: «Die größte Gefahr [für die Gemeinschaft im Bergdorf] liegt sowohl in der Arglosigkeit gegenüber Fremdinteressen als auch im Egoismus derjenigen, die sich von den Spekulanten kaufen lassen. Ich bin überzeugt, daß das Festhalten am Traditionsgut an sich kulturell wichtiger ist als das Hinzuerwerben von Neuem. Die innere Immobilität gehört zu den lebensnotwendigen Eigenschaften einer Kultur. Die Auseinandersetzung mit den neuen Ideen und Erfordernissen der Zeit (. . .) verleiht der allzu starren Überlieferung die nötige Anpassungsfähigkeit. Tradition und Fortschritt sind zwei Gegenkräfte, zwei Gegenpole. In ihrem Magnetfeld wächst durch die Generationen hindurch die Kultur.»

c) Wenige Kontakte zum benachbarten lateinischen Sprachraum

Ein so kleiner Kulturkreis wie der rätoromanische ist jedoch auf Austausch und Kommunikation mit der Umgebung angewiesen. Das völlige Verschanzen hinter dem Bannwald, um in Semadenis Bild zu bleiben, führt zu einer Nationalpark-Situation, einer heilen, musealen Welt von gestern ohne vitalen Bezug zur Gegenwart.

Rätoromanisch ist lateinischen Ursprungs, umso bedauerlicher, daß kulturelle, geistige Kontakte zu den riesigen, verwandten Sprachräumen selten sind. Selbst zu den Ladinern in den Dolomiten und den Romanen im Friaul herrschen kaum stetige und lebendige Beziehungen: der Austausch, welcher ein Zusammengehörigkeitsgefühl erst entwickeln kann, bleibt dürftig. Werke italienischer Romanen sind in Graubünden höchstens ein paar Insidern bekannt, Zusammenkünfte über die Bündner Grenze hinweg selten.

Der Rätoromane aus Graubünden lernt perfekt Deutsch; die anderen lateinischen Sprachen kommen erst nachher. Früher studierte ein guter Teil der Elite an italienischen und französischen Hochschulen, ja lebte und wirkte zeitweise im südlichen Nachbarland. Damit entstanden wichtige Bande, lebendige Kontakte zum lateinischen Sprachraum. Heute zeigt der Kompaß nach Norden; die Romanen zieht es ins deutschsprachige Gebiet. Andri Peer, Präsident des «PEN-Clubs della Svizzera Italiana e la lingua rumantscha», beklagt ein schwaches Interesse rätoromanischer Autoren an Kontakten mit italienischsprachigen Kollegen. Peer, dessen ladinische Lyrik auch über die Landesgrenzen hinaus Beachtung findet, fühlt sich dem ganzen lateinischen Kulturkreis verbunden, was sein literarisches Schaffen beeinflußte.

Wo einst bedeutende Schriftsteller wie Peider Lansel enge Bande zu Italien und seiner Kultur pflegten, sind solche Verbindungen heute Ausnahmen. Die Distanzierung zum Italienischen mag seine Wurzeln in den seinerzeitigen Unverfrorenheiten der Faschisten haben; auch die heutige italienische Kulturszene begegnet dem «Alpenlatein» auf eigenem wie auf Schweizer Boden eher mit Herablassung. Das Vorurteil vom lombardischen Dialekt lebt weiter, ja der «Corriere della Sera» schrieb gar von einer Sprache, die nur für den Kuhstall tauge.

Selbst zu den Valli, den italienischsprachigen Bündner Südtälern, herrschen keine intensiven kulturellen Kontakte. Puschlav, Bergell, Misox und Calanca profitieren vom sprachlich kulturellen Hinterland im Süden, was den Austausch mit den Rätoromanen wenig fördert. Eingebettet in den mächtigen deutschsprachigen Raum ohne vitale Kontakte zu den anderen lateinischen Sprachen, läuft die Literatur der Rätoromanen Gefahr, sich zu isolieren, ja auszutrocknen.

Die Situation der rätoromanischen Volksgruppe spiegelt sich in der «Uniun da Scripturs Rumantschs»: Von den 46 Mitgliedern des Schriftstellerverbandes leben nur 20 im Sprachgebiet; ein halbes Dutzend in Chur und alle andern im deutschsprachigen Unterland! Um dem Verband beitreten zu können, genügt es, ein, zwei Bücher, Theaterstücke oder Hörspiele verfaßt zu haben; denn in einem so kleinen Sprachgebiet ist jede Stimme wichtig, auch wenn sie nichts Weltbewegendes zu verkünden hat.

Immer mehr romanische Dörfer bauen eine ▷
Gemeindebibliothek auf.

d) Kleiner Leserkreis

Bei der Beurteilung einer Minderheiten-Literatur wie der rätoromanischen muß man sich immer den Leserkreis vor Augen halten. Der Großteil der Werke wird fast ausschließlich von denen gelesen, welche das entsprechende Idiom reden. Als weitaus größter Sprachraum umfaßt die Surselva 17 000 Menschen; Auflagen von 1500 Exemplaren sind bereits sehr hoch. Das ladinische Gebiet ist mit weniger als 10 000 Personen bedeutend kleiner. Daß immer wieder Bücher für die 3000 Surmeirer erscheinen, kommt schon fast einem Wunder gleich, das jeweils nur durch die finanzielle Unterstützung verschiedenster Sponsoren möglich wird.

Der bedeutendste Teil der Leser gehört dem «breiten Volk» an, denn die gebildete Schicht umfaßt, wie in anderen Landesteilen, nur wenige Prozent der Bevölkerung. Wo sich ein Autor in einem großen Sprachraum an bestimmte Zielgruppen wenden kann, muß ein rätoromanischer Schriftsteller notgedrungen einen breiten Leserkreis ansprechen.

Elitäre Literatur oder Sachbücher für eine bestimmte Lesergruppe zu publizieren, ist aus Gründen der winzigen Auflage höchstens im Eigenverlag möglich. Auch hier zeigt sich das Dilemma der Kleinsprache mit aller Schärfe: Für spezifische Publikationen mit ganz bestimmtem Leserkreis gibt es kaum Chancen einer Veröffentlichung.

Übersetzungen romanischer Texte ins Deutsche befriedigen oft weder Autor noch Leser. Wo das Original dicht, klangvoll und reich an charakteristischer Stimmung ist, bleibt die deutsche Übersetzung immer wieder flach, oder sie wirkt konstruiert und gestelzt. Dies läßt sich anhand der romanisch-deutschen Anthologien, die jetzt vermehrt auf dem Büchermarkt erscheinen, nachprüfen. «Rumantscheia», eine Sammlung mit Texten von 38 zeitgenössischen Autoren, stellt jeweils Originaltext und Übersetzung gegenüber. Die fragilen Wortgebilde einer Irma Klainguti beispielsweise, lassen sich zwar ins Deutsche übertragen, doch sie entfalten ihre zauberhafte Wirkung nur auf ladinisch. Dennoch ist die Edition, ermöglicht durch die Vereinigung «Quarta Lingua», ein positiver Beitrag zur Verständigung unter den Sprachgruppen. Das Buch öffnet einen Zugang zur vierten Landessprache, regt zur geistigen Auseinandersetzung an.

e) Dienst an der Sprache

Weil die Rätoromanen den Schritt zur Zweisprachigkeit definitiv gemacht haben, sieht sich das romanische Schrifttum einer gewaltigen Konkurrenz gegenüber. Das deutsche Angebot setzt die Maßstäbe; Vergleiche könnten manchen Dorfschriftsteller entmutigen.

Jede Sprache ist jedoch auf eine Literatur angewiesen, will sie nicht zum Dialekt absinken. Schriftsteller können, wenn sie den Puls der Zeit spüren und umsetzen, Entscheidendes zur Lebendigkeit einer Sprache beitragen, sie können «Dienstleistungen an der Umgangssprache» erbringen. Dafür eignen sich besonders gut Theater, Radio und Fernsehen. Leider herrscht an guten romanischen Stücken mit aktueller Thematik Mangel. Theatergruppen sind darum immer wieder gezwungen, deutsche Stücke in romanischer Übersetzung zu spielen. So interpretierte die «Gruppa da teater da Domat» mit großem Erfolg «Andorra» von Max Frisch, übersetzt durch den im Lugnez geborenen und jetzt in Italien lebenden Gion Geli Derungs.

Iso Camartin sieht die Problematik der rätoromanischen Literatur von seinem Sitz in Deutschland aus mit einiger Distanz. Der ehemalige Sekretär der «Lia Rumantscha» und kritischer Augur der romanischen Szene, sagt: «Die Zukunft der rätoromanischen Literatur wird sich gewiß daran entscheiden, ob es ihr gelingt, den durch die Tradition bestimmten Rahmen der sozialgeschichtlichen Herkunft sprachlich zu sprengen und für alles den zeitgemäßen sprachlichen Ausdruck zu finden, was einen Menschen rätoromanischer Muttersprache heute bewegt.»

f) Lieder

Seit bald zwanzig Jahren haben wir uns nicht mehr gesehen. Und jetzt sitze ich Men Steiner, einem meiner Schulkameraden aus dem Lehrerseminar, gegenüber. Während unseres Gesprächs stürmen seine beiden Töchter mit dem Schultornister auf dem Rücken in die Stube. Obwohl seit der Schlußfeier in der Aula des damals brandneuen Seminars einiges an Wasser die Plessur hinuntergerauscht ist, haben wir beide das Gefühl, die Zeit sei stillgestanden; es ist, als hätten wir uns vor einer Woche zum letztenmal gesehen.

Der Schulser drückte mit seinen Engadiner Kollegen die Schulbänke in der romanischen Abteilung; einzelne Stunden besuchten wir Deutschsprachigen mit dem Romanen zusammen. Men spricht von den gemeinsamen Philosophielektionen; er erinnere sich noch genau an jene Stunden bei Lehrer Casparis, in denen wir brennend interessierende Themen diskutierten. «Wir Engadiner haben kaum je etwas gesagt», meint er, «nicht weil uns dazu nichts eingefallen wäre, sondern weil ihr Deutschsprachigen einfach rascher und besser formulieren konntet. Ihr habt das große Wort geführt, und wir Romanen saßen da, stumm wie die Fische. Das war qualvoll für uns, und oft haben wir uns in diesen Stunden nicht gut gefühlt.» Betroffen suche ich nach Worten und finde keine. Weder Mitschüler noch Lehrer ahnten damals offenbar etwas von den realen Problemen der Romanen. Men lacht versöhnlich, greift zur Gittare und singt eines seiner Lieder. Deswegen habe ich ihn auch besucht, gehört er doch zur neuen Generation romanischer Liedermacher, die in ihrer Muttersprache singen, was sie bewegt. «Notin Bardot, quist bel utschè ha gnü il stomi, mo voust pé . . .» Notin Bardot, der Held der Ballade, ist ein Querschläger, der die bestehenden Verhältnisse kritisiert und dennoch die Frechheit hat, sich für eine Stelle als Lehrer zu melden. Natürlich wählt man ihn nicht, weil man befürchtet, er könne die Schüler zu «Revoluzzern» machen. «Che crajast tü, plü blers Notins, füss stat daplü!» zieht Men Steiner das Fazit, «wer weiß, vielleicht wird man einmal sagen: ‹Hätten wir nur mehr solche Notins gehabt!›» Der Unterengadiner hat sich im Leben eingerichtet: Frau, Kinder, ein Haus, eine sichere Staatsstelle als Sekundarlehrer in Chur. Und dennoch gärt es in ihm, liebäugelt er mit dem widerspenstigen Notin Bardot. Ein Leben ohne Risiko, ohne echte Herausforderungen beengt ihn. In seinen Liedern, die er zum Teil mit Aita Biert (auch sie kommt aus Scuol) singt, klingen diese geheimen Sehnsüchte auf. Zum Repertoire des Duos gehören natürlich auch die alten Engadiner Volkslieder, die auf so unvergleichliche Weise die Sehnsucht nach der gebirgigen Heimat wecken, in der man nicht mehr leben kann oder will. Men wie Aita haben einen für die gebildete Schicht der Romanen typischen Lebenslauf, mit Lehr- und Wanderjahren in der deutschsprachigen Schweiz. Beide leben nicht mehr im Tal ihrer Jugend, und dennoch können sie nur in der Sprache des Engadins singen.

Üppig ist sie noch nicht, die neue rätoromanische Liederszene, dennoch beginnt da unverkennbar etwas zu blühen. Die Lieder eines Paulin Nuotclà oder eines Benni Vigne belegen wie die Balladen von Men Steiner, daß Romanen der jungen und mittleren Generation ihre Muttersprache als Medium für ihre musikalische Botschaft entdecken, die vom Privaten bis zur politischen Aussage reicht. Die Barden aus den Tälern Graubündens setzen eine jahrhundertealte Tradition fort und beweisen damit, daß die vierte Landessprache alles ausdrücken kann, was einen Menschen unseres Zeitalters bewegt.

20. Die Presse

a) Einfrau-Redaktion in Savognin

Immer am Mittwochmorgen geht bei Rina Steier alles drunter und drüber, darum stellt die Savogninerin ihren Lieben an diesem Mittag jeweils etwas Einfaches auf den Tisch. Rina Steier ist Chefredaktorin, Sekretärin, Telefonistin und Übersetzerin der Oberhalbsteiner Wochenzeitung «La Pagina da Surmeir» in einer Person. Am Mittwoch ist Redaktionsschluß; jetzt muß sie ihre vier bis sechs Zeitungsseiten beisammen haben, damit die 1200 Abonnenten ihr Leibblatt am Freitag pünktlich im Briefkasten finden werden. Während sie in der Suppe rührt, läutet das Telefon, am Apparat ist Gion Pol Simeon, der Präsident der «Uniung Rumantscha da Surmeir», welche als Herausgeberin des Blattes zeichnet. Hausarbeit und Redaktionsdienst fließen bei Rina Steier ineinander über; die Mini-Redaktion in Form eines schmalen Büros schließt gleich an die Küche an. So kann die Chefredaktorin problemlos während des Kochens die Mitteilung der Sprachvereinigung notieren und sie, brandaktuell, in der Nummer dieser Woche bringen.

Gegründet hat die «Pagina» der uns bereits bekannte Pater Duri Loza im Jahre 1946; das Blatt erschien zuerst als Beilage zur «Gasetta Romontscha», der vergleichsweise auflagestärksten Zeitung aus Disentis, später machte sie sich selbständig und gewann auch etwas an Umfang. Finanziert wird das Blatt zum Großteil durch die «Lia Rumantscha». Nein, eine «Weltwoche» ist sie

187

nicht, diese romanische Zeitung aus Savognin; solche Ambitionen haben weder die Redaktorin noch die Herausgeber. «La Pagina da Surmeir» berichtet das, was im Oberhalbstein und an der Albula passiert; weiter druckt das Blatt Meldungen aus anderen Regionen des rätoromanischen Gebietes, zum Beispiel über ein Treffen romanischer Schriftsteller oder Aktionen der «Ligia Romontscha», die auf Surmeirisch «Leia Rumantscha» heißt.

Nach Duri Loza wirkte eine ganze Reihe pensionierter Primarlehrer als Redaktoren. Weil beim letzten Wechsel gerade kein Pädagoge im Ruhestand einspringen konnte, fragten die Herausgeber Rina Steier, ob sie den Posten übernehmen könnte. Seit 1979 opfert die vielseitig interessierte Hausfrau und Mutter fast ihre ganze Freizeit für die Zeitung. Sie engagiert sich sozusagen mit Haut und Haaren für das Blatt, das sie in erster Linie als Instrument des Dialogs sieht. Als Allrounderin muß sie heute, kurz vor Redaktionsschluß, noch ein deutsch geliefertes Inserat für ein Gastspiel des Zirkus Nock in Savognin auf Romanisch übersetzen. Nicht genug, die Redaktorin bewältigt auch noch die Administration, verschickt die Einzahlungsscheine für die Abonnemente und hängt sich auch einmal ans Telefon, um einen Abonnenten umzustimmen, der die 25 Franken pro Jahr kostende Zeitung abbestellt hat. Dank einer intensiven Werbekampagne, in der die Chefredaktorin und Gion Pol Simeon viele Surmeirer persönlich ansprachen, konnte die Auflage um 500 Stück gesteigert werden! Wenn man bedenkt, daß in Graubünden nur knapp 3000 Menschen surmeirisch reden, bedeuten 1200 Exemplare eine sensationelle Auflage. Ein Drittel der Auflage geht ins Unterland oder ins Ausland, was beweist, wie viele Oberhalbsteiner in der Fremde leben. Es belegt jedoch auch, daß die Auswanderer die Verbindung zu ihrer alten Heimat nicht abreißen lassen.

Frau Steier, mit einem einheimischen Lehrer verheiratet, ist eine geborene Peduzzi aus dem Bergell. 1938 zog die Familie aus dem italienischsprachigen Bündner Südtal ins Oberhalbstein. Weil die Bergeller in Savognin eine Metzgerei eröffneten, also auf einheimische Kunden angewiesen waren, lernten sie rasch und gut Romanisch. Der Vater ermahnte seine sechs Töchter immer wieder eindringlich, die Sprache des Tales zu reden, was leicht fiel, weil Savognin damals ein ganz und gar romanisches Dorf war. Die Familie Peduzzi integrierte sich sprachlich vollkommen, ja die Peduzzis entwickelten sich, wie das bei Konvertiten nicht selten zu beobachten ist, zu fast fanatischen Vertretern der Sprache, zu welcher sie «übergetreten» waren. Dennoch blieben die tüchtigen Zuzüger lange eine Gruppe für sich. Vor zwanzig Jahren gaben ihnen die Savogniner das Bürgerrecht, die Mädchen ehelichten einheimische Männer, doch trotzdem redet man vom Peduzzi-Clan wie von etwas nicht ganz Integriertem. In Savognin ist offenbar eine Zeitspanne von mindestens drei Generationen vonnöten, bis Einwanderer wirklich voll und ganz «dazugehören» . . .

Romanisch ist die Umgangssprache in der Familie Steier-Peduzzi. Das belegt eine kleine Episode, die Frau Steier erzählt, nachdem sie glücklich das letzte Jota an der heutigen Ausgabe bereinigt hat: «Wir nahmen vor einigen Jahren ein deutschsprachiges Pflegekind bei uns auf, empfanden es jedoch als Tortur, mit dem Kinder immer deutsch reden zu müssen. Die ständige Anwesenheit eines Fremdsprachigen störte irgendwie unseren Familienkreis, zwang uns, in privaten Unterhaltungen das Romanische aufzugeben, was wir als unnatürlich empfanden.» Trotz der totalen Präsenz des Romanischen in der Familie Steier, machte die frischgebackene Redaktorin eine beunruhigende Entdeckung: «Ich erschrak richtig, als ich realisierte, wie schlecht ich surmeirisch schreiben konnte, und das ist, wie ich nach drei Jahren Redaktionsarbeit weiß, das Problem vieler Oberhalbsteiner. Man redet ganz selbstverständlich romanisch, aber mit dem Schreiben hapert es gehörig.» Kraß offenbart sich hier die Problematik der romanischen Schule, die dann mit dem deutschen Unterricht beginnt und die Muttersprache zurückbindet, wenn das Kind einigermaßen schreiben gelernt hat. «Jeder schreibt, wie er will», erklärt Rina Steier mit einem Tonfall zwischen Lachen und Verzweiflung; «Sorgen bereiten mir auch die zunehmend auftauchenden deutschen Satzstellungen, die zum Teil davon herrühren, daß die Beiträge zuerst in Deutsch entworfen und dann auf Romanisch übersetzt werden.» Obwohl die surmeirische Schrift seit Jahrzehnten festgelegt ist, herrscht offenbar im Tal noch große Unsicherheit; nicht zuletzt weil Pater Duri Loza, wie im Kapitel über die katholische Kirche dargestellt, für seine religiösen Übersetzungen eine eigene Transskription benutzt! Der Individualismus der Oberhalbsteiner läßt sich eben nur schwer in sprachliche Schemata pressen.

Für ihre 10 000 Franken Jahresgehalt, soviel wie ein Redaktor im Tiefland in gut zwei Monaten verdient, leistet die Redaktorin ein gerüttelt Maß an Arbeit. Sie kann zwar auf die Beiträge mehrerer Korrespondenten in den Dörfern zählen, oft Nekrologe oder Gratulationen, doch der Druck, Woche für Woche eine Zeitung herauszubringen, lastet auf ihr. «Manchmal», gesteht sie, «wünsche ich mir ein Redaktionsteam, wo man sich gegenseitig inspirieren oder aufstellen könnte.» Das freilich muß im Blick auf das Budget ein Wunschtraum bleiben.

b) Die «Gasetta Romontscha» legt Wert auf die Linie

«Ich nehme die ‹Gasetta› und dann weiß ich, was ich stimmen muß», sagt treuherzig ein älterer Landwirt am runden Tisch der «Casa Job» in Trun am Vorabend des kantonalen Urnenganges über das Berufsbildungs-Gesetz. Der Bündner Oberländer steht mit seinem Vertrauen in die «Gasetta Romontscha» nicht allein da. Tausende nehmen die Direktiven dieser größten romanischen Zeitung als Richtschnur, wenn sie Stimm- oder Wahlzettel beschriften. Mit seiner Auflage von 5400 Stück ist das surselvische Blatt, verglichen mit der Leserzahl der «Pagina da Surmeir», ein Riese. Die «Gasetta» wurde 1857 mit Hilfe der katholischen Kirche als Gegenkraft zu den liberalen Zeitungen, welche die surselvische Presselandschaft damals beherrschten, gegründet. Die ersten Nummern der «Gasetta Romontscha» verließen in Chur die Druckerpresse, bald jedoch erschien die Zeitung in Disentis. Seit den Gründerjahren erlebt das Blatt einen stetigen Aufschwung, den es nach der Überzeugung des heutigen Chefredaktors Giusep Capaul und des Herausgebers Pius Condrau vor allem der Konstanz der redaktionellen Linie verdankt. Seit jeher vertritt das Blatt die konservative politische Linie der CVP und steht der katholischen Kirche sehr nahe. Der Chefredaktor erklärt: «Eine Zeitung darf nicht nur nach den Launen der Redaktoren gemacht werden, ein Blatt wie die ‹Gasetta› muß Farbe bekennen und Rücksicht nehmen auf die Bevölkerung.» Der Leserschaft der «Gasetta Romontscha» kann längst nicht alles zugemutet werden, was beispielsweise im «Blick» (der im Oberland viel gelesen wird) steht. Dabei sind weniger nackte Busen gemeint als Berichte, welche der politischen und religiösen Linie des Blattes zuwiderlaufen. Als eine Gruppe junger Surselver, darunter der heutige Sekretär der «Lia Rumantscha», eine neue Beilage mit dem Namen «Accents» in der «Gasetta» starteten, stießen sie rasch auf Widerstand. Grund: die «Accents» sprangen zu wenig respektvoll mit CVP und starren Gesellschaftsformen um. Ja sie wagten, die intensive Verbindung zwischen der Partei und der geistlichen Macht zu kritisieren. Giusep Capaul: «Im Volk gibt es eine feine Empfindung für das, was in unserem Blatt möglich und tragbar ist. Mit der Zeit spürt man, was man den Lesern zumuten kann und was nicht.» Ohne irgendwelchen Unterton erklärt er: «Ich fürchte das Volk und die Kanzel.» Der Chefredaktor weiß, wovon er spricht: Der Klerus drohte mit einer Unterschriftensammlung wegen der «Accents», was das sofortige Ende des Experiments bedeutete. Heute fristet die Beilage, die in der «Gasetta Romontscha» wie Dynamit gewirkt hatte, in der «Bündner Zeitung» ein wenig beachtetes Schattendasein. Eingeschlossen durch deutsche Berichte wirken die romanischen Texte etwas verloren und erzeugen bei weitem nicht jene explosive Wirkung wie seinerzeit als Kontrastmittel in der erzkonservativen «Gasetta Romontscha». Zur Affäre der «Accents» meint Capaul zusammenfassend: «Die Surselver sind sehr empfindlich, wenn sie von den eigenen Leuten kritisiert werden. Wenn Leute, die sich mit dem Geld des Staats ausbilden (vorwiegend Studenten machten die «Accents»), die tragenden Säulen der Gemeinschaft zum Zittern bringen, erzeugt das im Volk eine Wut.»

Spurlos ist das Debakel um die «Accents» an der «Gasetta Romontscha» nicht vorübergegangen: Das Blatt verlor damit eine ganze Generation junger, talentierter Korrespondenten, die bestimmt nicht immer linienkonform geschrieben, dafür aber den verkarsteten Boden wohltuend aufgelockert hätten.

Während fast die gesamte Schweizer Presse eine wichtige Rede Präsident Reagens zur Budgetpolitik auf die Frontseite setzte, prangt auf der ersten Seite der «Gasetta» ein großer Bericht über die Installation eines neuen katholischen Geistlichen in Disentis. Das erwarten die Leser von ihrer Zeitung; genauso wie die vielen, oft ausführlichen Nekrologe. Auffallend auch immer wieder Gedichte aus dem Leserkreis zu Familienfesten oder beruflichen Erfolgen, welche der Zeitung ihr typisches Cachet geben.

*

Gesamtschweizerisch kämpfen manche parteipolitisch allzu stark fixierten Blätter mit Existenzproblemen, nicht so die «Gasetta», deren Lebenselixier, bis jetzt jedenfalls, die enge Bindung an die CVP war. Giusep Capaul ist sich seiner Macht bewußt, wenn er in einem Leitartikel vor Nationalratswahlen einen Kandidaten favorisiert. Er kann sicher sein, daß die meisten Leser den Stimmzettel mit dem «richtigen» Namen in die vor der Kirche stehende Urne werfen.

Die Union von CVP und katholischer Kirche hat diese Zeitung stark gemacht und ihr im Kreis Disentis eine je nach Gemeinde 75- bis 100-prozentige Abonnementsquote beschert. Auch im unteren Teil der Surselva haben ein Viertel bis die Hälfte aller Haushalte die «Gasetta» abonniert. Hunderte von abgewanderten Oberländern gehören zu den treusten Lesern der surselvischen Zeitung. Trotz so viel Leserbindung sind kritische Töne gegenüber der «alten Tante aus Disentis» besonders bei jüngeren Leuten unüberhörbar. «Um die ‹Gasetta› kommen wir nicht herum», erklärt eine kritisch eingestellte Frau in Trun, «wir brauchen sie als Informationsquelle, damit wir wissen, was im Tal läuft und geht. Wer seine Weisheit allerdings nur aus der ‹Gasetta Romontscha› schöpft, wird einseitig informiert. Eine gute

Zeitung muß ein Forum der Meinungen darstellen, und das ist die ‹Gasetta› leider nicht.» Immer wieder hört man von kritischen Surselvern, die Zeitung sollte sich auch anderen Strömungen öffnen, sonst laufe sie Gefahr, daß ihr in absehbarer Zeit jüngere Leser scharenweise nicht nur die Gefolgschaft, sondern auch das Abonnement kündeten.

*

Dank einem Inseraten-Pool mit dem «Fögl Ladin», der Zeitung am anderen Ende der rätoromanischen Welt, kann den Inserenten ein Potential von gegen zehntausend Abonnenten geboten werden, was beide Blätter wirtschaftlich stärkte. Für das Privatunternehmen Stampa Romontscha Condrau SA ist die «Gasetta» ein Aktivposten in der Bilanz, denn die Leser halten dem Blatt bis dato die Stange, wenn sie auch mehr und mehr weitere Zeitungen als Korrektiv abonnieren. In den romanischen Regionen außerhalb der Surselva lesen praktisch nur die übersiedelten Oberländer das Blatt aus Disentis. Eine junge Engadinerin im Kindergärtnerinnenseminar in Chur erklärt kurz und bündig: «Die ‹Gasetta› ist die Zeitung der andern.»

c) Die Distel aus Zernez

Der rätoromanische Blätterwald ist zwar nicht gerade üppig, er spiegelt aber doch die Vielfalt der romanischen Szene Graubündens, die politischen, konfessionellen und sprachlichen Koordinatensysteme. Neben Angepaßtem und Bravem, das nirgends anstoßen will, neben heiler Welt, Folklore und verklärenden Nachrufen blüht Angriffig-Kritisches. «Il Chardun» (die Distel) heißt die stachligste Pflanze im alpinen rätischen Blätterwald, ein satirisches Monatsblatt, das in Zernez herausgegeben wird. Als Redaktor zeichnet Jacques Guidon, Sekundarlehrer und Kunstmaler.

Der Sohn einer romanischen Bauernfamilie aus Zernez ist ein Engadiner, der die Welt gesehen und sich dann für seine engste Heimat entschieden hat. Der hünenhafte Maler, dessen Bilder auch in Amerika hängen, braut mir einen Kaffee, während sein Hund Pierlin (Kreisel) sich langsam mit dem Besuch abfindet. Pierlin, betont der Meister, versteht nur Romanisch!

Jacques Guidon lebte und arbeitete für einige Zeit in Kanada. Seine besondere Sympathie gilt den Inuit, den Ureinwohnern des Landes: «Der künstlerische Ausdruck Kanadas ist das Resultat der völkischen Zusammensetzung dieser Nation», sagt er, «wirklich eigenständig und unverwechselbar ist nur die Kunst der Urbevölkerung, der Indianer und Eskimos. Die Eskimos nennen sich ganz schlicht und einfach ‹Inuit›, was ‹Mensch› heißt. Ihre Kunst ist echt, menschlich, unverfälscht. Leider sind schon weiße Krämer hinzugekommen, die das Geschäft gewittert und damit das Ursprüngliche vergewaltigt haben.» Parallelen zu den Ureinwohnern, den «Indianern und Eskimos» des Engadins, sind gewollt. Guidon fühlt sich als einer dieser Inuits, bedroht von fremden Kolonisten, welche die Menschen des Hochtales entkernen und entmündigen, ihnen in letzter Konsequenz die Identität nehmen. So einfach wie bei den kanadischen Ureinwohnern liegen die Dinge bei den Engadinern nicht, denn mancher Ladiner hat die «fremden Kolonisten» gerufen und ihnen bereitwillig seine blühenden Wiesen verkauft. Die Gemeinden überließen die sprudelnden Bäche, ja sogar die schneebedeckten Bergriesen den Fremden zur Nutzung. Dennoch kämpft Jacques Guidon auf mehreren Fronten, manchmal bis an die Grenze des Nervenzusammenbruchs. In der Sekundarschule, wo er Romanisch, Französisch, Geschichte und Deutsch erteilt und gemäß Lehrplan zu überwiegend deutschsprachigem Unterricht gezwungen wäre, redet er «romanisch, wo immer das möglich ist». Im «Chardun» nimmt er mit seinen Karikaturen die Auswüchse des Tourismus und der Bodenspekulation auf die Hörner. Als Kampfblatt gegen diese bedrohlichen Entwicklungen ist die «Distel» im rätoromanischen Blätterwald gesät worden. «Wer behauptet, die Pressefreiheit sei immer gewährleistet, der nimmt den Mund zu voll», schreibt Guidon im Vorwort zu einer Karikaturen-Sammlung des «Chardun», «zwar ist sie in der Verfassung verankert. Doch seien wir ehrlich: in der Praxis wird diese entscheidende Freiheit noch und noch durch die Zensur eingeschränkt. Sobald eine Zeitung von Inseraten abhängig ist, ist es eigentlich verständlich, wenn sie keine Artikel abdruckt, die sich gegen ihre Inserenten richten. In den 70er Jahren, als die Hochkonjunktur sogar die noch einigermaßen intakten Regionen des romanischen Sprachgebietes zu gefährden und die Expansion des Tourismus zu erzwingen begann, hätte die bestehende einheimische Presse keine Artikel der Opposition veröffentlichen können.» «Il Chardun» nahm und nimmt kein Blatt vor den Mund. Obwohl es vermutlich die Ängste und Bedenken manches Einheimischen formuliert, ist das satirische Blatt im Engadin nicht wirklich populär geworden. Vielleicht, weil die «Distel», getreu ihrem Namen, wenige liebenswürdige Seiten zeigt und den überlegenen, feinen Nadelstich kaum praktiziert. Da beherrschen – in Karikaturen von Jacques Guidon – Bagger und Krane die Szene, die Einheimischen werden betend vor dem Tourismus-Altar karikiert. Manche Engadiner, auch solche, die mit den Auswüchsen des Fremdenverkehrs nichts zu schaffen haben, verübeln den Redaktoren das «Giftspritzen», wie sich gleich mehrere meiner Gesprächspartner ausdrückten.

«Als Lehrer und Pfarrer können die gut kritisieren», äußert sich eine ältere Dame in Samedan, «sie haben feste Stellen und beziehen pünktlich jeden Monat ihren an die Teuerung angepaßten Lohn!» Ungerührt durch solche Kritik kämpfen die «Distel»-Macher weiter. Jacques Guidon verweist darauf, daß es im Oberengadin an einem Wintertag mehr Holländer als Romanen gäbe, wobei die Holländer nicht einmal auf Platz eins der Fremdenverkehrsstatistik figurierten ... «Wir erleben ein sprachliches und geistiges Interregnum, wo die alte Kultur zur Folklore degradiert wurde», erklärt er mit bebender Stimme, als ob er diesen Satz zum erstenmal sagen würde. Dem ist freilich nicht so: Guidon sagt das jedem, ob er es hören will oder nicht.

Erleichtert springt Pierlin auf, als mich der unbequeme Künstler in sein Atelier führt, wo nichts von süßlicher geschäftsträchtiger Folklore, wie andere Engadiner Maler sie pinseln, zu erkennen ist. Spontan führt er mich, vorbei an großflächigen abstrakten Kompositionen, zuerst zu einem Bild, in dessen Zentrum die berühmten Zeilen des ladinischen Dichters Martinus ex Martinus (1644–1703) stehen:

A tots pagiais e natiuns	Allen Völkern und Nationen
parta Deis oura da seis duns,	teilt Gott seine Gaben aus,
mo'l principal es cur Deis dâ	die größte ist:
ilg seis soinch plaed cun LIBERTAT	Sein heiliges Wort in Freiheit.

*

«Es geht mir nicht gut heute», begrüßt mich Armon Planta am Tor seines uralten Engadinerhauses in Sent, «ich bin krank, ich habe Krebs.» Der so direkte Empfang verschlägt mir für einen Moment die Sprache. Der pensionierte Sekundarlehrer, Mitarbeiter des «Chardun», Schriftsteller und Leserbrief-Schreiber, ist es gewohnt, schmerzhafte Tatbestände beim Namen zu nennen. «Ich werde weiterkämpfen», sagt er trotzig, «auch wenn wir verlieren!» Mit spitzer Feder kämpft er gegen Hochspannungsleitungen, Zweitwohnungen und, fanatisch, für seine «Sprache des Herzens», das Rätoromanische. Dabei redete seine Mutter mit ihm ausschließlich walserdeutsch! Auch er also ein «Konventierter», der zwar mit Vater und Schwester romanisch sprach, jedoch erst als Mann bewußt Romane geworden ist. «Gezündet hat es bei mir viele Jahre später als Sekundarlehrer im abgelegenen Val Müstair in rein romanischer Umgebung», erinnert er sich, «dort entschloß ich mich, meinen deutschen Taufnamen Hermann in den romanischen Armon zu verwandeln und bewußt als Romane zu leben.» Planta widmet sich gegenwärtig zur Hauptsache der Erforschung alter, nicht mehr benutzter Wege in Graubünden, einer symbolträchtigen Forschungsarbeit.

Armon Planta singt das Loblied der «guten alten Zeit», wo die Menschen «mit dem Tod vor Augen lebten, weil Kriege und Seuchen sie immer wieder heimsuchten, und dennoch so vieles an Schönem geschaffen haben». Alles was nicht echt und wahr ist, läuft ihm zuwider; die als Engadinerhäuser kaschierten Wohnblocks beispielsweise gehen ihm auf die Nerven. Als guter Kenner der Engadiner Geschichte und als Mensch, der mit sich und seiner Umgebung ehrlich ist, läßt er in seine Hymne auf die gute alte Zeit auch Wermutstropfen fallen. So erzählt er, daß die mit einheimischem Holz getäferte Stube, in der wir unser Gespräch führen, im letzten Jahrhundert von den damaligen Hausbesitzern blau gestrichen worden sei. Die Bauern fanden das offenbar modern und schätzten die althergebrachte Kultur gering. Klar, daß der neue Hausherr den störenden Firnis auf dem Althergebrachten, Echten und Wahren längst mit eigener Hand entfernt hat.

Die Elite des Tales schickte damals ihre Kinder in deutschsprachige Schulen und schien sich, so Planta, des Ladinischen fast zu schämen. Armon Planta, der mit seinen Söhnen in Sent einen verlotterten Hof mit 12 Hektaren Land kaufte und das Anwesen in gemeinsamer Anstrengung sanierte, arbeitet auch heute noch in der Landwirtschaft mit. «Ich habe das Glück, daß ich in einer einigermaßen heilen Welt leben kann», meint er.

Drei Kilometer vom Adlerhorst des «Chardun»-Mitarbeiters entfernt weht ein Hauch des 21. Jahrhunderts: Nach dem anregenden Gespräch beschließe ich, mich im Hallenbad von Scuol zu erfrischen. Der Eingang des Bades funktioniert vollautomatisch, «um Personal zu sparen», wie mich der deutschsprachige, aus dem Unterland kommende Bademeister aufklärt. Leise Musik von James Last erfüllt den antiseptischen Raum. Verloren steht an der Wand der rätoromanische Hinweis «Chapütscha per bognar obligatorica» und daneben das gleiche in deutsch: «Badekappen obligatorisch». Im Swimmingpool ein babylonisches Sprachengewirr. Romanisch höre ich nicht.

d) Das «Fögl Ladin»

«Dumanda a Domenica», ein fast geflügelter Begriff im Oberengadin. «Frag Domenica», ein rettender Ausweg, der immer dann beschritten wird, wenn Einheimische mit ihrem Puter Probleme haben. Sei es, daß sie Wörter nicht wissen oder eine kunstgerechte Übersetzung eines Textes auf Romanisch benötigen. Domenica Messmer ist die sprachliche Autorität im gefährdeten Gebiet in der Bannmeile von St. Moritz. Eine Fanatikerin nennen sie die einen, während andere ihren Namen fast ehrfurchtsvoll aussprechen. Den

Respekt versagen ihr nicht einmal ihre Gegner, denn die Achtzigjährige hat viel für die Sprache geleistet.

Einen ersten Gesprächstermin läßt sie platzen, weil sie als Redaktorin des «Fögl Ladin» einspringen muß, der Redaktor Jon Manatschal ist abwesend. Beim zweiten Anlauf klappt es, und das Erstaunlichste: die hellwach und gütig aussehende Frau nimmt sich Zeit, viel Zeit, obwohl ihr Büro vollgestopft ist mit Arbeiten, die sie noch fertigmachen muß: Korrekturen von Manuskripten, welche ihr ladinische Schriftsteller regelmäßig zur Durchsicht anvertrauen, denn selbst für sie gilt die große alte Dame als letzte sprachliche Autorität. Kein Wörterbuch, keine Grammatik, kein Schulbuch aus ihrem Sprachraum, wo sie nicht beratend, korrigierend oder als Übersetzerin wertvolle Hilfe geleistet hat. Die Ferienablösung auf der Redaktion des ladinischen Blattes bedeutet eine Heimkehr, denn Domenica Messmer arbeitete während Jahrzehnten auf der Redaktion des Blattes. An der Wand ihres Büros, das gleichzeitig als Wohnstube dient, hängt ein Zinnteller mit den Daten 1920–1970, gespendet von der Stamparia Engiadinaisa, der Herausgeberin der Zeitung, für selbstlosen Einsatz auf der Redaktion. «Ich mache mich nützlich», wehrt die Frau ab, die sehr gerne Lehrerin geworden wäre, aber den Beruf einer Sekretärin ergriff, weil Mädchen aus dem Engadin damals kaum das Seminar im fernen Chur besuchten.

Früh hat sie realisiert, daß ihr Heimatdorf Samedan in einer sprachlichen Gefahrenzone liegt: «Es beschäftigte mich als kleines Mädchen kolossal, als die Rhätische Bahn durch den Albulatunnel nach Samedan fuhr und mit dem faszinierenden Dampfzug so viele Wörter kamen, die ich nicht verstand.» Begriffe wie «Gramper», «Schwellenhöhe» oder «Verbot, auf den Boden zu spucken», irritierten das aufgeweckte Kind, wirkten wie Fremdkörper. Was mit der so wichtigen Bahn zu tun hatte, war ausschließlich in der deutschen Fremdsprache angeschrieben, und die Engadiner brauchten willig die fremden Vokabeln.

Autodidaktisch lernte Frau Messmer Italienisch, Englisch und Französisch und ließ sich an einer Handelsschule in Luzern in die Geheimnisse der Buchhaltung einführen. Auf ein Inserat, in dem der verheißungsvolle Satz stand: «Romanischkenntnisse vorausgesetzt», meldete sie sich 1920 bei der Stamparia Engiadinaisa. Wenig später arbeitete sie bereits an der Redaktion des von Men Rauch neugegründeten «Fögl d'Engiadina» mit, aus dem 1940 das «Fögl Ladin» entstand.

Sie hat in ihrem langen, erfüllten Leben keine materiellen Schätze angehäuft und vieles ohne Bezahlung oder für einen symbolischen Lohn geleistet. Die zwei Millionen, welche die «Ligia Romontscha» vom Bund pro Jahr erwartet, erscheinen ihr als gewaltige Summe. «Wenn wir jetzt soviel Geld

Das «Fögl Ladin», die romanische Zeitung ▷ des Engadins, erscheint zweimal pro Woche in einer Auflage von 3700 Stück.

kriegen sollen, dann müssen wir aber *alle* Idiome fördern, denn nur wenn wir das tun, bleibt das Romanische erhalten!»

*

Jon Manatschal, seit 1970 Redaktor am «Fögl Ladin», übersetzt gerade ein Auto-Inserat auf Romanisch, als ich ihn besuche. «Das ist wegen der fehlenden Wörter eine Plage», macht er sich Luft, «und dennoch müssen wir es tun; denn deutschsprachige Inserate veröffentlichen wir nur im Notfall.» Manatschal will keinem Weltblatt Konkurrenz machen; auch das «Fögl» rapportiert und kommentiert das Lokale, Regionale. In einem Dutzend Jahren konnte die Engadiner Lokalzeitung ihre Auflage immerhin um tausend auf 3700 steigern. Trotz Inseratenverbund mit der «Gasetta Romontscha» ist das von der Stamparia Engiadinaisa (die dem Zürcher Verlag Conzett und Huber gehört) herausgegebene Blatt keine Goldgrube. Manatschal schmeißt die Redaktion des parteipolitisch nicht fixierten Blattes zusammen mit einem Assistenten, dabei stützt er sich auf Korrespondenten aus den Dörfern, von denen er Beiträge «vom besten Romanisch bis hinunter zum Primarschulniveau» erhält.

«Ich bin froh, daß der ‹Chardun› existiert», gesteht der Chefredaktor, «wenn jemand etwas Allzukritisches bei uns veröffentlichen will, dann rate ich ihm, den Artikel an Jacques Guidon nach Zernez zu schicken.» Manatschal kann und will sich weder mit den Inserenten noch mit den Potentaten des Tales verkrachen. Das «Fögl Ladin» brilliert darum nicht durch Angriffigkeit, sondern spiegelt eher die unproblematische Seite der Engadiner Realität. Ähnlich wie die «Gasetta Romontscha» räumt das «Fögl Ladin» den Toten breiten Raum ein. Die Spalte «Nos morts», in der nicht selten die Verdienste der Verblichenen um die romanische Sprache gewürdigt werden, fehlt in kaum einer Ausgabe.

e) «La Casa Paterna/La Punt»

Bis 1974 erschienen sie getrennt, die beiden protestantischen romanischen Blätter «Casa paterna» (surselvisch) und «La Punt» (sutselvisch); Kostenprobleme führten zur Fusion. Zwei Redaktoren, Jakob Michael, Pfarrer in Zillis, und Jon Clopath, Lehrer in Trin, besorgen heute die Redaktion. Clopath verfaßt immer wieder gut recherchierte Berichte aus der Region, welche die «Casa Paterna» zum interessanten Lesestoff für die Minderheit der evangelischen Surselver macht.

198

Auf die Frage, wie er zu seinen Korrespondentenberichten für die «Punt» komme, lacht Pfarrer Michael verschmitzt: «Ich habe keine Mühe, die Zeitung zu füllen. Wenn ich nach dem Gottesdienst aus der Kirche komme, gebe ich allen die Hand und sage dem einen oder andern, ‹du könntest auch etwas schreiben für die ‹Punt› und du auch›, und sie sind so lieb und schreiben!» Pfarrer Michael gibt seine Gedanken und Erfahrungen im Pfarrhaus neben der Zilliser Kirche mit der weltberühmten, bemalten romanischen Holzdecke zu Protokoll. Dank viel freiwilligem Einsatz und mit einem Beitrag der «Ligia Romontscha» kann das Blatt Woche für Woche erscheinen. Unter seinen treuen Lesern sind viel abgewanderte Romanen aus Mittelbünden, die in der liebgewonnenen, schmalen Zeitung erfahren können, wie der «Chor mischedau da Flond» gesungen hat oder wer, auch in diesem Blatt wichtig, gestorben ist. Bedächtig nimmt Pfarrer Michael die Honorar-Abrechnung des vergangenen halben Jahres hervor. Für 34 Berichte hat er insgesamt 1123.90 Franken an seine Korrespondenten bezahlt, darunter sind Reportagen über die Erneuerung eines Kirchengeläutes, einen Alpaufzug oder ein Gedicht über den Bergfrühling. «La Casa Paterna/La Punt» wendet sich an den protestantischen Leser, verfolgt jedoch, getreu dem Parteien-Pluralismus bei den evangelischen Rätoromanen, keine fest umrissene politische Linie.

f) Proportionen

Die romanische Presse umfaßt, die kleinsten Periodika mit eingerechnet, fast zwei Dutzend Blätter und Blättchen. Ein Blick auf das Sortiment der Zeitungskioske in Romanischbünden zeigt jedoch schlagartig die gewaltige Übermacht der deutschsprachigen Presse. Etwas den großen, farbigen Illustrierten Vergleichbares kann es im begrenzten romanischen Raum nicht geben, Tageszeitungen vom Umfang der bedeutenden Regionalblätter der Deutschschweiz liegen weit über dem Potential selbst des bedeutendsten romanischen Raumes, der Surselva. Die «Bündner Zeitung», das größte deutschsprachige Blatt des Kantons, berichtet, wie auch das kleinere «Bündner Tagblatt», viel über die Anliegen und Probleme des romanischen Bevölkerungsteils. Tausende von Rätoromanen zählen zu den Abonnenten der beiden Tageszeitungen. Auffallend ist, daß Entwicklungen, die für rätoromanische Regionen von höchster Bedeutung sind, zuerst oft in Zeitungen der Deutschschweiz kritisch aufgerollt und durchleuchtet werden. So schlug die «Neue Zürcher Zeitung» als erste mit einem mehrseitigen Bildbericht Alarm, als die Oberengadiner Gemeinde Sils fast die ganze Ebene vor dem Dorf zur Bauzone erklärt hatte und damit eine Landschaft von unvergleichlicher Ausstrahlung der Verwüstung preisgeben wollte.

*

Erst eine Sammlung der rätoromanischen Kräfte in einem Magazin oder einer Tageszeitung, in der alle Idiome vertreten sind, wird eine Publikation von größerem Gewicht möglich machen: Ein gedrucktes Medium, das – so ist zu hoffen – nicht auf allzu viele Tabus und heilige Kühe Rücksicht nehmen muß, eine Publikation, die durch Privatinitiative entstehen müßte, jedoch auf finanzielle Unterstützung durch die «Lia Rumantscha» zählen könnte.

21. Radio und Fernsehen

Beirut/Jerusalem, (sda/afp/dpa)
Per l'emprema gada ha il retg dalla Jordania, Hussein, appellau alla organisaziun per la deliberaziun dalla Palestina, PLO, da renconuscher il dretg d'existenza digl Israel. A caschun d'ina intervesta dalla societad da televisiun britta, BBC, ha Hussein detg la gievgia sera, ch'ina tala decisiun muntassi in grond agid pils stats arabs e dismettess «in impediment per l'avertura da tuttas portas». Il president dil Libanon, Amin Gemayel, ha retschiert il venderdis il minister per fatgs digl exteriur dil Danemarc ed actual president dil cussegl dils ministers dalla Communitad europeana, Uffe Ellemann-Jensen.

Beirut/Jerusalem, (sda/afp/dpa)
Der jordanische König Hussein hat die Palästinensische Befreiungsorganisation (PLO) erstmals aufgefordert, das Existenzrecht Israels anzuerkennen. In einem Interview der britischen Fernsehgesellschaft «BBC» sagte Hussein am Donnerstagabend, eine solche Entscheidung würde für die arabischen Staaten eine große Hilfe darstellen und «ein Hindernis für die Öffnung aller Türen» beseitigen. Der libanesische Präsident Amin Gemayel hat am Freitag den dänischen Außenminister und gegenwärtigen EG-Ministerratspräsidenten Uffe Ellemann-Jensen empfangen.

(Sursilvan)

a) Start in Zürich

«Radio der deutschen und rätoromanischen Schweiz» heißt es nicht zufällig, denn auch im Bereich des Rundfunks spannen Deutsch und Romanisch zusammen. Von Zürich, wo das Studio 1924 seinen Betrieb aufnahm, gingen die ersten «emissiuns» in den Äther. Die romanischen Sendungen bis zur Anerkennung der vierten Landessprache im Jahre 1938 lassen sich einzeln aufzählen, ohne daß die Liste besonders lang würde.

Nach der historischen Volksabstimmung stieg der Anspruch der Rätoromanen auf etwas mehr Präsenz am Radio. Alle zwei Monate sendete das Studio fortan die «Cronica retoromontscha»; vier Predigten pro Jahr ergänzten das romanische Programmangebot. Zweimal jährlich berichteten zudem ein Engadiner und ein Oberländer in deutscher Sprache über den Landessender Beromünster, was sich in romanischen Landen zutrug. Diese Chroniken von Jon Pult und Erwin Durgiai, beide in Buchform herausgekommen, offenbaren eine erstaunliche Vielfalt von Aktivitäten während der Nachkriegsjahre. Es ist, als hätte die Anerkennung als Landessprache bei den Romanen neue Kräfte mobilisiert.

Jon Pult kann beispielsweise von der Gründung der «La Culissa» berichten (1944), einer Unterengadiner Theatergruppe, die mit so begabten Kräften wie Jon Semadeni, Men Rauch und Cla Biert bald Furore macht und dem kulturellen Leben im Engadin kräftige Impulse verleiht.

Erwin Durgiai erzählt begeistert von der Feier zum hundertjährigen Geburtstag des surselvischen Nationaldichters Giachen Caspar Muoth in Breil, wo 1945 mehrere tausend Rätoromanen zu einem Volksfest ohne Beispiel zusammenströmten! Die beiden Chronisten können vom Erfolg der romanischen Kindergärten berichten, Dutzende von dichterischen Werken vom Gedichtband bis zum Drama vorstellen, ja sogar eine neue Bibelübersetzung ins Ladinische feiern. All diese Aktivitäten schreien förmlich nach einer stärkeren Präsenz der romanischen Sprache am Radio. Zwar ist die «Cuminanza Radio Rumantsch» (CRR), die romanische Radiogesellschaft, bereits 1946 in Chur gegründet worden, doch erst im Februar 1954 kann Jon Pult in seiner Chronik berichten: «Das Rundspruchwesen ist dieses Jahr in eine neue Phase getreten. Die ‹CRR› ist Mitglied der Schweizerischen Rundfunkgesellschaft geworden und kann nun offiziell die rätoromanischen Interessen vertreten. Der Rundfunk mit der weiten Ausstrahlung des gesprochenen Wortes ist für unseren Sprachkampf von besonderer Bedeutung. Wir können dem Studio Zürich dankbar sein, daß es schon lange romanische Sendungen betreut und ihnen einen im Vergleich zur Hörerzahl großen Platz einräumt.» Typisch romanische Bescheidenheit! Eine halbe Stunde pro Woche hörte man damals die vierte Landessprache am Radio. Die Sendungen realisierte der Münstertaler Tista Murk, wobei ihm die Wohnung als Büro und Studio diente. Später unterstützte ihn die Engadinerin Paulina Vonmoos, die heute noch, inzwischen Frau Caduff-Vonmoos, beim romanischen Radio arbeitet. Tista Murk gilt als Pionier der Annäherung unter den Romanen. In seiner rasch populär gewordenen Sendung «Viagiond cul microfon» (Unterwegs mit dem Mikrofon) bestand er darauf, daß in jedem Beitrag mehrere Idiome zum Zuge kamen. Seine erste Mitarbeiterin stellte er nicht zuletzt darum an, weil sie als Inspektorin der romanischen Kindergärten Ladinisch und Surselvisch beherrschte.

Er war überzeugt, daß ein Zuschütten der Gräben zwischen den Rätoromanen nur durch den zwangslosen Gebrauch der Idiome an den Medien zu erreichen ist. Was der Pionier vor dreißig Jahren in die Wege geleitet hat, gilt heute noch: Viele romanische Radiosendungen zeichnen sich durch ein entkrampftes Nebeneinander der Mundarten aus. Geändert hat sich freilich vieles: Während die Radio-Pioniere am Tag der Sendung noch mit den Bändern in der Mappe mit der SBB nach Zürich fahren mußten, verfügt die «CRR» heute längst über ein eigenes Studio, die Programmstelle der SRG in Chur. Die knapp zwei Dutzend Mitarbeiter sind im Vergleich zu den 3000 SRG-Angestellten eine verschwindende Minderheit, doch sie sorgen für eine romanische Präsenz im Äther, die sich der Chronist aus den vierziger Jahren wohl kaum hätte träumen lassen. Die kleine, 0,8 Prozent der Schweizer Bevölkerung umfassende Volksgruppe ist, was die Sendezeit betrifft, bei Radio DRS gut vertreten; dennoch sehen sich die romanischen Programmgestalter immer wieder von der Übermacht der deutschsprachigen Medien in den Schatten gestellt. Wenn 19.20 Uhr laut Publikumsforschung der SRG ein Viertel aller Rätoromanen die romanische Nachrichtensendung «Novitads» einstellt, haben die meisten bereits die deutschsprachigen Nachrichten und das «Echo der Zeit» gehört. Die internationalen und nationalen Meldungen sind darum oft eine Wiederholung von bereits Gehörtem. Erst die regionalen und lokalen Nachrichten bringen für den Hörer die echten Neuigkeiten. Die hohe Einschaltquote beweist, daß eine große Zahl von Romanen diese Sendung schätzt und daß viele von der Möglichkeit Gebrauch machen, in ihrer Muttersprache Informationen zu hören, die nicht unbedingt taufrisch sein müssen. Weil eine ganze Reihe von Mitarbeitern die «Novitads» betreuen, kommen in dieser Sendung mit hoher Hörerbeteiligung alle Idiome zum Zug. Gerade die «Novitads» leisten einiges im Bereich des aktuellen Gebrauchs der Sprache. Hier wird der Hörer mit neuen Begriffen aus Politik, Gesellschaft und Technik konfrontiert. Wo der Redaktor den Eindruck hat, daß die Hörer eine Vokabel nicht verstehen, umschreibt er sie kurz oder fügt in Ausnahmefällen auch das deutsche Wort bei. Das Problem der Verständlichkeit besteht nicht nur für die rätoromanischen Medien; Umfragen belegen, daß das Zielpublikum auch in den anderen Sprachgebieten bedeutend weniger vom Inhalt bestimmter Meldungen versteht, als die Redaktoren ahnen.

b) Ausbau des Programmangebots

Ein Blick auf die Programme zeigt, daß das Studio in Chur in erster Linie die Funktion eines Lokal- und Regionalradios erfüllt. Der Großteil der Sendungen befaßt sich mit dem, was sich zwischen Inn und Vorderrhein abspielt. Volkstümliches und Berichte aus der Landwirtschaft nehmen einen gebührenden Raum ein. Maria Cadruvi, eine der Redaktorinnen, wehrt sich aber gegen die Unterstellung, daß das «Radio Rumantsch» den idyllischen Stil der Gartenlaube pflege. «Wir berichten nicht nur übers Heuen!» meint sie und weist auf eine Sendung über Depressionen hin, die sie gerade fertiggestellt hat. Programme über medizinische, pädagogische und technische Gebiete beweisen, daß das Radio durchaus den Puls der Zeit widerspiegelt. Engagierte Sendungen, welche Lebens- und Überlebensfragen der rätoromanischen

Minderheit von Grund auf und schonungslos analysieren, sind allerdings selten: Die Kleinräumigkeit der rätoromanischen Welt, wo «jeder jeden kennt», zwingt die Medienleute, zurückzustecken, wo sie sich lieber deutlich äußern würden. Tatbestände wirklich offen darzulegen, birgt die Gefahr, einem Dorf- oder Talpotentaten zu nahe zu treten und damit Geschirr zu zerschlagen. Auch bei der Bewertung kultureller Leistungen aus dem romanischen Gebiet ist Rücksicht auf die dünne Haut der Poeten zu nehmen. Leistungen, die in einem Millionenvolk kaum zum Schimmern kämen, strahlen in einem Bergtal bereits und dürfen, um Gottes Willen, von Chur aus nicht herabgemindert werden.

Als konzessioniertes, staatliches Medium ist das Radio der rätoromanischen Schweiz zu «Ausgewogenheit» verpflichtet. Sepp Item, der Informationschef, erklärt: «Bei kritischen Problemen lassen wir beide Seiten zu Wort kommen, in den Kommentaren halten wir uns zurück.»

Das Resultat von so viel Ausgewogenheit ist ein Radio, das manchmal zu leise tritt und auf kritische Geister gelegentlich zu harmlos wirkt. Die Medienschaffenden leiden unter einer gewissen Enge, einem Fehlen von Alternativen. «Manchmal bedrückt es mich schon, wie wenige berufliche Möglichkeiten man in der romanischen Medienszene hat», gesteht ein Mitarbeiter der Programmstelle in Chur; «was bleibt mir außer dem Radio? Einzig ein Posten bei der ‹Gasetta Romontscha›, mit deren politischer Linie ich mich überhaupt nicht identifizieren kann.» Wo die Medienschaffenden in der deutschen Schweiz sich in einem sehr breiten Spektrum von Zeitungen, Zeitschriften, Radio- und Fernsehprogrammen behaupten müssen, fehlt den Romanen die Herausforderung der Konkurrenz. Die Pläne für private Radiosender, für ein gedrucktes Magazin für alle Idiome könnten für Alternativen, für Belebung sorgen. Anderseits bietet eine Sprachgruppe mit der Bevölkerungszahl einer mittleren Schweizer Stadt nicht unerschöpflich Stoff für Berichterstattung.

Eine wichtige Funktion erfüllt mit ihren 18 Sendungen jährlich die «Radioscola», der Schulfunk. Cristian Joos, der Leiter dieser Abteilung, versteht es, romanisch sprechende Fachleute für Sendungen zu engagieren, die den Unterricht in den Schulen Romanischbündens bereichern.

Neben Beiträgen aus dem Lebenskreis der Schüler, beispielsweise über behinderte Kinder, vermittelt die «Radioscola» Sendungen aus der weiten Welt, die durch gut dokumentierte Begleithefte ergänzt werden.

Neben den vierzig Radiominuten täglich nimmt sich das romanische Fernsehangebot mit 35 Minuten wöchentlich knapp aus. Sendungen wie das Magazin «Svizra Romontscha» brillieren mit jeweils über hunderttausend Zuschauern, also doppelt so vielen, wie in der Schweiz rätoromanisch sprechen! Viele Deutschschweizer sehen sich das volkstümliche Magazin neben

Radio Mitarbeiter Pieder Simeon im ▷
Churer Studio.

rund vierzig Prozent aller Rätoromanen an. Die zehnminütige romanische Wochenschau «Telesguard», Kinderstunden und romanische Predigten runden das Fernseh-Angebot ab. Die Sendezeiten sind freilich «unter aller Kritik», wie Romedi Arquint festhält. Wer sich zum Beispiel «Svizra Romontscha» zu Gemüte führen will, hat die Wahl zwischen Sonntagnachmittag 16.15 bis 17.00 oder Donnerstag ab 22.25 Uhr.

Mit nicht einmal zwanzig Planstellen und einem jährlichen Betriebsbudget von 2,4 Millionen für Radio und Fernsehen (soviel, wie im Ausland für eine einzige Fernsehserie budgetiert wird), leisten die elektronischen Medien in Romanischbünden ein Maximum an Sendungen. Dennoch wirkt das Überangebot der deutschsprachigen Radio- und Fernsehprogramme fast entmutigend. In einer Eingabe an die Generaldirektion der SRG beantragte die «Cuminanza Rumantscha Radio e Televisiun» darum mehr Mittel für eine beträchtliche Aufstockung des Programms. Ab 1984 sollen täglich vier Stunden romanische Radiosendungen über den Äther gehen, ein Teil der Sendezeit als leichtes, von Moderatoren aller Idiome begleitetes Musikprogramm. Romanisch in lockerer Form zwischen amerikanischer Country music, ladinischen Liedern und französischen Chansons zu hören, wird manchen animieren, auf die «Romanische Welle» überzuwechseln, der heute Südwestfunk oder «Radio 24» hört. Ein romanisches Radio, das auch Sendungen dieser Art bietet, wird das Rätoromanische einen Schritt weiter in Richtung Gleichberechtigung führen, in Richtung einer normalen Präsenz im täglichen Leben, die Romanisch erst wirklich zur vierten Landessprache macht.

*

«Als einzige Medien erreichen Radio und Fernsehen alle Rätoromanen», erklärt Clemens Pally, Leiter der Programmstelle Chur; «Radio und Fernsehen sind so zu einem Ersatz für das fehlende Kulturzentrum der Rätoromanen geworden.» Tatsächlich geht alles, was in der Welt der Rätoromanen etwas zu sagen hat, im Churer Studio ein und aus. Die elektronischen Medien üben eine verbindende Funktion aus, bringen die Romanen einander näher, machen sie mit den Freuden und Sorgen ihrer Sprachgenossen, die ein anderes Idiom sprechen, vertraut. Umso erstaunlicher, daß die jahrzehntelange Konfrontation mit den anderen Idiomen, die Unterschiede zwischen den einzelnen Sprachen nicht nivellierte, sondern eher noch ausprägte. Ein rätoromanisches «Wir-Bewußtsein», das sich über politische, konfessionelle und idiomatische Grenzen hinwegsetzt, konnten auch Radio und Fernsehen bis heute nicht schaffen.

22. Rätoromanisch im Militär

«Gestern ist das Romanische wehrpflichtig geworden», titelte die «Bündner Zeitung» am 17. Dezember 1981. Anlaß für die Schlagzeile auf der Frontseite: Der damalige Ausbildungschef der Armee, Korpskommandant Wildbolz, übergab dem Bündner Regierungsrat Reto Mengiardi frisch gedruckte Dienstreglemente in Surselvisch und Ladinisch. Erstmals zeigte damit die vierte Landessprache militärisch offiziell Flagge! Ernst Wildbolz hörte im Sommer 1979 eine Radiosendung, die den Überlebenskampf des Rätoromanischen schilderte. Spontan hatte er die Idee, etwas für das Romanische im Militär zu tun und das Dienstreglement auch ins Romanische zu übersetzen. Bundesrat Gnägi, damals für das Militärdepartement zuständig, konnte sich für das Vorhaben ebenfalls begeistern, und so machte sich eine Gruppe von Fachleuten ladinischer und surselvischer Zunge an die Übersetzung des «Grundgesetzes aller Soldaten». Vom «Reglament da survetsch» für die Oberländer Wehrmänner sind 9000 Exemplare gedruckt worden, vom «Reglamaint da servezzan» für die Engadiner 7000 Stück.

Die Journalistin Marietta Dedual, gebürtige Oberhalbsteinerin, läßt in ihrem Kommentar in der «Bündner Zeitung» einige herbe Wermutstropfen in den Becher der Freude fallen: «Obwohl die Dienstreglemente nicht mit Weihnachtspapier umwickelt waren, war an der gestrigen Feier einmal mehr von einem ‹Geschenk› die Rede. Und mit diesem einzigen Wort kommt einmal mehr die ganze Tragik rund ums Rätoromanische zum Ausdruck. Jede, auch die kleinste Bemühung für das Kulturgut wird mit einem ‹Geschenk› gleichgesetzt. Aber dieses ‹Vier-Franken-Geschenk› an den Soldaten ist nur das, was ihm zusteht. Mit aller Anerkennung und mit Würdigung dieser Leistung muß doch auch bemerkt werden, daß es so nicht weiter gehen kann. Die Politik der kleinen Schritte in Ehren, aber mit diesen ‹Zückerchen› – einmal hier und einmal dort – wird die romanische Sprachförderung zur Chaos-Kultur... Und zudem will der Romane nicht noch auf Jahrzehnte hinaus betteln und danke schön sagen.» Das sind neue, selbstbewußte Töne aus dem Lager der Romanen! Wenn vielleicht auch (noch) nicht repräsentativ, sind sie immerhin in einer Auflage von 35 000 Exemplaren verbreitet worden. In einer deutschsprachigen Zeitung notabene; die romanischen Blätter geben sich da zurückhaltender.

*

Rudolf Cajochen, zur Zeit unseres Gesprächs noch Oberst, jetzt Brigadier, ist in Ruschein bei Ilanz aufgewachsen, einer noch heute größtenteils romanischen Gemeinde. Im Regiment 36, das Cajochen damals als Oberst kommandierte, sind von rund 3500 Mann etwa die Hälfte Romanen, vierzig Prozent Deutschsprachige und etwa zehn Prozent Italienischsprechende. Im Bataillon 91, einer Unterabteilung des Regiments, leisten mehrheitlich Surselver Dienst, auch im «92» und «93» sind viele Rätoromanen eingeteilt. Das Bataillon 114 der Grenzbrigade 12 schließlich gilt mit achtzig Prozent Ladinern als das «Engadinerbataillon». Bereits 1978 sammelte der Sekretär der «Pro Engiadina bassa», Peder Rauch, Unterschriften zur Lancierung von romanischen militärischen Einheiten. Rudolf Cajochen sieht durchaus die Möglichkeit für ein Surselver- und ein Engadiner-Bataillon: «Die Soldaten wären da, aber das romanische Kader fehlt!»

Die überwiegende Mehrheit der rätoromanischen Soldaten drängt es nicht dazu, auf der militärischen Stufenleiter aufzusteigen; besonders an surselvischen Offizieren herrscht extremer Mangel. Als Zwischenlösung wird darum vorerst die Schaffung von je zwei romanischen Kompanien pro Bataillon angestrebt.

Weil für die fachliche Ausbildung nicht die geringsten romanischen Unterlagen verfügbar sind und allein mit dem surselvischen und ladinischen Dienstreglement kein Krieg zu gewinnen ist, wird in romanischen Einheiten Deutsch unentbehrlich bleiben. Selbst wenn nach und nach Unterlagen für die einzelnen militärischen Fachgebiete auch in Romanisch erscheinen werden, müssen sich die 0,8 Prozent romanisch sprechenden Soldaten der Schweizer Armee damit abfinden, daß ihrer Muttersprache nie volle Parität eingeräumt werden kann.

Rudolf Cajochen verfügt vermutlich über die größte Erfahrung mit mehrsprachigen Truppenverbänden. Als Kommandant der Grenadier-Rekrutenschule in Isone mußte er sich mit Vertretern aller vier Landessprachen arrangieren. «Während Welsche und Tessiner lauthals protestierten, wenn etwas nicht in ihre Muttersprache übersetzt wurde, regte sich kaum ein Romane auf, daß seine Sprache unberücksichtigt blieb», erinnert sich der Bündner Kommandant, «die Deutschsprachigen mußten nicht reklamieren. Sie erhalten, was ihnen sprachlich zusteht, selbstverständlich. Auch im Militär.»

Rätoromanische Truppenformationen, auch wenn der eine oder andere sie als ‹Extrawurst› empfindet, sind in Wirklichkeit nichts anderes als das, was bei den anderen Sprachgruppen so normal ist wie das Feldgrau der Uniformen. Eigentlich erstaunlich, wie lange die Romanen nicht dagegen aufmuckten, daß man ihre Muttersprache im Militär auf allen Fronten links liegenließ.

Die Bereitschaft ist in der Armee heute viel größer, den Anliegen der Sprachminderheiten Gehör zu schenken. Vermutlich darum, weil erst jetzt die Bedürfnisse von seiten der Romanen mit der nötigen Vehemenz vorgebracht werden. Auch als Umgangssprache macht das Romanische im Militär Terrain gut; dazu Rudolf Cajochen: «Der Gebrauch der Muttersprache hat im Militär viele Vorteile. Die Soldaten wirken entspannter, alles ist für sie weniger formell, und die Wehrmänner kommen viel öfter mit Anliegen zum Kommandanten, wenn sie wissen, daß sie nicht deutsch reden müssen.» Unter diesen Auspizien werden sich vermutlich auch mehr Rätoromanen zur Übernahme von Führungsfunktionen entschließen können. Und damit hätte die vierte Landessprache einen weiteren Schritt in Richtung Wehrpflicht getan.

23. Hoffnung

L'um vegl e ses figls

In um vegl vuleva – avant che murir – dar a ses tschintg figls in cussegl sco mussavia per la vita. El ha piglià tschintg bastuns ed ha fatg cun quels in fasch. Ussa ha el cumandà a mintgin da rumper quel fasch. Ma tanta fadia ch'els sa davan, nagin è stà bun da rumper il fasch. Qua ha il vegl slià il fasch ed ha mussà als figls, quant lev ch'igl è da rumper ils bastuns in ad in.

Cura che l'um vegl è mort, ha el relaschà als figls ses luvratori. Mintga figl era engurd e vuleva salvar la gronda part da l'ierta paterna per sesez. Els han cumanzà a sa dispittar. Mintgin vuleva savair il megler co che fiss d'administrar il luvratori.

E perquai ch'els n'èn betg vegnids perina, han els pers tut quai ch'els possedevan. Els n'avevan betg chapì il cussegl dal bab.

(Rumantsch Grischun)   tenor La Fontaine

Der Vater und die fünf Söhne

Ein alter Mann wollte seinen fünf Söhnen vor seinem Tod einen Rat auf den Weg durchs Leben geben. Er nahm fünf Stöcke und band diese zu einem Bündel zusammen. Nun ließ er jeden versuchen, das Bündel entzweizubrechen. Aber wie sehr sie sich auch anstrengten, es gelang keinem. Da nahm der Alte das Bündel auseinander und zeigte den Söhnen, wie leicht es ist, wenn man die Stäbe einzeln bricht.

Der alte Mann starb und hinterließ den Söhnen seine Werkstatt. Jeder war habgierig und wollte den größten Teil des Erbes für sich. Sie zerstritten sich, und jeder wollte es besser wissen, wie der Nachlaß zu verwalten wäre.

Weil sie nicht einig wurden, verloren sie den ganzen Besitz. Sie hatten den Rat des Vaters nicht verstanden.

nach La Fontaine

a) Die «Lia Rumantscha» in der Herausforderung

Intensives Gespräch in der Chasa Rumantscha, dem Sitz der «Lia Rumantscha» in Chur: *Romedi Arquint,* Präsident, und *Bernard Cathomas,* Sekretär, besprechen die laufenden Projekte der Romanen-Bewegung. An den getäferten Wänden des gemütlichen Sitzungszimmers hängen kühne, abstrakte Kompositionen des Zernezer Malers Jacques Guidon. Der Wandschmuck, von einem überzeugten Romanen im letzten Drittel des 20. Jahrhunderts geschaffen, paßt zu den Diskussionen der beiden Spitzenvertreter der «Lia Rumantscha». Zuerst kommt das sogenannte *Neologismen-Programm* aufs Tapet, das mit vielen Schwierigkeiten kämpft, aber dennoch gute Fortschritte macht. Dabei geht es um die Schaffung neuer Wörter, gegenwärtig vor allem für Berufsleute. Auf dem Tisch liegt das gerade fertiggestellte Brevier zum Thema Sport, wo auf vierzig Seiten zu Tafeln aus dem Bildwörter-Duden die

Romedi Arquint, der Präsident (vorne), ▷
und Bernard Cathomas, der Sekretär der
«Lia Rumantscha».

romanischen Bezeichnungen in vier Idiomen zusammengestellt sind. Allein für die Rubrik «Baden» liefert das moderne Wörterbuch 105 Vokabeln von «il caubogn» (der Badewärter) bis zu «las nudaglias da sfunsar» (Tauchflossen). Das Neologismen-Problem wird die beiden noch lange in Atem halten, denn die Lücke bei den neuen Wörtern ist enorm, und fast täglich tauchen weitere Begriffe auf, die auch ins Romanische übertragen werden müssen.

Geldmangel, ein nicht abreißendes Gesprächsthema seit der Gründung des Dachverbandes, hält auch das gegenwärtige Führungsteam in Atem. Die Organisation, auf der so viele Aufgaben lasten, muß mit einem beschämend kleinen Budget wirtschaften. Die Einnahmen von rund 1,7 Millionen (1982) setzen sich vor allem aus Leistungen von Bund und Kanton zusammen. Eine Fülle von Institutionen und Projekten hängt von diesen Geldern ab. So erhalten die regionalen Sprachgesellschaften finanzielle Unterstützung von der «Lia Rumantscha». Die kleineren romanischen Zeitungen könnten sich ohne die Geldspritzen der Dachvereinigung nicht mehr über Wasser halten.

Zwei Dutzend «acziuns specialas», jede einzelne wichtig für die Sprache, können sozusagen nur tröpfchenweise mit Geld unterstützt werden: So das Neologismen-Programm (Fr. 26 000.−), die Assimilationskurse für fremdsprachige Zuzüger in den Gemeinden (Fr. 33 000.−), für Übersetzungsleistungen, Theaterkurse oder für die Realisation der immer wichtiger werdenden audiovisuellen Unterrichtsmittel.

Umso mehr löste 1981 die Kürzung der Bundessubventionen um zehn Prozent beim Vorstand und den Delegierten der «Ligia Romontscha» Betroffenheit, ja Wut aus. Zwar hat der Bund diese Sparaktion am untauglichen Objekt (nachdem der Kanton mehr Zuschüsse beschloß) wieder rückgängig gemacht und erhöhte die Beiträge etwas, dennoch ist die zentrale Vereinigung der Rätoromanen alles andere als auf Rosen gebettet.

Die «Lia Rumantscha» verfaßte 1980 eine Eingabe an den Bundesrat, in der sie ihre weitgefächerten Aufgaben für die Zukunft dem kargen Budget gegenüberstellte und um eine Aufstockung des Bundesbeitrages auf 1,9 Millionen Franken jährlich ersuchte. Auf den ersten Blick mag das als großer Brocken erscheinen. Der Vergleich mit den Bundesgeldern für den Ausbau der Bündner Hauptstraßen von 81,6 Millionen Franken für die Jahre 1982 bis 1984 stellt die Proportionen jedoch rasch wieder her.

Die Eingabe erzeugte ein breites Presse-Echo; offensichtlich gilt es bereits als Sensation, wenn die Rätoromanen es wagen, mehr zu fordern, als man ihnen zubilligt.

Mit der Wahl von Romedi Arquint und Bernard Cathomas Ende der siebziger Jahre, beide damals anfangs dreißig, zog ein frischer Wind durch die Organisation. Eine allzu frische Brise, wie altverdiente Kämpfer für die Sache

Verkehrserziehung auf romanisch. ▷

der Rätoromanen befürchteten. Die neue Art, Probleme bei den Hörnern zu packen, rief bei der älteren Generation nicht selten Stirnrunzeln oder Kopfschütteln hervor. Die beiden Männer erwarben sich jedoch das Vertrauen der Delegierten und des Vorstandes. Ohne die Unterstützung dieser Vertreter der Regional- und Tochtergesellschaften wären dem Präsidenten wie dem Sekretär die Hände gebunden.

Das Gespräch zwischen Romedi Arquint und Bernard Cathomas wird immer wieder durch Telefonanrufe unterbrochen. «Das Interesse an unseren Problemen ist stark gestiegen», erklärt der Sekretär, nachdem er den Hörer aufgelegt hat, «ein Genfer Parlamentarier rief an, weil er im Genfer Großen Rat eine Motion einbringen will, des Inhalts, der Kanton Genf solle die Rätoromanen finanziell unterstützen!» Mit den selbstbewußten Forderungen an den Bund, aber auch mit anderen Aktionen ist eine Art Lawine losgerissen worden, deren Auswirkungen noch nicht zu überblicken sind.

Die Zeit des freundschaftlichen, in ladinischer und surselvischer Mundart gehaltenen Spitzengespräches ist abgelaufen. Auf Romedi Arquint wartet im oberen Stock des Hauses eine Klasse des romanischen Kindergärtnerinnen-Seminars, der er Unterricht in der Muttersprache erteilt. Jahrzehntelang bildete die «Lia Rumantscha» mit ihrem schmalen Budget die Kindergärtnerinnen für das romanische Sprachgebiet aus, eine Aufgabe, die der Kanton ab 1983 übernimmt.

Das Pflichtenheft der Organisation ist so weitgefächert, daß man sich wundert, wie es überhaupt mit nur vier fest angestellten Kräften bewältigt werden kann. Zusätzlich zu den obenerwähnten Einsatzgebieten wirkt die «Lia Rumantscha» als Dokumentations- und Koordinationszentrum, sie wirkt beratend, beispielsweise bei Übersetzungsproblemen, und gibt der romanischen Sprachbewegung wichtige Impulse. In einer Zeit, wo die Existenzprobleme der vierten Landessprache mehr und mehr an die Öffentlichkeit dringen, gewinnt kompetente Information an Bedeutung. Die «Lia Rumantscha» nimmt auch diese Aufgabe wahr und vertritt die Sprachbewegung der Rätoromanen gegen außen. Sie ist im übrigen der bedeutendste Verlag romanischer Bücher, namentlich auch von Wörterbüchern.

Seit ihrer Gründung im Jahre 1919 ist die «Lia Rumantscha/Ligia Romontscha» ein fein ausbalanciertes Gebilde, das die komplizierte Wirklichkeit der rätoromanischen Welt spiegelt. Getragen wird der Dachverband von den regionalen Sprachgesellschaften, die proportional ihrer Stärke die Delegierten stellen. Die vier Regionalgesellschaften zeigen alle ein unverwechselbares Gesicht. Die katholische, in der Surselva beheimatete *Romania* mit ihrer starken Bindung an die CVP präsentiert sich anders als die evangelische, parteipolitisch ungebundene *Renania*. Der Vorschlag, die beiden Vereine zusammenzuschließen, erlitt kläglich Schiffbruch. Christian Caduff, während langer Jahre Präsident der «Renania» und Redaktor von «La Casa paterna», der Zeitung dieses Sprachvereins, wehrt entschieden ab: «Nein, solche Experimente verträgt es nicht, wir könnten uns in einem fusionierten Verein gegen die schwarze Lawine aus dem Oberland nicht wehren!»

Die Regionalgesellschaften stehen mit ihren Aktivitäten der Bevölkerung näher als die Dachorganisation; nicht zuletzt wegen der Kalender, der Bücher und der Zeitungen, welche sie herausgeben. In der Engadiner *Uniun dals Grischs*, in der *Uniung Rumantscha da Surmeir*, in der *Romania* und der *Renania* wird viel freiwillige Arbeit geleistet, die in keinem Honorarkonto zu Buche schlägt.

Die Delegierten der vier regionalen Sprachgesellschaften und der drei angeschlossenen Tochtergesellschaften (siehe Schema im Anhang) wählen den Präsidenten und den Vorstand, dieser den Sekretär der «Lia Rumantscha». Der evangelische Engadiner Romedi Arquint und der katholische Oberländer Bernard Cathomas bilden, auch was die Balance betrifft, ein fast ideales Gespann. Nur die Tatsache, daß Romedi Arquint von Beruf Pfarrer ist und der Sozialdemokratischen Partei angehört, ist für einzelne ein Dorn im Auge. Konfessioneller Streit hat im Gefolge der Reformation die Romanen auseinanderdividiert; ein religiöser Eiferer als Präsident könnte auch heute noch viel Geschirr zerschlagen. In einem Kanton, wo neun von zehn Stimmbürgern bürgerlich wählen, sind die Sozialdemokraten, die nur in der Region Chur auf eine bedeutende Wählerschicht zählen können, als Linkspartei den breiten konservativen Wählerschichten nicht ganz geheuer. Daß der «linke» protestantische Pfarrer aus Chapella das Rennen dennoch machte, beweist eine Entkrampfung, ein Näherrücken der Romanen und mehr Toleranz.

Wo eine Wahl jedoch das delikate Gleichgewicht zu stören droht, formieren sich Gegenkräfte. Als der Vorstand 1980 Hans Caprez, einen qualifizierten, jedoch protestantischen Oberländer zum Sekretär wählte, erhoben sich in den einflußreichen Kreisen der Surselva Proteststürme. Zwei Protestanten an der Spitze des Dachverbandes wollte man nicht tolerieren! Kam dazu, daß Hans Caprez als Redaktor beim «Beobachter» Exponenten der Bündner Politik zu nahe getreten war. Gegen die Wahl des katholischen, mit mehr diplomatischen Gaben ausgestatteten Bernard Cathomas lief niemand Sturm.

Die Galerie der romanischen Spitzenvertreter ist lang und abwechslungsreich. Neben so diskreten und kultivierten Akademikern wie dem Kantonsschulprofessor Jon Pult, der in den fünfziger Jahren als Sekretär wirkte, führten autoritäre Männer wie Stephan Loringett das Schifflein der Rätoromanen durch die widrige See. Der in Chur lebende Schamser amtete von 1944 bis 1963 als Präsident und engagierte sich total für die Sache der

Rätoromanen. Er förderte die Ausbildung der Kindergärtnerinnen und setzte sich mit dem ihm eigenen Elan für die Edition von Wörterbüchern und anderen Grundlagenwerken ein. «Er führte die ‹Ligia› wie eine Privatangelegenheit», erinnert sich einer seiner Mitarbeiter, «ernannte die Leute, die ihm paßten, und motivierte sie durch seine fast suggestiven Kräfte.»

Ein so autoritärer Fünrungsstil wäre heutzutage weder möglich noch wünschbar. Die heutige Führungsmannschaft sieht sich bei aller Zielstrebigkeit nicht als alleinige Sachwalterin der Romanenbewegung. Initiativen von kleineren Gruppierungen werden begrüßt und womöglich unterstützt, auch wenn sie eine extremere Linie als die «Lia Rumantscha» vertreten.

Die Dachorganisation der Rätoromanen ist ein Gebilde, das sich der Politik nicht entziehen kann. Ohne die Zustimmung der wichtigsten politischen Kräfte läuft in der «Lia Rumantscha» nichts. Die Spitzenpositionen wurden und werden immer wieder von Männern mit politischen Ambitionen besetzt. Die Ämter von Präsident und Sekretär können sowohl das Sprungbrett für eine politische Karriere bilden als auch als Altenteil für ausgediente Politiker dienen. Für beide Varianten gibt es Beispiele; anderseits verzeichnet die Liste der Präsidenten und Sekretäre auch einige Exponenten ohne ausgeprägten Drang zur Politik.

b) Einsatz an der Basis

Die Eingabe der «Lia Rumantscha» aus dem Jahr 1980 an den Bundesrat listet die anvisierten Ziele auf. Sie reichen von Assimilations-Programmen für Zugezogene bis zur Herausgabe eines Wochenmagazins, das mit Beiträgen in allen Idiomen das gegenseitige Verständnis fördern soll. Weil die Gemeinden eine Schlüsselstellung einnehmen, will die Organisation noch mehr als früher mit Gemeindebehörden Kontakte pflegen und die Verantwortlichen ermuntern, die lokale Sprache in Publikationen und in Anschriften zu verwenden. Viel, sehr viel Kleinarbeit wird nötig sein, um lange Versäumtes in den Dörfern nachzuholen. Daß es möglich ist, beweist die Gemeinde *Trun*, wo auf private Initiative hin mit Unterstützung der «Ligia Romontscha» alle deutschen Anschriften an Geschäften und öffentlichen Gebäuden durch surselvische ersetzt worden sind. Der Tapetenwechsel wirkt verblüffend. Trun ist jetzt auch optisch ein romanisches Dorf. Die vielleicht größten Brocken im unfangreichen Aufgabenkatalog betreffen das Rätoromanische als Sprache ganz direkt. Das Neologismenprogramm stattet das Romanische mit den vielen Begriffen aus, ohne die es den Schritt in die kommenden Jahrzehnte kaum bewältigen kann. Das Projekt «Rumantsch Grischun» (siehe Abschnitt e) wird den 50 000 Rätoromanen, in letzter Minute, eine geschriebene Verbindungssprache, vorerst für amtlichen Gebrauch, zur Verfügung stellen.

c) Gräben zuschütten

«Von dem was die ‹Lia› macht, habe ich hier noch nichts gespürt», erklärt ein Laviner und meint damit, daß hinter den sieben Bergen im deutschsprachigen Chur ein Büro existiere, von dem man in der Zeitung zwar immer wieder liest, das aber nichts Konkretes zustande bringe. Der Mann aus Lavin spricht das aus, was Romanen in den Tälern immer wieder äußern. Dabei profitiert er, offensichtlich ohne es zu wissen, von dem, was «die in Chur» leisten. Zwei seiner Kinder besuchen die «Scoletta», deren Leiterin im Kindergärtnerinnen-Seminar im Haus der «Lia Rumantscha» ausgebildet worden ist. Er hat das «Fögl Ladin» abonniert, das Zuschüsse aus dem Budget der «Lia» erhält, benutzt den *Dicziunari*, der genauso von der Dachorganisation der Romanen herausgegeben oder finanziell unterstützt worden ist wie die Werke ladinischer Schriftsteller, die einen Ehrenplatz auf dem Bücherbrett in seiner Engadinerstube einnehmen.

*

Eine Elite, die sich eher mit Literatur als mit den Bedürfnissen des Alltags auseinandersetzte, trug während Jahrzehnten die Sprachbewegung: «Alibiromanen», die nur zu oft nicht im Sprachgebiet lebten. Tatsächlich ist ein Graben auszumachen zwischen «denen da oben» und den 95 Prozent der Bevölkerung, die sich nicht besonders engagieren und einfach mehr oder weniger gut Romanisch reden, weil es eben ihre Muttersprache ist.

Die Gefahr der «Kastenbildung», einer schädlichen Distanz zwischen den «Berufsromanen» und dem sogenannten Volk, ist auch heute noch nicht gebannt. Die Arbeit der Wissenschafter beispielsweise, welche in Chur das rätoromanische Wörterbuch mit akribischer Genauigkeit verfassen, wird von vielen nicht verstanden. Die Romanisten des *Dicziunari Rumantsch Grischun* sichten Sprachschätze der Vergangenheit und stellen sie unter großem Aufwand für die Nachwelt zusammen. Die Fachleute arbeiten in einer Art Elfenbeinturm ohne intensiven Kontakt zu dem, was den Rätoromanen hier und heute auf der Zunge brennt. Jede Sprache braucht Grundlagenforschung, mithin trägt der *Dicziunari* zur Existenz des Rätoromanischen einiges bei. Linguisten haben jedoch in diesem Jahrhundert auch beträchtlichen Schaden angerichtet; sie fahndeten zu oft nach den Unterschieden der einzelnen Idiome. Das Gemeinsame ist dabei oft unter die Räder geraten.

Fast jedes romanische Tal erlebte heftige Grabenkämpfe der zerstrittenen Fachleute um linguistische und grammatikalische Finessen. Streitereien, die viel Kraft kosteten und bewirkten, daß sich das Volk verständnislos abwandte. Die Sprachbewegung, welche nur Durchschlagskraft entwickeln kann, wenn die ganze Bevölkerung dahinter steht, isolierte sich, wurde teilweise zur Domäne einer uneinigen Elite. Heute beginnt sich die Einsicht durchzusetzen, daß sich die Herausforderungen der kommenden Jahre und Jahrzehnte nicht mit Kirchturmpolitik bestehen lassen.

Das Ziel heißt, auf einen kurzen Nenner gebracht: Sammlung der Kräfte, um der vierten Landessprache endlich normale Existenzbedingungen zu verschaffen.

e) Rumantsch Grischun: steiniger Weg zur Ausgleichs-Sprache

Anna Capadrutt, bald eine der letzten, die noch den Dialekt des Heinzenberger Dorfes Präz redet, zeigte sich bitter enttäuscht, als die in den vierziger Jahren geschaffene sutselvische Schriftsprache so wenige charakteristische Elemente ihrer geliebten Präzer Mundart enthielt. Der Schamser Lehrer und Schriftsteller Curo Mani hat den *Pledari sutsilvan* verfaßt, das Wörterbuch für den mittelbündnerischen Sprachraum, zu dem auch der Heinzenberg gehört. Unter dem Stichwort «Mutter» steht die Vokabel «mama», während man in Präz «moma» sagt und auch schreiben möchte.

Obwohl seit der Setzung der Normen für die sutselvische Schriftsprache Jahrzehnte ins Land gegangen sind, verletzt es Frau Capadrutt auch heute noch, wenn der Redaktor der Zeitung «La Punt» ihre im Präzer Dialekt verfaßten Artikel gemäß der offiziellen sutselvischen Diktion korrigiert. «Darum arbeite ich jetzt lieber fürs Radio», gesteht sie, «da kann niemand an meiner Sprache herumkorrigieren.» Die Frau ist zeitlebens für «ihr» Romanisch, die Mundart von Präz, eingestanden. Für einen Hungerlohn hat sie, auf fast verlorenem Posten, in der Scoletta den Kindergartenschülern «ihr» Romanisch mit Liebe und Hingabe beigebracht, bis sie schließlich einsehen mußte, daß es keinen Sinn mehr hatte. Aus der Scoletta ist inzwischen ein Kindergarten mit einer deutschsprachigen Leiterin geworden. Anna Capadrutt hat sich vom Kampf für ihre Mundart zurückgezogen, doch wenn sie für sich ein Gedicht, eine kleine Erzählung schreibt, dann nur in Präzer Mundart.

Wenn es mir nicht schon längst bewußt geworden wäre, nach dem langen Gespräch mit der standhaften Heinzenbergerin weiß ich es: *das* Rätoromanische gibt es nicht. «Romanisch» ist ein unzureichender Sammelbegriff für eine schillernde Vielfalt von Sprachen! Und für den einzelnen Rätoromanen bedeutet «Romanisch» *sein eigenes Idiom,* ja die Mundart des Dorfes, in dem er aufgewachsen ist.

*

Die Schweiz erlebt gegenwärtig eine Renaissance der Dialekte, die auch die Mundarten des Welschlandes, das Patois, aufwertet. Im Gegensatz zu den Rätoromanen verfügen die drei großen Sprachgebiete des Landes über Schriftsprachen, die *über* oder *neben* den Mundarten stehen.

Es ist kaum vorstellbar, vor welchen Problemen die Deutschschweiz heute stünde, wenn sie nicht vor Jahrhunderten die auf der Luther-Bibel basierende neuhochdeutsche Schriftsprache aus dem Norden hätte «importieren» können. Während die Deutschschweizer Mundarten weit entfernt von der Schriftsprache in großer Vielfalt blühen, heißt die Devise bei den Romanen seit jeher: «Schreib wie du sprichst.» Resultat: Fünf Schriftsprachen mit einigen Gemeinsamkeiten, aber auch beträchtlichen Unterschieden. Wie die Klage der Anna Capadrutt beweist, passen dennoch manche Ortsdialekte nicht mal in den relativ feinen Raster der Schrift-Idiome. Der in abgeschlossenen Tälern gewachsene rätoromanische Mikrokosmos umfaßt in Wahrheit nicht fünf, sondern Dutzende von Dialekten! Pfarrer Lozas Mundart von «Murmarera» läßt sich sowenig in das vorgegebene Schema pressen wie das Romanische von Obervaz, dem Theodor Ebneter jetzt mit einem Wörterbuch die Reverenz erwiesen hat. Ebneter bezeichnet sein Vokabular als ein «Wörterbuch ausschließlich mündlicher romanischer Sprache», was die Vazer wohl kaum davon abhalten wird, das Nachschlagewerk auch für Schriftliches zu konsultieren.

*

Alle Rätoromanen könnten bequem in einem größeren Fußballstadion Platz finden, und dennoch leisten sie sich die Extravaganz von fünf Schriftsprachen! Daß sich dieser schier unglaubliche Individualismus bis heute erhalten konnte, erweist sich immer mehr als Hypothek. Anläufe zur Überwindung der so unhandlichen Situation verzeichnet die Geschichte der romanischen Sprachbewegung immer wieder, doch sie verliefen jedesmal im Sande.

Der Trunser Benediktiner *Placidus a Spescha* (1752–1833) versuchte es als erster. Der bedeutende Denker und Naturforscher muß sich der Schwere seiner Aufgabe voll bewußt gewesen sein, wird er doch nicht müde, Gott um

Beistand anzuflehen. Aufgrund phonetischer Beobachtungen entwickelte er ein Alphabet für sämtliche «rätischen Laute» und versuchte daraus eine rätoromanische Brückensprache zu entwickeln. Es mußte bei der Utopie bleiben, zumal a Spescha eine geradezu abenteuerliche Schriftsprache aus den verschiedenen Idiomen herausdestillierte.

Den nächsten bedeutenderen Versuch unternahm *Gion Antoni Bühler* (1867–1895), Professor am Churer Lehrerseminar. Der Emser orientierte sich weniger an den einzelnen Idiomen als am Lateinischen, was zu einer Schriftsprache führte, «der alles fehlte, was den verschiedenen romanischen Dialekten ihren Charakter gibt», wie sich der Romanist Arthur Baur ausdrückt. Bühlers Initiative wirbelte gewaltigen Staub auf, weil er seine Neuschöpfung am Lehrerseminar praktisch erprobte und in den «Annalas» der damals neu gegründeten «Società Retorumantscha» Artikel in der allromanischen Schriftsprache veröffentlichte. Während zweier Jahre gab der initiative Vorkämpfer gar eine Zeitschrift heraus und setzte es durch, daß der Kanton das offizielle Lesebuch für die mittleren und oberen Schulklassen in seiner «Fusionssprache» veröffentlichte! Mit wenig positivem Echo, denn für das «Romontsch fusionau» mit seinen vielen italienischen Fremdwörtern konnte sich niemand begeistern. Nach einer turbulent verlaufenen Bezirks-Lehrerkonferenz mußte die erfolglose Neuschöpfung vom Lehrplan des Seminars verschwinden. Versuche, eines der größeren Idiome für alle verbindlich zu erklären, scheiterten ebenso wie die Ansätze, die kleinen Idiome in der Mitte als Basis für eine Brückensprache zu verwenden. Sprachwissenschafter betonen, daß das Sutselvische und auch das Surmeirische viele Komponenten des Ladinischen und des Surselvischen aufweisen.

Einen der letzten Versuche, den Rätoromanen zu einer gemeinsamen Schriftsprache zu verhelfen, unternahm der 1982 verstorbene *Leza Uffer,* ein Oberhalbsteiner Philologe und Märchenforscher, der an der Kantonsschule St. Gallen unterrichtete. Seine auf dem Surmeirischen basierende Brückensprache erzielte ebenfalls keine Breitenwirkung.

Die Zeit der Dante und Luther, die durch ein epochales Werk eine Schriftsprache gleichsam ins Leben rufen konnten, ist vorbei. Dennoch müßten die Rätoromanen nicht resignieren, denn es ist erwiesen, daß die meisten Schriftsprachen durch einen Ausgleich regionaler Dialekte entstanden sind. Dante äußerte sich in seiner Abhandlung *De vulgari eloquentia* aus dem Jahre 1303 dahin, daß die italienische Literatursprache keine an eine Landschaft gebundene Sprachform sein könne, sondern daß aus Gründen des vornehmen Ausdrucks, des Wohlklanges und der Harmonie *alle* italienischen Dialekte Quelle des literarischen Sprachschatzes sein sollten. Die großen europäischen Verbindungssprachen sind mehrheitlich schon ein paar hundert

Jahre alt; doch auch im 20. Jahrhundert gelang es, sogenannte «Koinēs» zu schaffen, wie der aus dem Griechischen stammende Fachausdruck heißt. So schufen die *Mazedonier* kurz nach Ende des Zweiten Weltkrieges in geradezu atemberaubendem Tempo die jüngste slawische Schriftsprache auf der Basis der zentralmazedonischen Dialekte. Mit dem Resultat, daß sich das Nationalbewußtsein dieser jugoslawischen Republik bedeutend stärkte und die Literatur einen großen Aufschwung erlebte.

Norwegen, bis 1905 in Personalunion mit Schweden, verfügte nach der Unabhängigkeit über keine eigene Schriftsprache, weil das ursprünglich geschriebene Norwegisch im Mittelalter zugunsten des Dänischen verschwunden war. Auch den Norwegern gelang es, im Zuge der nationalen Selbstfindung eine Brückensprache zu schaffen, die 1929 vom Parlament «Nynorsk» (Neunorwegisch) benannt wurde. Nynorsk oder Landsmål, wie die Sprache auch heißt, wurde vom norwegischen Sprachforscher Ivar Asen künstlich aus norwegischen Bauerndialekten und altertümlichen Sprachformen gestaltet. Nynorsk ist in kurzer Zeit auch norwegische Literatursprache geworden!

*

Wo überbrückende Schriftsprachen entstehen konnten, wirkten immer starke zentrale Kräfte geistiger oder politischer (oft nationalistischer) Natur. Ob die Rätoromanen, die ihr verbindendes Zentrum Chur längst an die deutsche Sprache verloren haben, noch die Kraft und den Willen zu diesem einigenden Akt aufbringen können, werden die kommenden Jahre zeigen. Die «Lia Rumantscha» hat nämlich die Initiative zu einem neuen Versuch ergriffen, das Unmögliche möglich zu machen. Im Bewußtsein, daß ein Ersatz der bestehenden Schriftsprachen durch eine Koinē unter den gegebenen Umständen weder machbar noch wünschbar ist, setzen die Initiatoren ein begrenztes Ziel. Das *Rumantsch Grischun,* wie die gemeinsame romanische Schriftsprache heißt, soll für Publikationen der Kantons- und Bundesverwaltung, von PTT und SBB, für Warenaufschriften, Plakate und Broschüren Verwendung finden, die es bis jetzt in Rätoromanisch nicht gab. Die vierte Landessprache ist auf Bundesebene keine Amtssprache, dennoch ist die Bereitschaft in Bern groß, vom PTT-Informationsblatt bis zum Steuerformular Drucksachen auch in Rätoromanisch zu publizieren. Bis jetzt scheiterten die meisten Anläufe in dieser Richtung an der stehenden Frage: «In welches Romanisch sollen wir übersetzen?»

Um das wichtige und brisante Projekt nicht mit der Hypothek alter Auseinandersetzungen zu belasten, beauftragte die «Lia Rumantscha» einen auswärtigen Fachmann, den Zürcher Professor für Romanistik Heinrich

Schmid, mit der Ausarbeitung der Richtlinien. Der profunde Kenner aller rätoromanischen Idiome legte 1982 seinen mit vielen Beispielen gespickten Entwurf vor.

Eine Analyse des Rumantsch Grischun würde den Rahmen dieses Buches bei weitem sprengen. Vereinfachend läßt sich sagen, daß Heinrich Schmid die Gemeinsamkeiten der Idiome herausschält und damit die Substanz der Verbindungssprache schafft. Das Vokabular listet er in den drei Hauptidiomen Vallader (Ladin), Surselvisch und Surmeirisch auf und wählt jene Form, die überwiegend vorkommt, für das Rumantsch Grischun. Bei drei verschiedenen Varianten gibt das mittlere Idiom (Surmiran) den Ausschlag. Beispiel:

Ladin	Surmiran	Sursilvan	Rumantsch Grischun	
fil	feil	fil	fil	(Faden)
set	set	siat	set	(sieben)
feivra	fevra	febra	fevra	(Faser)

In der Theorie wirkt diese Methode griffig und einleuchtend, doch in der Praxis zeigen sich Schwierigkeiten, wo für ein und denselben Begriff in den drei Idiomen grundverschiedene Bezeichnungen bestehen. Anderseits beweisen die Gegenüberstellungen der Wörter doch auch eine breite gemeinsame Basis.

Bei der Konjugation der Verben zeigen sich von Idiom zu Idiom teilweise beträchtliche Unterschiede, ebenso bei der Anwendung der Pronomina. Auch hier wird in der Regel die Form mit der größten Verbreitung gewählt. Dabei ist freilich nicht zu vermeiden, daß sich zum Beispiel ein Engadiner mit der für ihn fremden oberländischen Variante abfinden muß. Noch liegt das Rumantsch Grischun nicht als völlig durchgearbeitete Verbindungssprache vor; unter der Obhut der «Lia Rumantscha» und finanziert vom Nationalfonds ist der Philolog Georges Darms jetzt mit der Feinarbeit am richtungsweisenden Projekt beschäftigt.

Professor Schmids Wurf stieß, im Gegensatz zu den früheren Anläufen in dieser Richtung, auf keine nennenswerte offene Opposition. Obwohl bereits Inserate und Formulare, ja sogar Zeitungsartikel in Rumantsch Grischun erscheinen, hat die neue Schriftsprache ihre Feuerprobe noch nicht bestanden.

Erst eine Zeitspanne von mehreren Jahren der Angewöhnung und der kontinuierlichen Information wird erweisen, ob das Volk das Rumantsch Grischun akzeptiert. Die Voraussetzungen sind um einiges besser als bei früheren Versuchen, denn die Verbindungssprache will keinem der bestehenden Schriftidiome den Garaus machen. Rumantsch Grischun ist nicht als

Literatursprache gedacht (obwohl es jedem Schriftsteller und Publizisten offensteht, in der neuen Brückensprache zu schreiben), sondern als «Lesesprache» für Anwendungen, die in drei oder gar fünf Idiomen nicht zu leisten sind. Produzenten von Nahrungsmitteln werden in Zukunft Packungen in Rumantsch Grischun beschriften, Anschläge, die beispielsweise über Schießübungen informieren, wird man auch in Romanisch lesen können, nicht nur in Deutsch, Französisch, Italienisch und Englisch, wie in den Fremdenverkehrsgebieten üblich. Auf einer Reihe von Informationsveranstaltungen in den romanischen Tälern und in Chur stellte Professor Schmid das Projekt der interessierten Öffentlichkeit vor. Romedi Arquint erläuterte dem Publikum, wie die «Lia Rumantscha» heute das Problem der verschiedenen Idiome handhabt: Die offiziellen Sprachen des romanischen Dachverbandes sind in geraden Jahren das Ladin und in ungeraden das Surselvische. Die kleineren Idiome werden nach einem ausgleichenden System abwechselnd berücksichtigt. Diese diplomatische Regelung wirft aus personellen und arbeitstechnischen Gründen Schwierigkeiten auf. Das stetige Abwägen der Idiome führt zu peinlichen Kontrollen, die der Sache nicht gerade förderlich sind. Die Regelung bewirkt im übrigen, daß Ladin und Sursilvan erstarken, während die kleineren Idiome geschwächt werden.

Rumantsch Grischun kann bei der «Lia Rumantscha» vieles vereinfachen; bis es jedoch soweit ist, gilt es, so Bernard Cathomas, «Vertrauen zu schaffen, Verunsicherungen zu vermeiden und ein Klima der Offenheit und Toleranz herbeizuführen». Ein Wörterbuch und eine Grammatik stehen als nächstes auf dem Programm, Grundlagenwerke, ohne welche die Verbindungssprache in der Luft hängen müßte.

Das Rumantsch Grischun soll den Reichtum der verschiedenen romanischen Mundarten nicht etwa ausnivellieren: neben der Brückensprache, die für ganz bestimmte Zwecke reserviert ist, sollen die Schriftidiome in den Regionen weiter gepflegt werden. Eine «Gasetta Romontscha», ein «Fögl Ladin» werden wohl kaum je in Rumantsch Grischun erscheinen; Inserate, amtliche Publikationen und Mitteilungen der «Lia Rumantscha» werden in diesen Blättern jedoch schon jetzt in der neuen Schriftsprache abgedruckt.

Offiziell erfreut sich das Projekt breiter Zustimmung, wer jedoch den einzelnen Romanen ganz direkt um eine Stellungnahme angeht, spürt, daß vieles rund um das Rumantsch Grischun in der Bevölkerung noch unklar ist und daß es Jahre brauchen wird, bis abzuschätzen ist, wie weit die Idee wirklich trägt.

*

«Wieso das Ganze?» argwöhnt ein Politologie-Student aus Mittelbünden, der achtzig Prozent seiner Fachliteratur in Englisch lesen muß; «dieses Crash-Programm für das Romanische taugt nicht. Unsere Verbindungssprache ist Deutsch. Eine weitergehende Einheit unter den Romanen wird doch gar nicht angestrebt.»

*

Sepp Item, leitender Mitarbeiter beim rätoromanischen Radio: «Wir müssen diese Verbindungssprache schaffen, aber sie darf nicht nach einem Idiom schmecken.»

*

«Die vielen Manipulationen führen den so sehr gefürchteten Tod des Romanischen erst recht herbei», meint ein ins Unterland abgewanderter surselvischer Zahnarzt, «nein, das Rumantsch Grischun verträgt es nicht mehr!»

*

Eine angehende Lehrerin aus Samedan: «Wir reden und schreiben hier Puter; wenn wir aber ständig Inserate und Anschläge sehen, die ‹irgendwo dazwischen› liegen, beeinflußt das doch vor allem die Schüler negativ und schafft neue Unsicherheiten. Das Resultat ist ein Mischmasch.»

*

«Rumantsch Grischun ist endlich ein Schritt in die richtige Richtung!» freut sich ein zukünftiger Lehrer aus dem Unterengadin, «wenn wir Romanen auch für den schriftlichen Alltagsgebrauch auf fünf Idiomen beharren, wird das Rätoromanische in vielen wichtigen Bereichen nie zum Zuge kommen und genau deswegen schließlich zugrunde gehen.»

*

Nur eine Sprache mit optisch wahrnehmbarer, schriftlicher Präsenz wird ernst genommen! Erst wenn es einen rätoromanischen Paß, romanische Kochanleitungen auf Suppenbeuteln, romanische Plakate und Fahrpläne gibt, wird die vierte Landessprache aus ihrem Mauerblümchendasein herausgeholt.

«Das Romanische verschwindet, weil es unnütz ist», umschreiben die Verfasser der aufrüttelnden Studie *Der Tod des Romanischen* die Situation überspitzt und folgern: «Und es ist unnütz, weil es seiner Nützlichkeit beraubt ist.» Das Rumantsch Grischun wird der vierten Landessprache wieder einen Teil der eingebüßten Nützlichkeit zurückgeben, ermöglicht es doch, mit der gleichen Schriftsprache rund 50 000 Menschen zu erreichen. In einer Sprache, die zwar nicht mehr genau der gesprochenen Mundart entspricht, die jedoch unverwechselbar Rätoromanisch wirkt. Was auf den ersten Blick für manchen Romanen ungewohnt, ja befremdlich aussehen mag, kann nach einer Zeit der Gewöhnung zum selbstverständlichen Bestandteil des Alltags und zu einem wichtigen Integrationsfaktor werden.

24. Erwachsenenbildung

a) «Scoula da paurs» in Lavin

Schneestaub wirbelt vor den Wagenfenstern des Morgenzuges von Samedan ins Unterengadin, weiß beladene Bäume huschen wie Schemen vorbei. Durch die Dämmerung des verhangenen Januarmorgens schimmern matte Lichter, Autoscheinwerfer geistern durch den Flockenwirbel. Der Zug der Rhätischen Bahn hält an jeder Station, und jedesmal steigen ganze Gruppen von Frauen ein. Drinnen in den gemütlich warmen Wagen hört man fast nur Romanisch, sogar der Kondukteur kündet die Stationen in Ladinisch an und begrüßt immer wieder Fahrgäste mit «allegra». Die Stimmung ist erwartungsvoll fröhlich, fast wie bei einem Betriebsausflug oder einer Schulreise. In Lavin leert sich der Zug; rund hundertfünfzig Frauen aller Altersstufen nehmen ihre Taschen an den Arm, stellen die Mantelkragen hoch und stapfen durch die weiße Pracht in Richtung Dorf. An zehn Dienstagen von Ende Oktober bis Ende Januar besuchen gegen zweihundert Frauen aus dem ganzen Engadin die «Cuors per duonnas e giuvnas», die Weiterbildungskurse in Lavin!

Die Kurse haben sich zu einem festen Bestandteil des Engadiner Gesellschafts- und Kulturlebens fernab von den Heerstraßen des Tourismus entwickelt. Sie gehen zurück auf die Idee des einheimischen Pfarrers Rico Parli, der in den fünfziger Jahren Kurse für Landwirte organisierte. Damals stand die Landwirtschaft in einem dramatischen Umbruch: Das Maschinenzeitalter hielt auch in den Bergen voll Einzug. Güterzusammenlegungen, der Zwang, effizienter zu wirtschaften und Buchhaltung zu führen, riefen nach Weiterbildung. Nach zögernden Anfängen besuchten Dutzende von Bauern die Schulungskurse in Lavin. Die fruchtbare Idee zog bald weitere Kreise. Der Verein «Scoula da paurs» wurde gegründet und Geld im Tal bei Privaten und Kirchgemeinden gesammelt. Ohne Subventionen gelang es, die «Chasa Fliana» als Schulzentrum zu erwerben. Weil das Haus im Sommer Ferienkolonien als Unterkunft dient, fließt genug Geld ein, um einen selbsttragenden Betrieb zu garantieren. Aus der Schule für Landwirte entwickelten sich die Kurse für Frauen. Im Saal der «Chasa Fliana» spricht an diesem 13. Januar der Laviner Jurist Rudolf Viletta über das Thema «Pudaina mantgnair nossa lingua cun agüd da ledschas?» – über die Idee eines Sprachengesetzes also. Das Referat löst eine lebhafte Diskussion, natürlich in romanischer Sprache, aus. Jeweils am Morgen werden die Frauen mit einem Vortrag konfrontiert, dessen

Frauen aus dem ganzen Engadin besuchen die ▷ Kurse der «Scoula da paurs» in Lavin. Hier werden Trachten mit den alten Motiven bestickt.

Thema sie anschließend diskutieren. Die Programme der letzten Jahre belegen, daß aktuelle Themen im Vordergrund stehen: Da referiert eine Ärztin über Krebs, ein Psychologe über Jugendprobleme. Wo möglich, reden Referenten ladinischer Zunge; immer wieder werden jedoch auch deutschsprachige Fachleute eingeladen. «Es geht uns nicht darum, um jeden Preis romanische Referenten zu hören. Wenn ein Thema interessiert, tritt die Sprache in den Hintergrund», erklärt Rico Parli. Die einheimische Literatur kommt an mindestens einem Morgen durch Dichterlesungen zu Ehren.

Im Saal des Café Giacometti sind etwa zwanzig Frauen in ihre Stickereien vertieft. Unter der Anleitung der Lavinerin Tina Cuorad schmücken sie ihre Trachten nach den originalen, prächtigen Mustern. Der Zudrang zu den Kursen ist so groß geworden, daß die Organisatoren auf Privathäuser ausweichen müssen!

Am Nachmittag, nach der im Kursgeld von 90 Franken inbegriffenen Suppe, teilen sich die Frauen in Gruppen auf, die sich einem breiten Spektrum handwerklicher Tätigkeiten, vom Töpfern bis zu Holzarbeiten, widmen. Etwa ein Viertel aller Teilnehmerinnen sind Bauersfrauen, auffallend die natürliche Mischung der Generationen von der gerade konfirmierten Tochter bis zur Urgroßmutter. Romanisch ist die normale, selbstverständliche Umgangssprache. So ungefähr stellt man sich den Gebrauch der vierten Landessprache vor: komplexfrei geredet und ohne sterile Abwehr gegen das Deutsche, wo es – wie bei den Vorträgen nichtromanischer Fachleute – unumgänglich ist.

Die Kurse im tief verschneiten Engadiner Dorf bringen echtes Leben, schaffen Kitt und Kontakte über die Gemeindegrenzen hinweg.

Nach der Initialzündung aus Lavin begann die Erwachsenenbildung in romanischer Sprache in den siebziger Jahren weitere Kreise zu ziehen. Unter dem Patronat der «Lia Rumantscha» organisieren Verantwortliche in den Regionen Kurse, die von Sprachpflege über literarische Abende, Gesang und Malerei bis hin zum Lernen von «Tschinquina» (ein altes Engadiner Kartenspiel) reichen. Auch in der Surselva finden im Winter regelmäßig romanische Schulungskurse für Erwachsene statt, die in der Regel von der «Romania» und der «Renania» organisiert werden und neben Vorträgen aus kulturellen Bereichen auch so wichtige und interessante Themen wie «Heilkräuter» aufs Tapet bringen.

Die «Chesa Planta» in Samedan, das bedeutendste ▷
romanische Kulturzentrum des Engadins.

b) Sommerkurse in der «Chesa Planta» in Samedan

Ursula Rüegger, Krankenschwester im Kreisspital Samedan, schrieb sich 1981 als tausendste Teilnehmerin der Sommerkurse in der «Chesa Planta» ein. Wie die Deutschschweizerin haben in den letzten zehn Jahren viele Zugezogene die Sprachkurse und Arbeitswochen im ehemaligen Familiensitz des Geschlechtes Planta besucht. Seit 1946 gehört das imposante Patrizierhaus der «Fundaziun Planta», einer Stiftung, die sich zum Ziel gesetzt hat, in der «Chesa Planta» ein Engadiner Kulturzentrum einzurichten. Heute ist in den stilvollen Räumen die vollständigste romanische Bibliothek überhaupt untergebracht; neben den Werken aus allen Bündner Idiomen fehlt auch die Literatur aus dem Friaul und den Dolomiten nicht. Alte rätoromanische Dokumente und viele Werke in anderen Sprachen über das Rätoromanische runden das Angebot des Engadiner Kulturzentrums ab.

Getragen von der «Fundaziun Planta» und der Gemeinde Samedan konnte der Direktor der Zürcher Dolmetscherschule, Gérard Bodmer, vor zehn Jahren die Idee der Sommerkurse verwirklichen. Der Sprachwissenschafter gestaltete eigens für die Kurse in Samedan Lehrmaterial, mit dessen Hilfe die Kursteilnehmer Puter, das Idiom des Oberengadins, lernen können. Von den tausend Teilnehmern stammt ungefähr ein Viertel aus dem Oberengadin, immerhin jeder vierte Kursteilnehmer ist Ausländer; Deutschschweizer, die ihre Ferien mit dem Kurs verbinden, stellen das größte Kontingent der Teilnehmer. Die Kurse dauern jeweils zehn Tage; wer drei Sommerveranstaltungen besucht hat, kann sich über gute Kenntnisse des Puter ausweisen. In einer vierten Stufe, mit ausschließlich ladinischer Kurssprache, wird das Gelernte in Vorträgen und Gesprächsrunden vertieft. Die Arbeits- und Kulturtage stehen im Dienste der Erwachsenenbildung im Tal, sie schaffen jedoch auch Verbindungen nach außen und wecken Verständnis.

Der Anteil der Rätoromanen ist in Samedan auf weniger als ein Drittel zusammengeschmolzen, ein Grund, warum über den Sommerkursen ein Hauch von Nostalgie, von Sehnsucht nach einer intakteren romanischen Welt schwebt. Auswärtige Kursteilnehmer, die voll Enthusiasmus und gutem Willen das Gelernte im Dorf an den Mann bringen wollen, müssen rasch einsehen, daß Puter nicht mehr die allgegenwärtige Umgangssprache Samedans ist.

25. Die Rätoromanen in Italien

a) Ladiner: Schwerer Kampf für Autonomie

«Die Rätoromanen der Dolomiten, das älteste Volk Tirols, bevölkern die Alpentäler von Fassa, Buchenstein, Ampezzo, Enneberg und Gröden und zählen etwa 20 000 Selen. Das Dolomiten-Romanisch hat in der Abgeschlossenheit dieser Täler fortgeblüht wie eine Alpenblume und wird deshalb mit Recht das Edelweiß der romanischen Sprachen genannt. (...) So hat kein geringerer als Ascoli, der geniale Mailänder Meister der Linguistik, in seinem grundlegenden Werk *Saggi ladini* das Ladin der Dolomitenbewohner, wie das Bündnerromanisch, als eine *eigene* romanische Sprache, wie das Französische, Provenzalische, Italienische, Katalanische usw., bezeichnet.

Mit bewundernswerter Treue und Widerstandskraft haben die Ladiner die nationale Eigenart und die Sprache ihrer Väter während vieler Jahrhunderte bewahrt. (...) Als eigene und als eine der ältesten romanischen Nationen haben also die Ladiner vollen Anspruch darauf, zu verlangen, daß über ihr zukünftiges Los nicht gegen ihre alten Traditionen und ihren ausdrücklich bekundeten und festgelegten Willen entschieden werde.»

Diesen Text, es handelt sich um einen Auszug aus einem bedeutend längeren Memorandum, schickten Vertreter aller Romanen-Vereine Graubündens am 18. März 1919 an die Friedenskonferenz in Paris. Das Original ist in Romanisch und Französisch abgefaßt. Die Friedensverhandlungen nach dem Ende des Ersten Weltkrieges tangierten nämlich die Situation der Rätoromanen in den Dolomiten ganz direkt. Die Ladiner, deren Lebensraum am Brennerpaß im Tirol liegt, orientierten sich wie die Bündnerromanen seit jeher nach Norden, gegen den deutschsprachigen Raum. Als kleine Volksgruppe im Österreichisch-Ungarischen Kaiserreich, einem Vielvölkerstaat, der nach dem Ersten Weltkrieg zerbrach, grenzten sie sich seit jeher gegen Italien ab. Diese tirolisch-österreichische Gesinnung hat das ladinische Volk in Zeiten der Not und Gefahr immer wieder unter Beweis gestellt. Wie bereits mehrmals im 19. Jahrhundert kämpften die Ladiner auch im Ersten Weltkrieg an der Seite der Deutschtiroler gegen die Italiener. 1918, kurz vor dem Zusammenbruch der Österreichisch-Ungarischen Monarchie, richteten sie einen verzweifelten Aufruf an die Deutschtiroler, weil sie befürchteten, von Italien okkupiert zu werden:

«Wie die übrigen Völker Österreichs verlangen auch wir, die älteste und bodenständigste Bevölkerung Tirols, das Selbstbestimmungsrecht! Wir sind keine Italiener, wollten von jeher nicht zu ihnen gezählt werden und wollen auch in Zukunft keine Italiener sein!»

Weder das Memorandum der Bündnerromanen noch die verzweifelten Aufrufe der Ladiner fruchteten etwas: Tirol wurde geteilt; der Süden Italien zugeschlagen. Die neuen Herren sprachen die Ladiner als Italiener an und verweigerten dem Dolomiten-Romanisch die öffentliche Anerkennung, den Gebrauch in Schulen und im amtlichen Bereich. Um die Ladiner mundtot zu machten, teilten die Faschisten, die 1922 die Macht in Rom an sich gerissen hatten, das kleine ladinische Sprachgebiet auf die drei Provinzen Belluno, Bozen und Trient auf!

Ein Dekret verordnete *allen* Südtirolern die italienische Amtssprache, obwohl im Gebiet 280 000 Deutschsprachige neben 135 000 italienisch und den 20 000 romanisch Sprechenden lebten. Die Ladiner bedienten sich während der Kaiserzeit des Deutschen als Amtssprache. Und anders als die Italiener ließ die Verwaltung in Wien den Romanen in den Dolomiten (trotz des amtlichen Verkehrs in Deutsch) ihre sprachliche Freiheit und Identität.

In den zwanziger und dreißiger Jahren verstärkten sich in Italien die Tendenzen, auch die Bündnerromanen als Italienischsprachige zu deklarieren, Rätoromanisch als italienischen Dialekt einzustufen, mit dem ferneren Ziel, die Rätoromanen vom Deutschschweizer Joch zu befreien und «heimzuholen». Die irredentistische Bewegung («irredento» = «unerlöst», unter fremder Herrschaft) bewirkte in der Schweiz bekanntlich den gegenteiligen Effekt: Rätoromanisch wurde durch ein Plebiszit von überwältigender Deutlichkeit zur vierten Landessprache erhoben.

Eine derartige Unterstützung konnten die Ladiner nicht erhoffen, denn ihr Schicksal als «heimatloses kleines Volk» war ungleich härter. Nach dem Anschluß Österreichs ans Deutsche Reich plagte Mussolini die Angst, Hitler könnte die Südtiroler samt ihrem Siedlungsgebiet «heim ins Reich» holen. Um dem zuvorzukommen, schlossen seine Unterhändler in Berlin ein Abkommen zur Umsiedlung der deutschsprachigen Südtiroler nach Deutschland ab. Jeder einzelne Südtiroler mußte sich entscheiden, ob er die italienische Staatsbürgerschaft behalten oder ins Reich auswandern wolle. Die Ladiner nahm man ebenfalls ins Umsiedlungs-Abkommen auf, denn die Faschisten hielten sie «für die schlechtesten Italiener und die turbulentesten Pan-Germanisten», wie sich ein italienischer Unterhändler in Berlin ausdrückte. Fanatische Auseinandersetzungen zwischen Ladinern, die bleiben wollten, und solchen, die sich zum Auszug entschlossen hatten, spalteten die Romanen in den Dolomiten. Gerüchte kursierten, Italien wolle die Ladiner «südlich des Po» ansiedeln; darum entschlossen sich zum Beispiel von 5600 Bewohnern

des Gröden-Tales 4500 zum Auszug ins Deutsche Reich! Die Umsiedlungs-
aktion konnte jedoch nicht im vorgesehenen Umfang abgewickelt werden,
weil sich in Deutschland kein geschlossenes Siedlungsgebiet für die Ladiner
fand. Ausgewandert sind schließlich 70 000 deutschsprachige und 2000 ladinische Südtiroler.

Das Ende des Zweiten Weltkrieges brachte für das Südtirol keine grundlegenden Änderungen. Trotz Großkundgebungen, Aufrufen und Eingaben
ließen sich die siegreichen Alliierten nicht umstimmen: das Südtirol blieb bei
Italien.

In den Nachkriegsjahren jedoch erstritt sich die Provinz Bozen, in der die
Mehrzahl der Ladiner lebt, ein Autonomiestatut, das auch den Romanen
etwas mehr Spielraum brachte. Die gepeinigte Sprachminderheit konnte in
der Schule einen neuen Unterrichts-Typ durchsetzen: Von der ersten Primarklasse weg werden die Ladinerkinder heute dreisprachig (!) unterrichtet, weil
die Schulbehörden der autonomen Provinz weder auf Italienisch noch auf
Deutsch verzichten wollten. Auch am Radio genießen die Ladiner eine, wenn
auch bescheidene Präsenz.

In der autonomen Provinz Bozen haben sie zudem, gleich wie die andern
Sprachgruppen, Anrecht auf Staatstellen, Sozialwohnungen und Gelder aus
öffentlichen Mitteln proportional zur Bevölkerungszahl. Alle zehn Jahre
müssen die Angehörigen der drei Volksgruppen darum deklarieren, wohin sie
sprachlich gehören, damit der Staat seinen Kuchen gerecht verteilen kann.
Das starre System bildet Anlaß zu vielen Reibereien, hat sich jedoch als
einzig gangbares System erwiesen, um das Pulverfaß Bozen einigermaßen zu
entschärfen. Die Ladiner in den Provinzen Belluno und Trient, versprengte
Minderheiten ohne Hinterland, konnten sich kaum Rechte für ihre Sprache
erstreiten.

Obwohl die Dolomiten-Romanen in ihrer dramatischen Geschichte großen
Pressionen ausgesetzt waren und auch heute noch sind, bekannten sich in der
letzten Volkszählung bedeutend mehr Südtiroler zur ladinischen Sprache als
1971. Der Druck von außen, der in dieser Form bei den Rätoromanen
Graubündens immer gefehlt hat, stärkt offensichtlich das sprachliche Bewußtsein und die Zugehörigkeit zur eigenen Volksgruppe. In der Provinz
Bozen stieg ihr Anteil an der Bevölkerung innerhalb der letzten zehn Jahre
von 3,7 auf 4,2 Prozent. Im Gröden- und Gadertal haben sich bei der letzten
Volkszählung 91,2 Prozent als Ladiner bekannt, gegenüber 87,4 Prozent
zehn Jahre zuvor.

b) Furlan – totgeschwiegen und dennoch lebendig

Am 6. Mai 1976, eine Minute vor neun Uhr abends, begann die Erde im Friaul zu beben. Sechzig Sekunden dauerte das Erdbeben, das die Stärke 9 erreichte und mehr Schäden anrichtete als die drei Schlachten, welche während des Ersten Weltkrieges zwischen Österreichern und Italienern im Friaul getobt hatten. Tausend Tote und unermeßliche Verwüstung waren die Bilanz; Zehntausende wurden obdachlos. Das uralte Kastell von Gemona stürzte wie ein Kartenhaus zusammen und verschwand in einem Erdriß.

Das Friaul liegt in den Bruch- und Faltungszonen der jungen tertiären Gebirge, die sich durch Südeuropa bis nach Asien ziehen. Das Bergland im Nordostzipfel Italiens liegt jedoch auch auf einer politischen und kulturellen Bruchstelle zwischen Ost und West. Die labilen geologischen Verhältnisse und die geographisch-politische Grenzsituation haben dem furlanischen Volk ein gerütteltes Maß an Leiden beschert, das auch heute noch nicht erfüllt ist.

Im Friaul reden eine knappe halbe Million Menschen romanisch. «Es ist ein Wunder, daß unsere Sprache noch lebt», erklärt Bruno Lucchitta, ein gebildeter Furlaner, der wie Hunderttausende seiner Landsleute ausgewandert ist und jetzt in Zürich lebt. Friaul, jahrhundertelang zwischen Habsburg und Venedig hin und her gerissen, fiel 1866 an das damals noch junge Königreich Italien.

Die stark zentralistischen Tendenzen in Italien, welche auch den Ladinern zu schaffen machen, wirken sich auf Sprache und Volkstum der Furlaner in bedrückender Art aus. Obwohl die italienische Verfassung in Artikel 6 jedem Italiener die Freiheit der Sprache und der Religion garantiert, existiert Furlan weder in den Schulen noch im öffentlichen Leben. Nach dem Zweiten Weltkrieg schuf Rom die von den Friaulern als künstlich empfundene Region «Friuli-Venezia Giulia» mit der Hauptstadt Triest. Das nicht organisch gewachsene Gebilde, aus politischen Gründen zur Aufwertung von Triest geschaffen, hängt den Furlanern wie ein Mühlstein am Hals. Ihre alte Hauptstadt Udine ist durch Triest abgelöst worden, wo Furlan nicht die geringste Chance eingeräumt wird. Wie wenig das Romanische den Italienern gilt, beweisen scheinbare Nebensächlichkeiten: die «Società filologica friulana», eine Art friaulischer «Ligia Romontscha», mit freilich viel geringerem Einfluß, muß ihre gesamte Korrespondenz auf Italienisch abwickeln!

Dabei ist das Friaul für Italien aus mehreren Gründen ein äußerst wichtiges Gebiet. Elektrizität aus den Wasserkräften der Region poliert die Energiebilanz des Landes auf; «Friuli-Venezia Giulia» erlangte in den letzten Jahrzehnten eine zunehmende Bedeutung strategischer Natur. Militärische Anlagen der italienischen Armee und der NATO sind im Friaul aus dem Boden gestampft worden. Auch Atomraketen lagern im Gebiet, ohne daß man die Bevölkerung ausreichend informiert oder gar um ihre Meinung dazu befragt hätte. Die friaulischen Soldaten und Offizieren müssen italienisch reden, denn die romanische Sprache ist auch in der Armee inexistent. Selbst in der Kirche ist Furlan nicht geduldet, dennoch setzen sich Priester immer wieder über die diskriminierenden Vorschriften hinweg, singen mit ihren Gläubigen die alten Lieder in Furlan und halten Predigten in romanischer Sprache. Im Gegensatz zu den Ladinern in der Provinz Bozen, die sich auch mit den Mitteln des Terrors Rechte erkämpften, resignierten die Furlaner, zumal einheimische Politiker aus eigennützigen Gründen immer wieder zum Nachteil der Sprache mit Rom zusammenspannen. Anders ist es nicht zu erklären, daß in den Schulen nicht eine einzige Lektion in der Muttersprache auf den Stundenplänen steht, ja daß immer wieder Lehrer aus weit entfernten Gebieten, die natürlich keine Silbe Furlan verstehen, in Friauler Schulen einziehen. Anders als in Graubünden, bestimmt in Italien der Staat und nicht die einzelne Gemeinde die Schulsprache ...

*

Nach der Französischen Revolution entstanden in Europa mehrere Nationen, die sich als Gemeinschaften *einer* Sprache verstanden. Die Nationalsprache bildete einen wichtigen Integrationsfaktor, quasi die Klammer, welche die einzelnen Teilgebiete zusammenhielt. Weil jedoch keiner dieser modernen Staaten sprachlich einheitlich ist, gehören Sprachkonflikte zu den ungelösten Problemen mehrerer bedeutender Länder Europas. Frankreich beispielsweise, eine äußerlich monolithische Nation, zählt nicht weniger als sieben Sprachminderheiten, nämlich die Volksgruppen der Basken, Bretonen, Elsässer, Katalanen, Korsen, Flamen und der fränkisch sprechenden Lothringer! Dabei hat das *Handbuch der europäischen Volksgruppen* die Provenzalen, die einen eigenen französischen Dialekt sprechen, nicht einmal mitgezählt. Ohne hier auf die äußerst komplexe Sprachenlage Frankreichs näher einzugehen, kann gesagt werden, daß all diese Volksgruppen dem französischen Zentralismus einigen Tribut zollen müssen.

Italien ist der an Sprachminderheiten reichste Staat Europas mit Sarden, Deutschen, Friulanern, Valdostanern (im Aostatal), Ladinern, Katalanen, Okzitanen, Kroaten, Slowenen, Griechen und Albanern. Daß Rom infolgedessen die Zügel um der italienischen Einheit willen nicht zu weit schleifen lassen kann, ist verständlich. Die schweizerische Maxime, daß es keine Minderheiten, sondern nur *gleichberechtigte* Sprachen gibt, muß auf Friulaner paradiesisch wirken. Sie bezahlen mit andern sprachlichen Minderheiten den

Preis, den die Einheit Italiens in der heutigen Form kostet. Dottore Lucchitta wird sehr nachdenklich, als wir auf die Probleme der Rätoromanen in Graubünden zu reden kommen. Ja der Begriff «Problem» scheint ihm angesichts der Sympathie, welche die Romanen in der Schweiz genießen, angesichts des Erreichten und der zu erwartenden weiteren Fortschritte als unangemessen. Die 500 000 Furlaner, die ihre Muttersprache am Radio praktisch nie hören und, wenn überhaupt, dann oft als Objekt des Spottes, finden es geradezu unglaublich, daß den 50 000 Bündnerromanen bald vier Stunden tägliche Sendezeit zustehen und daß auch das nur eine Zwischenstufe auf dem Weg zum Ganztages-Radio bedeutet, ja daß die PTT möglicherweise sogar eine UKW-Senderkette allein für diese Programme ausbaut!

Der greise Furlaner beginnt, als ich die Notizen weggelegt habe, seine eigenen Gedanken über die Lager der Romanen in Graubünden zu entwikkeln: «Es geht ihnen gut, sehr gut. Ein Glück, daß sie in einem Land wie der Schweiz leben können. Aber sie sind zu stark auf sich selbst fixiert, den ‹Campanilismo› (Kirchenturmpolitik) unserer Sprachbrüder in Graubünden können wir Friulaner nicht verstehen. Auch wir haben mehrere Dialekte, aber wir gehören als Volk zusammen und kennen keine solchen Streitereien wie zwischen der Surselva und den Engadinern.

Sicher, wir sind alle katholisch, müssen keine konfessionellen Grenzen überwinden, aber die Religion ist doch heutzutage nicht mehr so wichtig, daß sich zwei romanische Idiome nicht finden könnten! Wir wären sehr glücklich über mehr Kontakte zwischen den Bündnerromanen und uns Friulanern, das würde beiden Teilen gut tun. Leider gibt es wenig Austausch junger Menschen aus den beiden romanischen Regionen.» Bruno Lucchitta seufzt: «Die Situation der Furlaner ist erniedrigend, deprimierend. Bei uns herrscht Resignation, und dennoch halten Hunderttausende von Furlanern an ihrer Muttersprache fest und geben sie ihren Kindern weiter.»

26. Die Rätoromanen und die deutsche Sprache

a) Romanisch – «die mindere Sprache»

Frau Francisca Livers, eine Brigelserin mit erwachsenen Kindern, erinnert sich: «Als wir noch zur Schule gingen, da schickten uns die Eltern in den Kanton St.Gallen zu Bauern, damit wir Deutsch lernten.» Wie Frau Livers verbrachten Hunderte von Kindern aus dem Bündner Oberland jeweils ihre Ferien im deutschsprachigen Gebiet und setzten damit die «Schwabengängerei», eine Tradition aus dem 19. Jahrhundert, fort. Alle in der Landwirtschaft entbehrlichen Buben und Mädchen zwischen sieben und vierzehn Jahren aus den bedürftigen, großen Familien der Surselva mußten vom Frühjahr bis zum Spätherbst bei Bauern in Süddeutschland arbeiten. Damit löste man gleich mehrere Probleme auf einen Schlag: Zuhause mußten weniger Mäuler gestopft werden, die Kinder kamen neu eingekleidet und mit einem hochwillkommenen Batzen zurück und lernten erst noch Deutsch. Im Jahre 1894 beispielsweise verließen 650 Kinder aus dem Bündner Oberland während der sechs Monate dauernden Schulferien ihr Heimattal!

Francisca Livers erzählt, daß ihre Eltern einer Unterländerfamilie im Haus eine Wohnung vermieteten. «Wir nannten die Leute nicht ‹ils hosps› (die Gäste), sondern ‹ils signurs› (die Herrschaften). Als Kinder spielten wir ‹Gäste› und redeten ein erfundenes Deutsch, weil wir diese Sprache nicht konnten. Deutsch war für uns etwas Besseres, wir hatten ein richtiges Minderwertigkeitsgefühl wegen unseres Romanischen und beneideten alle, die gut Deutsch konnten.» Fazit: Die Herren sprachen Deutsch und die Knechte Surselvisch.

Bünder Oberländer der mittleren und älteren Generation erlebten den Kontakt mit der deutschsprachigen Welt oft fast als Schock, erfuhren dadurch ihr Romanisch als «mindere Sprache», die einem nur Probleme schafft, sobald man das schützende Tal verläßt. Giosch Albrecht, heute katholischer Pfarrer in Zollikon, wuchs im damals vollständig romanischen Dorf Rueun auf. Bis zur 5. Klasse hörte er kaum ein deutsches Wort in der Schule. Während der sechsmonatigen Ferien hütete er die Ziegen des Dorfes auf den Weiden unter den Brigelserhörnern. Der heute weitgereiste Mann erinnert sich, wie ein Unterländer Lehrer mit seiner Schülerschar auf ihn zukam und ihn etwas fragte, doch er verstand nichts und stieß immer nur den einen Satz, den er in der fremden Sprache sagen konnte, aus: «I kan nit Tüütsch!»

Das Kollegium in Schwyz, ein Gymnasium, wo traditionell viele Oberländer, nicht zuletzt der deutschen Sprache wegen, zur Schule gehen, erlebte der Bursche aus Ruis in den ersten Monaten als «absolut fremde Welt». «Ich verstand am Anfang kaum etwas und bekam schreckliche Noten», erinnert er sich; «unter dem Druck der ungemütlichen Lage lernten wir jedoch bald Deutsch.» Das einschneidende Erlebnis in einer kritischen Entwicklungsphase machte Albrecht das Gewicht seiner Muttersprache draußen in der Welt schlagartig klar. Dennoch erklärt er: «Deutsch bleibt für mich im tiefsten etwas Fremdes. Gewiße persönliche Dinge kann ich auch heute nur auf romanisch sagen. Surselvisch ist meine erste Sprache geblieben!»

Mehr als die andern Rätoromanen empfinden offenbar Bündner Oberländer dieses Gefühl sprachlicher Minderwertigkeit. «Die Surselva galt lange, nach Chur und dem Engadin, als die dritte Region, als rückständiges Entwicklungsgebiet», sagt ein Gemeindepräsident im Kreis Disentis; «wir fühlten uns mit unserem Romanisch in Chur unsicher. Und ins Engadin gingen wir nur, um dort eine Stelle in der Hotellerie zu suchen.»

Die Tendenz, sich seines Oberländer Idioms in Chur oder schon in Ilanz zu schämen, weicht langsam einem ausgeprägteren Selbstbewußtsein, das allein Grundlage für ein gesundes Gedeihen der Sprache sein kann. Daß Deutsch dennoch lebensnotwendig bleibt, weiß heute bereits der Dreikäsehoch. Sep Carigiet aus Dardin, in dessen Familie ausschließlich Romanisch geredet wird, hat bemerkt, daß sein Sohn «eine unheimliche Freude» an den Deutschstunden in der Schule bekundet und das damit begründete, daß er jetzt in Chur die Leute verstehen und mit ihnen reden könne. Der stolze Vater kommentiert: «Er hat gemerkt, daß man mit der deutschen Sprache weiter kommt!»

Auffallend oft begründen Rätoromanen den Vorteil ihrer Sprache damit, daß sie ein «Sprungbrett» für das Erlernen weiterer Sprachen darstelle. Welcher Franzose, Italiener oder Amerikaner käme auf die Idee, seiner eigenen Muttersprache diese Qualität als wichtigen Pluspunkt zuzuschreiben? Jeder Rätoromane realisiert früh, daß er ohne das Deutsche verloren ist, und macht darum aus der Not eine Tugend. Eine junge Suscherin am Churer Lehrerseminar: «Viele Romanen brauchten das Deutsche, um das zu werden, was sie heute sind.» Noch träfer zieht ein Unterengadiner Handwerker Bilanz: «Nur wer Deutsch beherrscht, kann es sich leisten, für das Romanische zu kämpfen!»

b) Die Macht der germanischen Sprachglocke

«Che per üna flur?» fragt ein Engadiner Mädchen. Das heißt, Wort für Wort aus dem Hochdeutschen übersetzt: «Was für eine Blume?» In richtigem Ladin müßte man sagen: «Che flur?»

«Das ist Deutsch mit romanischen Wörtern», stellt der Kantonsschullehrer Gion Deplazes fest, «in einem Land wie Frankreich oder Spanien würde diese Satzkonstruktion völlig unakzeptabel tönen, aber wir Romanen, die wir bald jenseits von Gut und Böse von der deutschen Sprache beeinflußt werden, stören uns immer weniger an solchen Veränderungen der Syntax.»

Seit man auch in den rätoromanischen Tälern während 24 Stunden im Tag deutschsprachiges Radio hören und überall Fernsehsendungen aus den nördlichen Studios empfangen kann, wirkt die mächtige deutsche Sprache noch stärker auf die kleinräumigen rätoromanischen Mundarten ein. Sie dringt durch alle Poren des Rätoromanischen, ja deformiert sein Skelett. Bekanntlich assimilierten die Romanen seit jeher erfolgreich Anderssprachliches, doch die fremden Partikel strömten früher langsam in die Idiome ein.

Das Problem ist allen Verantwortlichen bewußt. In den Schulen und Kindergärten wird mit einigem Erfolg versucht, die Auswirkungen der «germanischen Sprachglocke» zu dämpfen. Die größten Erfolge sind an der wichtigen Front der romanischen Wörter zu verzeichnen. Kinder benutzen heute so selbstverständlich rätoromanische Vokabeln aus dem Gebiet der Technik, daß die Eltern immer wieder erklären: «Sie reden heute viel besser romanisch als wir!» Während sich der Wortschatz modernisiert und in aktuellen Bereichen vergrößert, hat jedoch eine Germanisierung der Syntax, des Satzbaus, eingesetzt. Für die Kinder ist daran nichts Fatales, doch Fachleute sehen darin eine Bedrohung der Sprache. Wäre das Rätoromanische eingebettet in romanische Sprachen, könnte es Veränderungen dieser Art nicht geben; historisch und geographisch bedingt, wirkt jedoch eine germanische Sprache auf das Romanische.

Verfall oder Wandlung? Das ist die entscheidende Frage, die sich heute nicht beantworten läßt. Tatsache ist, daß sich das Rätoromanische vor allem unter dem Einfluß des Schweizerdeutschen verändert.

Keine Sprache kann man auf einem bestimmten Punkt quasi einfrieren. Ein Wandel allerdings, der das Rätoromanische im Kern verändert, ihm sein romanisches Wesen nimmt, muß auf die Länge zerstörerisch wirken.

*

Der altgriechische Arzt Hippokrates hat gesagt, daß von jeder Landschaft eine formende Kraft auf ihre Bewohner überströme und jedes Volkstum, jede

Lebensform, jede Sprache und Kultur zu Landschaft und Klima in einem notwendigen Verhältnis stünden. Wie aber, wenn die formenden Kräfte in den rätoromanischen Tälern nicht mehr aus der Berglandschaft kämen, sondern aus fernen germanischen Zentren wie Zürich, Basel oder Düsseldorf?

Trauer, Schmerz, Erschütterung und Wut muß die Rätoromanen erfassen, wo sie diesen Tatbestand erkennen. Verfall, ja Verlust der Sprache ist dann nicht mehr und nicht weniger als der Verlust der Selbstbestimmung, die Einbuße eines zentralen Teils der Identität.

Romanisch-deutscher Mischmasch im ▷
Unterengadin.

CALANDA BRÄU

Posta veglia

Park-
platz
nur für Gäste

Coca-Cola

27. Die Schweizer und die vierte Landessprache

a) Die Rätoromanen – ein Teil des Alpen-Mythos

Die Alpen! Ein Mythos, den auch das 20. Jahrhundert nicht entzaubern konnte. Das Gebirge als Symbol der Zuflucht, als Réduit, als Quelle der Inspiration, als Ferienlandschaft, heile Welt und nicht zuletzt als Ursprung unseres Landes. Wohl keinen Schweizer lassen die Berge kalt; ja die Alpen stellen für unser vielgestaltiges Land etwas – nicht nur im geographischen Sinn – Zentrales, Verbindendes und Integrierendes dar. Sie verkörpern die Schweiz mehr als jede andere Landschaft. Und daß sich da oben, fernab vom Getriebe und der Hektik, quasi im Schutze der Felsen und Firne, eine uralte, wohlklingende Sprache erhalten hat, gehört mit zum Mythos der Alpen.

Mythen hinterfragt man nicht. Fast alle Schweizer empfinden eine diffuse Sympathie für das Rätoromanische, obwohl die meisten Mühe hätten, Ungarisch von Surselvisch zu unterscheiden. Der Wissenstand über die vierte Landessprache reduziert sich bei vielen Wohlgesinnten auf die Kenntnis des Liedes «Chara lingua dalla mamma», das regelmäßig am Wunschkonzert erklingt und ebenso ans Herz geht wie die Melodie der Wolgaschlepper. Natürlich hat man schon gehört, daß die Alpensprache mit Problemen kämpft. Und ebenso natürlich ist man bereit, der sympatischen Sprachminderheit finanziell unter die Arme zu greifen. Ob das nun durch den Kauf eines Erstaugustabzeichens geschieht oder durch Einzahlung auf irgendein Spendenkonto, die Rätoromanen können bei der großen Mehrheit der Eidgenossen mit Wohlwollen rechnen. Wenn die Sprache mit ein paar Hunderttausendern oder Milliönchen zu retten ist, warum, um Gottes willen, nicht? Weil die Rätoromanen so populär sind, vergißt auch kaum ein Politiker, im richtigen Moment noch «Viva la Grischa» zu rufen oder zu beteuern, der Einsatz für die vierte Landessprache sei eine nationale Aufgabe. Wenn beispielsweise die Jurassier Forderungen stellen, begegnen sie ungleich mehr Skepsis und müssen sich direktere Fragen, unverblümtere Kommentare gefallen lassen als die allenthalben wohlgelittene Minderheit in den rätischen Alpen.

Aus der Westschweiz brandet eine zunehmende Sympathiewelle zu der kleinen, verwandten Sprachgruppe in der anderen Ecke der Schweiz. Wie weit das als Signal zu einem Schulterschluß der lateinischen Sprachgruppen gegenüber dem gewichtigen deutschsprachigen Block zu werten ist, wird die Zukunft weisen. Auch bei den Romands ist die Sympathie für die Rätoroma-

Frau in der surselvischen Festtagstracht auf ▷
dem Friedhof in Breil.

nen oft größer als das Wissen über deren komplizierte reale Situation. Roland Béguelin, der jurassische Separatistenführer, verglich in den siebziger Jahren die Situation der Rätoromanen in Graubünden mit derjenigen der französischsprachigen Jurassier im Kanton Bern. Romanen wie Jurassier seien Paradebeispiele, wie ethnische und sprachliche Minderheiten durch die dominierenden Kräfte unterdrückt würden. Béguelin verkannte gänzlich, daß die Rätoromanen keine homogene Volksgruppe sind, daß sie, gespalten durch religiöse, politische und – sprachliche Grenzen kaum ein gemeinsamens ethnisches Bewußtsein entwickelten und daß sie in allen politischen Gremien des Kantons eher über- als untervertreten sind. Die Schützenhilfe aus dem Jura stieß denn auch in der vielgestaltigen rätoromanischen Szene fast einhellig auf Ablehnung. Béguelins Vorschlag, den romanischsprechenden Teil von Graubünden abzulösen und ähnlich wie im Berner Jura einen Kanton zu gründen, bewies, wie wenig er die Situation in Graubünden wirklich kannte.

b) Mangel an echter Konfrontation

«Alles, was nach Romanisch riecht, ist von vornherein gut und ehrwürdig, und Kritik kommt einer Gotteslästerung gleich», sagt Cla Biert. Tatsächlich leben die Bündnerromanen verglichen mit den oft angefeindeten Sprachbrüdern im Friaul und in den Dolomiten in einer viel komfortableren Situation: in einem Staat, der sprachliche Vielfalt, im Gegensatz zu Italien, als etwas Positives wertet, in einem Land, das sich zur Maxime gemacht hat, daß keine Gruppe zu mächtig und keine zu unbedeutend werden darf. Verglichen mit dem Los der Basken oder der Katalanen, deren Sprache zur Zeit Francos verboten war, genoß die kleine Sprachengruppe in den Bündner Bergen immer gute politische Rahmenbedingungen. Ganz zu schweigen vom Wohlwollen, das man ihr von Genf bis Rorschach und von Basel bis Chiasso entgegenbringt. Und dennoch schmolz das rätoromanische Sprachgebiet unaufhaltsam zusammen, versagte der oft als beispielhaft gelobte helvetische Minderheitenschutz. Die Gemeinden als Träger der Sprachenhoheit erwiesen sich als zu schwach, oft zu gleichgültig, um dem anbrandenden Deutschen die Stirne zu bieten.

Die Schweiz nahm das Drama der rätoromanischen Sprache bis in die neueste Zeit kaum je bewußt zur Kenntnis. Aus Hilflosigkeit oder unbewußt schlechtem Gewissen packte man die liebenswürdige Sprachminderheit in Watte und verdrängte, daß nach jeder Volkszählung wieder ein paar Bastionen gefallen waren. In der Schweiz leben die Sprachgruppen mehr nebeneinander als miteinander; aktive geistige Auseinandersetzungen über die

Sprachgrenzen hinweg sind die Ausnahme. Giusep Capaul, Chefredaktor der «Gasetta Romontscha», meint etwas nachdenklich: «Unser Willensstaat funktioniert vielleicht nur, weil wir so wenig voneinander wissen.» Der Mangel an geistiger Auseinandersetzung der großen Landessprachen mit dem Rätoromanischen bekommt diesem nicht gut. Das wohlwollende, aber belanglose Kopfnicken der Eidgenossen zu allem, was aus Romanischbünden bis zu ihnen vordringt, ist eine schön verpackte Form des Nicht-ernst-Nehmens, ja der Verniedlichung. Eine Haltung, welche die rätoromanische Sprache schwächt. Die vierte Landessprache existiert in einer Art Vakuum, in dem die Rätoromanen Mühe bekunden, die Proportionen richtig zu sehen. Wo die Orientierungspunkte fehlen, weil die Gegenseite keinen faßbaren Widerstand entgegensetzt, bleibt nur Unsicherheit. Maßlose Forderungen, das Rätoromanische auf der ganzen Linie den drei großen Landessprachen gleichzustellen, stehen neben unterwürfigem Bitten um Dinge, die längst schon selbstverständlich sein müßten. Druck erzeugt Gegendruck: Während die Kampfsituation die Ladiner in den Dolomiten gestärkt hat und auch das totgeschwiegene Furlan nicht bodigen konnte, erschlafften die Rätoromanen im Windschatten der gesamtschweizerischen Sympathie.

Es gab und gibt glücklicherweise Ansätze zu einer realen Auseinandersetzung mit der Problematik der Rätoromanen. So veranstaltete die Institution «Stapferhaus» auf der Lenzburg in den siebziger Jahren viel beachtete Tagungen zum Thema «Rätoromanisch – Gegenwart und Zukunft einer gefährdeten Sprache». Qualifizierte Referenten aus den Schweizer Sprachregionen, aber auch aus Deutschland und den USA behandelten das Thema der Minderheitensprache und diskutierten es in einer Art, daß sich die anwesenden Rätoromanen wirklich ernst genommen fühlten. Jacques Guidon, der an der Tagung teilnahm, empfand die Veranstaltung als «ungemein anregend und wohltuend», ja das echte Interesse aus der Deutschschweiz hatte zur Folge, daß sich alle Sprachminderheiten des Kantons zu angeregten Diskussionen an einen Tisch setzten. Guidon: «Hier spürte man, daß gute Impulse von außen helfen können.»

Ereignisse dieser Art sind zu selten, denn offensichtlich ist es für den Rest der Schweiz bequemer, den Mythos einer Trachten tragenden, Volkslieder singenden und in geschmückten Häusern lebenden alpinen Volksgruppe hochzuhalten, als sich mit den Realitäten einer zerrissenen Sprachminderheit auseinanderzusetzen.

Gewohnt, mit Samthandschuhen angefaßt zu werden, reagieren die Rätoromanen auf Kritik konsterniert, manchmal fast hysterisch. Als es die Churer Journalistin Margrit Sprecher wagte, in einem größeren Artikel im «Weltwoche-Magazin» die Rätoromanen etwas härter anzufassen und Ungereimtheiten in ihrem Verhalten bloßzulegen, erhob sich in den rätischen Tälern ein wehleidiger Protestchor. Zugegeben, die gebürtige Walserin überzeichnete mit gewohnt spitzer Feder einiges, doch sie traf auch den einen oder andern Nagel exakt auf den Kopf. Die Rätoromanen müssen nach jahrzehntelanger Schonung wieder lernen, sich der Konfrontation zu stellen, Kritik zu ertragen und zu kontern.

Die Schweiz hat die Rätoromanen zu lange nicht wirklich ernst genommen und in einem kitschigen sprachlichen Nationalpark, ja in einer Art alpinem Disneyland, angesiedelt. Kaum je sind sie in ein geistig forderndes, heilsames Kreuzfeuer geraten, das bewiesen hätte, daß man die vierte Landessprache für voll nimmt. Es hätte nicht geschadet, sondern mit der Zeit höchstens Selbstvertrauen und Widerstandskraft gestärkt, wenn Presse, Radio und Fernsehen den Rätoromanen ab und zu auch auf die Finger geklopft hätten, denn daß die vierte Landessprache am Abgrund steht, ist nicht nur die Schuld der Umwelt, des Versagens unserer Staatsidee. Viel Gleichgültigkeit und *laisser faire* der Betroffenen, Inkonsequenz, Kurzsichtigkeit, ja Fahrlässigkeit hat die prekäre Situation mitverschuldet. Dies beim Namen zu nennen, muß erlaubt sein, zumal die Romanen Argumente ins Feld führen und Kritik parieren können. Erst in der wirklichen Auseinandersetzung erlangen die Rätoromanen echtes Selbstbewußtsein, erst wenn die Samthandschuhe ausgezogen sind und der Nebel von Weihrauch sich verzogen hat, sind die Rätoromanen ernstgenommene Partner.

28. «Wohin gehöre ich?»

a) Aus Romanen werden Deutschschweizer

Alle zehn Jahre einmal, wenn die Formulare für die Volkszählung ins Haus flattern, muß sich jeder Schweizer entscheiden, welches nun seine Muttersprache sei. Was für einen Schaffhauser oder eine Lausannerin keine Probleme aufwirft, zwingt Tausende von Rätoromanen zum Nachdenken. Die Muttersprache ist nicht die Sprache der Mutter (was für manchen Romanen die Sache noch schwieriger machen würde), sondern «die Sprache, in der man denkt und die man am besten beherrscht». Was soll da ein Engadiner schreiben, der eine romanische Grundschule genoß, jedoch seit dreißig Jahren in Brugg wohnt und dessem berufliches wie privates Leben sich vollständig in Deutsch abwickelt?

Alle zehn Jahre zeigt die Analyse der Volkszählungsergebnisse, daß die Zahl der Rärotormanen in Graubünden erneut abgenommen hat. In der letzten Dekade um fünf Prozent auf 36 000. Bedingt durch die Abwanderung haben sich die Romanen-Kolonien im Unterland jedoch leicht vergrößert, so daß die Computer in Bern ein Total von 51 100 ausspuckten, 800 Seelen mehr als zehn Jahre zuvor. Zahlen vermögen aber die ganze Wirklichkeit nicht einzufangen. Ebenso regelmäßig wie die Anzahl der Rätoromanen in Graubünden absackt, nimmt die der Deutschsprachigen zu. Das geht freilich nicht alles auf das Konto der Einwanderung, sondern auf den *Sprachenwechsel* der Rätoromanen. Wer sich 1970 noch zu dieser exklusiven Minorität zählte, mochte das vielleicht 1980 nicht mehr guten Gewissens tun, weil «die Sprache, in der man denkt und die man am besten beherrscht», inzwischen das Deutsche geworden war.

Mehrere tausend Rätoromanen (die exakte Zahl läßt sich nicht ermitteln) verwandelten sich innerhalb der letzten zehn Jahre in Deutschschweizer! Dieser verblüffende Tatbestand läßt sich am Ergebnis einzelner Gemeinden hieb- und stichfest belegen. Scheid im Domleschg beispielsweise, das kaum Geburten verzeichnen und wenige Einwanderer begrüßen konnte, zählte 1970 erst sechs Einwohner deutscher Muttersprache, zehn Jahre später war ihre Zahl auf 44 geklettert! Die Bewohner von Scheid, die sich jetzt zur deutschen Muttersprache bekennen, reden oder verstehen vermutlich alle etwas Sutselvisch, nicht genug offensichtlich, daß sie sich als «Rätoromanen» fühlen: die Sprachgrenze hat sich *in* diesen Menschen verschoben.

Iso Camartin, Romanist und ehemaliger Sekretär der «Ligia Romontscha», diagnostiziert, daß es den reinen Romanen nicht mehr gibt: «Die Rätoromanen sind endgültig das geworden, was man ‹bilinguale Sprecher› (Zweisprachige) nennt. Wenn es vor zwanzig Jahren in den geschlossenen rätoromanischen Gebieten noch normal war, daß schulpflichtige Kinder erst mit zehn Jahre begannen, die Zweitsprache (Deutsch) zu erlernen, so treten sie heute ‹stark infiziert› mit alemannischen und schriftdeutschen Spracherfahrungen ihre Schulzeit an. Dies bedeutet keineswegs, daß das Rätoromanische als Umgangssprache seine Funktion bereits verloren habe. Aber es deutet auf eine sehr wichtige Verschiebung innerhalb der frühkindlichen Sprachpraxis. Welche Folgen diese frühe Vermischung des Rätoromanischen mit der Zweitsprache für das Überleben der bedrohten Kleinsprache hat, bleibt noch abzuwarten. Jedenfalls liegt die Gefahr nahe, daß dadurch die rätoromanische Sprachfähigkeit noch unentwickelter bleibt, als es bisher mit der späteren Ablösung durch die Zweitsprache der Fall war.»

«Wohin gehöre ich eigentlich?» ist eine Frage, die sich Rätoromanen nicht nur beim Ausfüllen der Volkszählungsformulare stellen. Mit der Zweisprachigkeit verändert sich auch die als «Selbst» erlebte innere Einheit der Person, die *Identität*. «Bin ich Rätoromanin?» fragt eine junge Oberhalbsteinerin, die heute in Chur als Journalistin arbeitet, ohne eine Antwort zu erwarten. «Ja, ich bin romanisch aufgezogen worden, doch seit der vierten Primarklasse schiebt sich das Deutsche immer mehr in den Vordergrund. Nein, als Rätoromanin fühle ich mich nicht, viel eher als sprachlicher Zwitter.»

b) Erinnerung an eine romanische Kindheit

Nicht wissen, wohin man gehört, sprachlich in keinem Sattel richtig fest sitzen. Gefühle dieser Art bewegen Rätoromanen immer wieder. Anderseits tragen alle Romanen, die jetzt in Chur, Arlesheim, San Francisco oder in einem der sprachlichen Rutschgebiete ihrer bündnerischen Heimat leben, eine in früher Kindheit angelegte rätoromanische Schicht in sich. Dieser Teil ihres Wesens mag verschüttet sein, ausradieren läßt er sich nicht.

Frau Annalisa Zumthor wuchs im sprachlich intakten Dorf Susch auf. Ihre Mutter, eine Solothurnerin, lernte das lokale Idiom; die Kinder wuchsen also mit der Muttersprache Romanisch auf. Nach dem Besuch der romanischen Abteilung des Lehrerseminars arbeitete die junge Engadinerin zuerst als Lehrerin im Tal. Später zog sie in die Deutschschweiz, baute sich einen deutschsprachigen Bekanntenkreis auf und heiratete einen Basler. «Das

Romanische verblaßte immer mehr, trat für mich in den Hintergrund», erinnert sie sich. Jetzt wohnt die Familie in Haldenstein bei Chur, also alles andere als im rätoromanischen Gebiet. Umso überraschender, daß die Kinder Vallader redeten, als ich mit ihrer Mutter sprach! «Es ist keine Heldentat, seine Kinder hier romanisch aufzuziehen», wehrt sie ab, «für mich hängt es mit dem Älterwerden zusammen, daß man wieder nach seinen Wurzeln sucht. Durch die Kinder wurden starke Erinnerungen an die eigene Kindheit wach, und die war ganz romanisch geprägt. Es gibt eine Lebensphase, da will man die Welt erobern, da zählt nur die Gegenwart und die Zukunft. Jetzt besinne ich mich zurück und realisiere, daß ich etwas habe, das ich bewahren und meinen Kindern weitergeben will.» Mit dem ersten redete die Mutter zuerst noch deutsch, erst bei Conradin, dem zweiten, setzte der Prozeß der Rückbesinnung richtig ein. Frau Zumthor stellte eine Engadiner Haushalthilfe ein, damit das Kind eine zweite romanisch sprechende Bezugsperson hatte. «Mindestens zwei Menschen im Umkreis des Kindes müssen romanisch reden», erklärt die Mutter, «sonst klappt es nicht richtig.» Der Vater versteht die Muttersprache seiner Frau, doch als Basler in Haldenstein romanisch zu reden, das kommt für ihn nicht in Frage: «Das wäre anbiedernd und schon fast peinlich. Das wollen wir nicht.»

Kürzlich freute sich die Mutter über ein Erfolgserlebnis: Das Telefon läutete, Condradin nahm ab. Am anderen Ende des Drahtes redete jemand deutsch, der Dreijährige übersetzte der Mutter auf romanisch, was der Anrufer wollte! «Ich würde mich jetzt in einer romanischen Umgebung wohler fühlen», gesteht die Suscherin; «wenn ich könnte, dann würde ich ins Engadin ziehen. Ins Unterengadin natürlich. Während unserer letzten Ferien in Sent wurde es mir wieder richtig bewußt, wie schön es ist, wenn alle romanisch reden. Alles wirkt freundlicher, wärmer auf mich.»

*

«Ohne romanische Märchen, ohne romanische Lieder in der Kindheit gibt es keine wirklichen Romanen», erklärt Rina Steier, Mutter mehrerer Kinder. Das starke emotionale Band zur Muttersprache stammt aus der Kindheit, die Gefühlswelt, welche Lieder und Märchen vermittelten, trägt bis ans Ende des Lebens. Selbst Rätoromanen, die seit Jahrzehnten nicht mehr «droben» leben, sagen: «Wenn es um ganz tiefe Gefühle geht, dann kann ich nur romanisch reden.»

Rätoromanen, die abgewandert sind und nicht mehr im Sprachgebiet leben, scheinen deutlicher zu erkennen, was ihnen die Muttersprache bedeutet. Wenn sie sich über das Romanische äußern, dann reden sie von «Wärme», «Nähe», «Wohlsein» oder mit verklärender Sentimentalität von «Heimat», dem verlorenen Paradies der Kindheit.

Unter all den Aussagen, die von einer gebrochenen, vom Deutschen überlagerten romanischen Identität zeugen, wirkt das Bekenntnis von Jachen Prevost, einem Ramoscher in der romanischen Abteilung des Churer Lehrerseminars, ungewöhnlich eindeutig: «Wer vom Unterland in unser Tal kommt, hier wohnt, arbeitet und unsere Sprache lernt, kann sich dennoch nie ganz mit dem Dorf identifizieren. Es fehlt ihm, glaube ich, das Wichtigste, die romanische Seele. Ohne sie ist alles Bemühen wertlos. Man muß da geboren und aufgewachsen sein, um wirklich dazuzugehören. Ich fühle mich wie ein Baum im Dorf verwurzelt. Meine Eltern leben im Unterengadin, wie schon meine Großeltern und deren Eltern. Darum ist das Romanische meine wirkliche Muttersprache.»

*

Vor einigen Jahren, so geht die Fama, starb in einem abgelegenen Nest in der Surselva der allerletzte «reine Rätoromane», ein gewiß uralter Mann, der nur romanisch redete und keinen Brocken Deutsch verstand. Dieser letzte Zeuge aus einer nie wiederkehrenden Zeit muß schon fast wie ein lebendes Fossil gewirkt und seine Tage vermutlich mehr bemitleidet als bewundert verbracht haben. Der moderne Rätoromane ist viel weniger eindeutig. Er ruht nicht frag- und problemlos in seiner Muttersprache; zu oft sieht er sie an den Rand gedrückt, in Frage gestellt, ja als nutzlos abqualifiziert. Verwurzelt im Rätoromanischen und doch immer angewiesen auf die ungleich mächtigere deutsche Sprache, fragen sich sensible Romanen: «Wohin gehöre ich eigentlich?» Aufgewachsen in einem von ländlicher, romanischer Kultur geprägten Dorf und ausgebildet nach deutschen Lehrplänen in deutschsprachigen Städten müssen sie sich ihre Identität suchen, wenn sie den Konflikt nicht verdrängen und sich in ein kitschiges Freizeit-Romanentum flüchten wollen, das sich in der Zugehörigkeit zu einem Club, einer Trachtengruppe oder einem Chor erschöpft.

29. Fazit

Rund 3000 Sprachen soll es, wenn die Forscher richtig gezählt haben, auf unserer Erde geben. Die große Mehrzahl davon übrigens nicht in der alten Welt, sondern in Afrika, Asien und Südamerika. Europa steuert zum schier unfaßbaren Reichtum an Verständigungs- und Ausdrucksmitteln, welche die menschlichen Rassen hervorgebracht haben, nur gerade 62 Sprachen bei. Harald Haarmann bezeichnet in seinem Buch *Soziologie der kleinen Sprachen Europas* das Rätoromanische inklusive Furlan und Dolomiten-Romanisch als *eine* Sprache. Bereits dieser Sammelbegriff für eine reiche verzweigte Familie unterschiedlicher Idiome beweist, daß die Zahl von 62 Sprachen die schillernde Vielfalt höchstens annäherungsweise umreißt. In Wirklichkeit ist die europäische Sprachenlage unheimlich komplex. In dieser oszillierenden, von wenigen bedeutenden Kultursprachen dominierten Sprachenlandschaft bilden die Rätoromanen nicht mehr als eine kleine Partikel. Der Untergang des Rätoromanischen würde für *Europa* eine kaum spürbare Verarmung zur Folge haben, etwa so, wie wenn die 100 000 Sorben (eine gehätschelte slawische Sprachminderheit in der DDR, die dennoch mit Überlebensproblemen kämpft) nur noch Hochdeutsch reden würden. Für die *Schweiz* wäre das Erlöschen der vierten Landessprache ein bereits viel größerer Verlust. Auch wenn das Verschwinden des Rätoromanischen nicht a priori den Bankrott unserer Staatsidee bedeutete, wie manche pathetisch behaupten. *Graubünden* schließlich wäre ohne das Romanische definitiv und schmerzlich ärmer. Ein Engadin, wo von Maloja bis Martina Schweizerdeutsch die Szene beherrschte, wäre nicht mehr das wirkliche Engadin.

Eine Surselva mit deutschen Landsgemeinden, deutschen Primarschulen und deutschem Dorfklatsch verlöre ihren unverwechselbaren Charakter. Chur verarmte ohne die zehn Prozent Rätoromanen, denn die Zuwanderer aus den romanischen Tälern geben der Stadt erst das typische Cachet. Sie prägen das geistige und politische Klima der Hauptstadt des Mehrsprachenkantons mit.

*

Als die große Mehrzahl der Bündner ihr Brot noch in der Landwirtschaft verdienten, war das Romanische selbstverständliche Familien-, Berufs- und Umgangssprache. Heute, bei radikal veränderten wirtschaftlichen und sozialen Bedingungen, sieht sich das Rätoromanische, ähnlich wie andere Kleinsprachen in Industrieländern, an den Rand gedrückt. Überrumpelt durch die Erdbeben des technischen Zeitalters, verlor die Sprache soviel an Boden, daß sie fast nur noch für den Hausgebrauch taugte.

Die Romanen gewöhnten sich an die stetig anschwellende deutsche Informationslawine, die alle Lebensbereiche bis hin zur Unterhaltung erfaßte. Sie nahmen es offensichtlich lange als unabänderlich hin, daß sich das Rätoromanische mit der Rolle der privaten Heimsprache zu arrangieren hatte, praktisch ohne Präsenz in der beruflichen Ausbildung, in Wirtschaft, Werbung und oft auch im öffentlichen Leben.

*

In über dreihundert intensiven Gesprächen mit Vertretern aller Volksschichten versuchte ich herauszufinden, ob die Rätoromanen die Zurücksetzung ihrer Muttersprache als negativ empfinden oder ob sie infolge des steten Kompromisses (zu ihren Ungunsten) mit dem Deutschen die Situation als normal hinnehmen.

Auffallend ist heute bei vielen ein *geschärftes Bewußtsein* für den Wert und die Bedeutung der Muttersprache. Es beginnt manchem Romanen aufzudämmern, daß es *von jedem einzelnen,* also auch von ihm selbst, abhängt, ob das Romanische lebt oder nicht. Erst wenn sich dieser tausendfältige Wille wirklich lebendig manifestiert, entsteht der nötige Druck, der die heute erforderlichen Lebensbedingungen für die Kleinsprache zu schaffen vermag. Unser politisches System bietet genügend Spielraum dafür.

Immer mehr Romanen wird bewußt, was alles versäumt wurde oder kaputt ging und daß viele Anstrengungen nötig sind, um die eingekreiste Kleinsprache zu stützen. Es gibt den Schalter nicht, den man drehen könnte, um alles zum Guten zu wenden, es gibt auch das Gesetz nicht, welches das Rätoromanische ein für allemal retten könnte. Es gibt nur das *bewußte Bekenntnis der Rätoromanen zu ihrer Sprache,* die einzige Kraft, welche beim Kanton und der Eidgenossenschaft helfende Kräfte mobilisieren kann und wird. Bereits heute beginnt dieser Mechanismus zu spielen. Dank des größeren Selbstbewußtseins wird den Romanen auf allen Ebenen mehr zugestanden als bisher. Das größere Angebot trägt freilich nur Früchte, wenn das Zielpublikum es aktiv nutzt. Was frommen romanische Fernsehsendungen, wenn die Mehrheit der Apparate auf deutschsprachige Kanäle geschaltet sind? Was nützen die mit großem Aufwand erarbeiteten Neologismen-Programme, wenn der Romane beharrlich die deutschen Wörter braucht? Was helfen mühsam ins Romanische übersetzte Weisungen für Abstimmungen, wenn der Stimmbürger doch die deutschen Texte liest?

*

Sprachen sind vielschichtige Kommunikationsnetze; sie befähigen den Menschen zu einer breiten Skala von Lebensäußerungen, die vom Gefühl bis hin zur abstrakten Formel reichen. Sprachnetze sind umso tragfähiger, je vollkommener sie all diese Ausdrucksformen umfassen und je selbstverständlicher und normaler sich die Menschen ihrer bedienen. Die Netze der rätoromanischen Sprache sind in manchen Bereichen weitmaschig geworden, ja gerissen. Sie wieder neu zu knüpfen, tragfähig zu machen, erfordert einen nicht abreißenden Strom von Impulsen und Leistungen zugunsten der Sprache. Jeder einzelne, der romanisch redet, seine Kinder Romanisch lehrt, ein Buch, eine Zeitung in dieser Sprache liest, ein Inserat verfaßt, einen Vortrag, eine Predigt hält, ein Lied singt oder einen Witz erzählt, vollbringt eine Leistung, die zum Leben der Sprache beiträgt. Was bei großen, ungefährdeten Sprachen selbstverständlich geschieht, erfordert beim Romanischen oft einen bewußten Einsatz, ein Quentchen mehr an Leistung. Dies ist freilich nur möglich, wenn die Romanen einen Sinn darin sehen, es wirklich wollen.

Der Staat hat wohl den Rahmen zu schaffen, um auch der kleinsten Landessprache die Entfaltung zu ermöglichen. Die Spracherhaltung jedoch an den Staat oder an Institutionen zu delegieren, bedeutet den Anfang vom Ende. Bund, Kanton, die «Lia Rumantscha» müssen helfen; diese Hilfe kommt jedoch nur zum Tragen, wenn die einzelne Rätoromanin, der einzelne Rätoromane überzeugt mitmacht. Dann erst hat die vierte Landessprache eine Chance, zur Normalität zurückzufinden!

Die wichtigste Stärkung für das gefährlich beschädigte Netz kommt von denen, die in den rätoromanischen Tälern leben, arbeiten, ihre Familien aufziehen und die lokale Sprache reden. Sie kommt von denen, die nach der Zeit der Ausbildung und der Wanderschaft zurückkehren, von all denen, die einwandern und die lokale Sprache lernen. Auch wenn es in den nächsten Jahren kaum möglich sein wird, per Gesetz ein romanisches Territorium auszuscheiden, so gilt doch: *Nur im Gebiet, in dem sie verwurzelt und gewachsen ist, kann sich eine Sprache wirklich erhalten.* Abgewanderte können helfen, doch sie retten das Rätoromanische bestimmt nicht.

*

Auch beim stärksten Bekenntnis der Romanen für ihre Sprache, beim größten Entgegenkommen des Staates bleibt Rätoromanisch eine *Kleinsprache* ohne kulturelles Hinterland. Gewicht läßt sich nicht künstlich erzeugen und darum kann eine von 0,8 Prozent der Schweizer Bevölkerung geredete

Sprache nicht dem Französischen, Italienischen und Deutschen gleichgestellt werden. Nur schon mangels Literatur wird es nie eine rätoromanische Hochschule geben, ebensowenig wie eine vollständig romanische Gewerbeschule. Das Ziel muß sein, *Normalität für das Romanische herzustellen, das heißt Bereiche zu öffnen, die es als Kleinsprache lebendig erfüllen und verkraften kann.*

Dabei ist die vierte Landessprache auf die Unterstützung von Bund und Kantonen angewiesen. Mehr Gewicht bei der Ausbildung in Berufsschulen, Gymnasien und Hochschulen erfordert Änderungen von Gesetzen und Reglementen, welche die Rätoromanen nur fordern, jedoch nicht selbst durchsetzen können. Die Sprachminderheit benötigt auch vermehrt finanzielle Hilfe, damit sie die großen anstehenden Projekte (Rumantsch Grischun, Wörterbücher, Neologismenprogramme, Sachbücher usw.) bewältigen kann. Mindestens so wichtig wie Geld ist jedoch, daß die Mitschweizer beginnen, sich mit dem Dilemma der Kleinsprache Rätoromanisch aktiv auseinanderzusetzen.

*

Sprachen entstehen und verglimmen, auch in Europa. Die keltische Manx-Sprache beispielsweise, die auf der Insel Man in der Irischen See gesprochen wird, redeten im Jahre 1950 noch ein Dutzend Menschen, 1967 beherrschten sie nur noch zwei Personen . . .

Die Rätoromanen mobilisieren gegenwärtig Kräfte, die hoffen lassen, daß ihre Sprache in absehbarer Zeit nicht zu einem alpinen Manx wird.

Als Träger einer gefährdeten Minderheitensprache realisieren viele, daß bei ihnen Verantwortung liegt. Eine Minderheitensprache zu reden, ist Vorzug und Belastung zugleich, bedeutet ebenso eine Chance wie eine Bürde. Das Dilemma, in dem jeder Rätoromane bewußt oder unbewußt steht, birgt die Gefahr, der eigenen Muttersprache zugunsten der großen deutschen Sprache zu entsagen. Es beinhaltet jedoch auch die Chance, sich sensibilisiert der Welt zu öffnen, ohne sein Nächstes und Liebstes preiszugeben.

Domenica Messmer, die große alte Dame der romanischen Sprachbewegung, sagt: «Wenn ich mich in die Bündner Geschichte vertiefe, wird mir bewußt, wie unglaublich es ist, nach allem, was in diesen Tälern geschah, daß wir frei geblieben sind und daß sich unsere Sprache über zweitausend Jahre erhalten hat. Dann wird mir klar, daß mir das Romanische auch darum so lieb und so nahe ist, weil es so viele Stürme überdauert hat.»

Mariano Tschuor: Anhang

A) GESCHICHTE – URSPRUNG

Das Volk der Räter, eine Mischrasse von Liguriern, Veneto-Illyriern, Kelten und Etruskern, bewohnte das Gebiet zwischen Bodensee und Comersee, Gotthard und Brenner. Von der Ursprache der Rätoromanen weiß man nur, daß sie weder Etruskisch noch Keltisch, jedoch beiden Sprachen verwandt war.

15 vor Chr.
Die Römer erobern unter Drusus und Tiberius Rätien. Das Volkslatein breitet sich in Rätien aus und verbindet sich mit der bestehenden vorrömischen Sprache. Daraus entsteht das Vulgärlatein rätischer Prägung, das sich durch lautliche Wandlung und sprachliche Differenzierung allmählich zum heutigen Rätoromanisch formt.

284
Die Römer teilen das nördliche Rätien in zwei Provinzen ein: Rätia Prima mit Chur als Hauptstadt und Rätia Secunda mit den nördlichen Teilen Tirols und der bayrischen-schwäbischen Hochebene im Norden des Bodensees. Im 5. Jahrhundert erobern die Bajuwaren die Rätia Secunda. Bis zum 6. Jahrhundert sind die beiden Territorien romanisiert und christianisiert.

536
In der Mitte des 6. Jahrhunderts erfolgt eine politische, wirtschaftliche und kulturelle Ausrichtung nach dem Norden. 536 gerät Rätien unter die Herrschaft der Frankenkönige. Die rätische Provinz wird verkleinert und heisst «Rätia Curiensis». Die Sprache der Räter wird «Churwälsch» (= romanisch sprechend) genannt.

ca. 807
Karl der Große teilt Rätien in zwei Grafschaften: Oberrätien und Unterrätien, getrennt durch die Landquart und die Rätikonkette.

843
Das Bistum Chur (erster Churer Bischof: Asinio, 451 erwähnt) wird von der Erzdiözese Mailand losgetrennt und dem Erzbistum Mainz zugeteilt.

847
Ein Dekret des Mainzer Erzbischofs Hrabanus Maurus bestimmt, daß der Gottesdienst in der lokalen Sprache gehalten werden muß (Reichsteilung zu Verdun).

9./10. Jahrhundert
Graubünden untersteht dem deutschen Kaiser; alemannische Feudalherren und Vasallen übernehmen die Herrschaft.

ca. 1200
Aus dieser Zeit stammt der älteste bekannte romanische Sprachtext, eine interlineare (zwischen den Zeilen) romanische Übersetzung einer lateinischen Predigt. Dieser Text befindet sich in einem Codex der Stiftsbibliothek Einsiedeln. Abgesehen von dieser Rarität überlebten nur wenige schriftliche Dokumente aus der Zeit vor dem 16. Jahrhundert die zahlreichen Brände und Kriege. Dafür ist die mündliche Literatur reich vertreten. Besonders erwähnt sei die «Canzun de sontga Margriata» (St. Margarethenlied). Das mündlich in mehreren Varianten überlieferte Lied dürfte wohl das älteste Zeugnis surselvischer Dichtung sein. Caspar Decurtins (1855–1916) publizierte diese reichhaltige mündliche Literatur in seiner zwölfbändigen *Rätoromanischen Chrestomathie*.

13./14. Jahrhundert

Die alemannischen Walser strömen in mehreren Zügen ins Land und besiedeln die von den Rätoromanen nur spärlich bewohnten Höhenlagen. Sie kommen über die Pässe Furka-Oberalp und lassen sich im Val Tujetsch und in Medel nieder. Über Bosco/Gurin ziehen die Walser ins Val Maggia und dann in das Gebiet des Rheinwaldhorns, nach Vals, Davos, Arosa.

Gründung der drei Bünde:

1367 Gotteshausbund,

1395 Grauer Bund, 1424 erneuert,

1436 Zehngerichtebund.

Langsam reift damit die politische Eigenständigkeit Graubündens. Die Entwicklung vom Feudalsystem zur Demokratie in der Form der eigenständigen Gemeinden und Hochgerichte und später im erweiterten lockeren Staatenbund der Drei Bünde (1471) wird eingeleitet.

1464, 27. April

Ein Großbrand vernichtet Chur größtenteils. Alemannische Handwerker bauen die Stadt wieder auf. Das sprachlich-kulturell romanische Zentrum Chur geht endgültig zum Deutschen über.

1483–1563

Lebensdaten von Joan Travers, der mit seiner «Chianzun da la guerra dalg Chasté d'Müs» «Vater der romanischen Literatur» genannt wird. Wahrscheinlich 1527 verfaßt und 1865 zum erstenmal gedruckt. 1534 wird in Zuoz sein Drama «Historgia dal bio patriarch Joseph» aufgeführt.

16./17. Jahrhundert

Die Glaubenskämpfe zwingen die beiden Parteien zur Herausgabe schriftlicher Literatur. Die ersten Druckwerke in romanischer Sprache erscheinen:

1552

Jachiam Bifrun übersetzt den Katechismus ins oberengadinische Idiom (Puter).

1562

Durich Chiampell schreibt *Ün cudesch da Psalms* im unterengadinischen Idiom (Vallader).

1601

Daniel Bonifaci übersetzt in der Sprache des Domleschgs *Catechismus, curt mussameint dels principals punctgs della christianeivla Religiun.*

1611

Steffan Gabriel schreibt *Il vêr sulaz dal pievel giuvan* im surselvischen Idiom.

Gründe für die aufgesplitterte bündnerromanische Sprachlandschaft:

1. Geographisch

Das Land der 150 Täler ist geographisch so stark aufgegliedert, daß jedes Tal ein Eigenleben führt, eine eigene Sprache spricht. Graubünden, das Land der Pässe, verfügt über wichtige Durchgangsrouten von Norden nach Süden; die Querverbindungen von Tal zu Tal aber, besonders von Westen nach Osten, existieren kaum.

2. Konfessionell

In der ersten Hälfte des 16. Jahrhunderts werden weite Teile Graubündens reformiert. Die ersten gedruckten romanischen Werke erscheinen. Der Glaubenskampf läßt mehrere regionale Schriftsprachen entstehen. Der Gegensatz zwischen altem und neuem Glauben verunmöglicht während Jahrhunderten eine Zusammenarbeit.

3. Kulturell

Als die Schriftsprachen entstehen, ist Chur, das einzig denkbare Sprach- und Kulturzentrum, längst verdeutscht.

4. Politisch

Die Drei Bünde – sie sind sprachlich nicht einheitlich – bilden ein sehr loses Staatsgebilde; die Bischöfe von Chur sind meistens deutscher Abstammung; die herrschenden Kreise schreiben entweder Latein oder das durch das Rittertum zu Glanz gebrachte Deutsch.

1668

Gion Gieri Barbisch ist der erste Buchdrucker Romanischbündens. In Feldkirch druckt und publiziert er *In curt mussamen . . .* von Gion Antoni Calvezan. 1668 arbeitet Barbisch in seiner Druckerei in Luven (Surselva).

18. Jahrhundert

Sehr beliebt sind die weltlichen und religiösen Dramen, vor allem die Passionsspiele von Somvix und Lumbrein.

1700

Erste romanische Zeitung: «Gazetta ordinaria da Scuol».

1729

erscheint die älteste romanische Grammatik vom Kapuziner-Pater Flaminio de Sale *Fundamenti principali della lingua Retia . . .* Das Werk ist vor allem für die italienischen Kapuziner-Patres, die in Graubünden tätig sind, bestimmt.

1775

Joseph a Planta, Bibliothekar des British Museum London, referiert vor Mitgliedern der Royal Academy of Sciences über die romanische Sprache.

1794

Bis zu diesem Zeitpunkt galt aus «praktischen Gründen» das Deutsche als offizielle Sprache in den einzelnen Bünden und im Gesamtstaat der Drei Bünde.

1803

Der Große Rat des neuen Kantons beschloß, daß zu Beginn einer jeden Session ein Dolmetscher ernannt werde, der den Ratsmitgliedern auf Verlangen die Voten ins Deutsche übersetzt. Erlasse und Gesetze sollten auch in Romanisch herausgegeben werden (Beschluß 1825). In den Kantonsverfassungen von 1880 und 1892 wurden die drei Sprachen des Kantons als Landessprachen gewährleistet.

Nach dem Aufschwung während der Zeit der Reformation und Gegenreformation sowie des Barocks folgt bis ungefähr 1840 ein Niedergang. Nur wenige Werke entstehen, darunter Dichtungen von Conradin de Flugi d'Aspermont, Theodor von Castelberg, Placi Antoni Latuor, Gion Battista Sandri, P. Placidus a Spescha, Gieri Antoni Vieli.

Neue Gefahren drohen dem Bündnerromanischen: das Eisenbahnzeitalter und der Fremdenverkehr. Die Romanen betrachten ihre Sprache als wirtschaftliches Hindernis. Sie wird darum vor allem in Mittelbünden in Schule, Kirche und Gemeindesaal durch das Deutsche ersetzt. Dagegen wehren sich unter anderen vehement Peider Lansel, Caspar Decurtins, Giachen Hasper Muoth.

1861/62

Erstmals führt das Lehrerseminar in Chur das Fach «Romanisch» ein. Als Professor lehrt Gion Antoni Bühler.

Die «Rätoromanische Renaissance», eine Neubesinnung auf die Werte der ro-

manischen Sprache, beginnt: Dichter und Schriftsteller arbeiten an neuen Werken:
Gion Fadri Caderas, Zuoz
(1830–1891)
Flurin Camathias, Laax
(1871–1946)
Simeon Caratsch, S-chanf
(1826–1891)
P. Maurus Carnot, Mustér
(1865–1935)
Gion Antoni Huonder, Mustér
(1824–1867)
Peider Lansel, Sent
(1863–1943)
Giachen Hasper Muoth, Breil
(1844–1906)
Giachen Michel Nay, Trun
(1860–1920)
Alfons Tuor, Rabius
(1871–1904)
Schimun Vonmoos, Ramosch
(1869–1940).

1886–1922
Gründung kultur- und sprachfördernder Vereine:
1886 Societad Retorumantscha (SRR)
1896 Romania
1904 Uniun dals Grischs (UdG)
1914 Uniun Rumantscha da Schons
1919 Ligia Romontscha/Lia Rumantscha (LR) als Dachorganisation
1921 Renania
1922 Uniung Rumantscha da Surmeir (URS)
Sprachwissenschafter schaffen grundlegende Grammatiken und Wörterbücher (Gion Cahannes, O. Tönjachen, Ramun Vieli).

1925
Erste romanische Radiosendung.

1938
Volk und Stände anerkennen mit 574 991 gegen 52 827 Stimmen das Rätoromanische als 4. Landessprache (Nationalsprache).
1946
Gründung der *Uniun da Scripturs Rumantschs* (rom. Schriftstellerverband) und der *Cuminanza Rumantscha Radio e Televisiun* (Radio- und Fernsehgesellschaft).
1963
Erste romanische Fernsehsendung.
1960–80
Zunehmende Sensibilisierung für das Rätoromanische als 4. Landessprache.
1980
Die Ligia Romontscha fordert von der Landesregierung einen stärkeren Einsatz für die Erhaltung und Förderung des Romanischen.
1981
Das «Institut de Cuors Retoromontschs» (eine private Organisation) in Rumein stellt an einer Pressekonferenz in Bern die Studie *Der Tod des Romanischen* vor. Die Studie, verfaßt in allen vier Landessprachen, stammt von Jean-Jacques Furer.
1981
Der Bundesrat antwortet auf die Eingabe der LR, eine Erhöhung der Finanzhilfe könne erst in der Legislaturperiode 1984–1987 gewährt werden. Die Antwort löst bei den Romanen Enttäuschung aus.
1982
Während einer ganzen Woche strahlt Radio DRS unter dem Motto «Scuntrada romontscha – Rätoromanische Begegnung» täglich mehrere Sendungen über die Romanen aus.

B) WER SPRICHT RÄTOROMANISCH?

Mit dem Begriff «Rätoromanisch» bezeichnet man drei getrennte Sprachgruppen in verschiedenen Teilen des Alpengebietes. Man unterscheidet zwischen:

dem **Friaulischen,** von ca 500 000 italienischen Staatsangehörigen in Nordostitalien in der Gegend von Udine gesprochen;

dem **Dolomitenladinischen,** von ca. 30 000 italienischen Staatsangehörigen in einigen Dolomitentälern Südtirols gesprochen;

dem **Bündner-Romanischen,** Muttersprache von rund 50 000 schweizerischen Rätoromanen.

Die Rätoromanen in Graubünden und in Italien

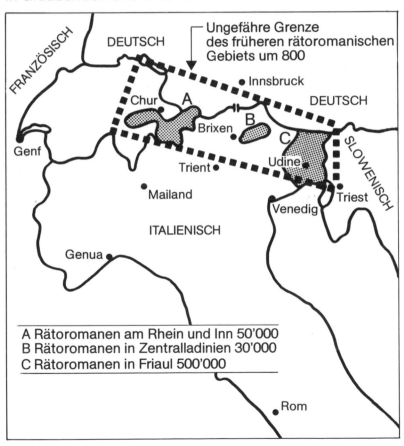

A Rätoromanen am Rhein und Inn 50'000
B Rätoromanen in Zentralladinien 30'000
C Rätoromanen in Friaul 500'000

C) DIE SPRACHEN GRAUBÜNDENS

Italienisch
Die ganz nach Süden gerichteten Täler Misox, Calanca, Bergell und Puschlav lehnen sich auch sprachlich an die Nachbarn an. Ausnahme bildet das Val Müstair (Münstertal), das zum rätoromanischen Sprachraum gehört.

Deutsch
Der deutsche Sprachraum umfaßt die von den Walsern besiedelten Hochtäler Safien, Avers, Obersaxen, Davos u.a. sowie die von Norden her germanisierte Region Chur; hier sind die Grenzen zum rätoromanischen Gebiet zum Teil fließend.

Romanisch
Drei lose zusammenhängende Gebiete umfassen den romanischen Sprachraum: Die Surselva umfaßt den großen nordwestlichen Sektor.
In Mittelbünden bilden Schons/Schams, Surmeir/Oberhalbstein und große Teile der Val d'Alvra/Albulatal – Ausnahme Bravuogn/Bergün, das sich sprachlich ans Engadin lehnt – einen Sprachblock.
Das östliche rätoromanische Sprachgebiet umfaßt Engiadina und Müstair.

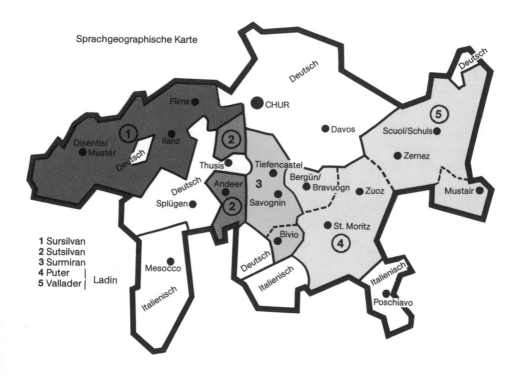

Sprachgeographische Karte

1 Sursilvan
2 Sutsilvan
3 Surmiran
4 Puter ⎫
5 Vallader ⎰ Ladin

D) DIE ROMANISCHEN SCHRIFTIDIOME

Als romanische Schriftidiome haben sich im Verlaufe der Jahrhunderte fünf Formen durchgesetzt. Daneben existiert eine Vielfalt von Mundarten.

Beispiele:

Rumantsch Grischun

Das Rumantsch Grischun ist eine neue Lese- und Schriftsprache zwischen den regionalen Idiomen, die nach Richtlinien von Prof. Heinrich Schmid, Zürich, erarbeitet wird.

Als Ausgleichssprache soll sie überall dort die Idiome ersetzen, wo nur *eine* romanische Schriftsprache in Frage kommt, bei Texten also, die sich an alle Rätoromanen wenden. Das Rumantsch Grischun befindet sich seit 1981/82 in einer Aufbau- und Versuchsphase.

Deutsch	Vallader	Puter	Surmiran	Sutsilvan	Sursilvan	Rumantsch Grischun
fünf	tschinch	tschinch	tschintg	tschentg	tschun	tschintg
Kind	uffant	iffaunt	unfant	ufànt	affon	uffant
Frau	duonna	duonna	donna	duna	dunna	dunna
Mann	hom	hom	om	um	um	om
Brot	pan	paun	pang	pàn	paun	paun
Haus	chasa	chesa	tgesa	tgea	casa	chasa

Vallader
(Engiadina bassa/Unterengadin,
Val Müstair/Münstertal: 5500 Personen)

Puter
(Engiadin'ota/Oberengadin: 3600)

Surmiran
(Surmeir, Val d'Alvra/Albulatal: 3000)

Sutsilvan
(Schons/Schams,
Tumleastga/Domleschg: 1200)

Sursilvan
(Surselva/Bündner Oberland: 17000)

E) DIE RÄTOROMANISCHE BEVÖLKERUNG IN DER SCHWEIZ

Jahre	Schweizer Bevölkerung	Schweizer Rätoromanen	Anteil in %
1941	4 265 703	46 436	1,1
1950	4 714 992	48 862	1,0
1960	5 429 061	49 823	0,9
1970	6 269 783	50 339	0,8
1980	6 329 000	51 128	0,8

F) DIE RÄTOROMANISCHE BEVÖLKERUNG IN GRAUBÜNDEN

Jahre	Gesamtbevölkerung	Deutsch	%	Romanisch	%	Italienisch	%
1880	93 874	43 664	46,5	37 794	40,3	12 976	13,8
1941	128 247	70 421	54,9	40 128	31,3	16 438	12,8
1950	137 100	77 096	56,2	40 109	29,2	18 079	13,2
1960	147 548	83 554	56,6	38 414	26,1	23 682	16,1
1970	162 086	93 359	57,6	37 878	23,4	25 575	15,8
1980	164 641	98 645	59,9	36 017	21,8	22 199	13,4

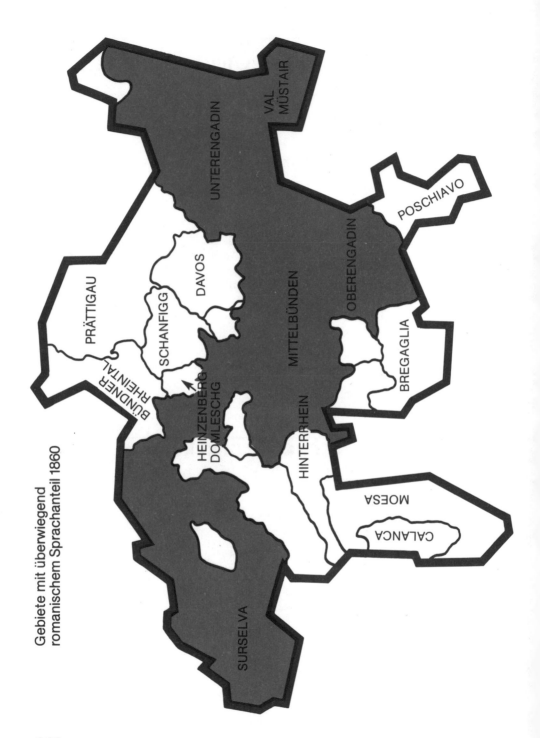

Gebiete mit überwiegend
romanischem Sprachanteil 1860

VAL MÜSTAIR

UNTERENGADIN

POSCHIAVO

OBERENGADIN

MITTELBÜNDEN

BREGAGLIA

PRÄTTIGAU

DAVOS

SCHANFIGG

BÜNDNER RHEINTAL

HEINZENBERG DOMLESCHG

HINTERRHEIN

MOESA

CALANCA

SURSELVA

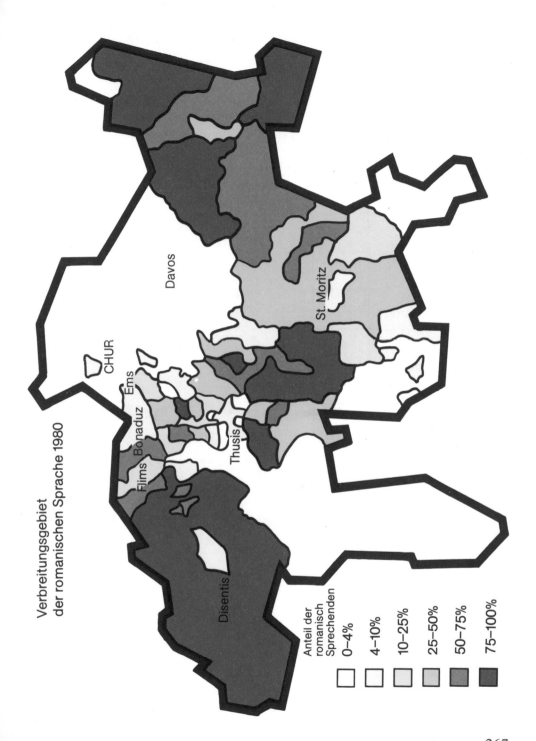

Verbreitungsgebiet
der romanischen Sprache 1980

Davos

CHUR

Ems

Bonaduz

Flims

Thusis

St. Moritz

Disentis

Anteil der
romanisch
Sprechenden

0–4%

4–10%

10–25%

25–50%

50–75%

75–100%

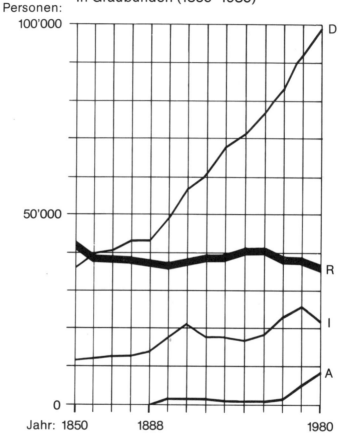

Entwicklung der Sprachengruppen
in Graubünden (1850–1980)

Personen:

100'000 — D

50'000

R

I

A

0

Jahr: 1850   1888   1980

R romanisch   D deutsch
I italienisch   A andere

G) ROMANISCHE INSTITUTIONEN

1. Ligia Romontscha/Lia Rumantscha (LR)

Gründung

Die LR ist am *26. Oktober 1919* in Chur von Vertretern der romanischen Sprachvereine «Societad Retoromontscha», «Romania», «Uniun dals Grischs», «Uniun Romontscha Cuera» und «Uniun Rumantscha da Schons» gegründet worden.

Was ist die LR?

Die LR ist die Dachorganisation der rätoromanischen regionalen Sprachvereine und der Tochtergesellschaften mit besonderen Aufgaben (Societad Retoromontscha, Cuminonza Romontscha Radio e Televisiun, Uniun da Scripturs Romontschs).

Zweck der LR

Die LR unterstützt und fördert die gemeinsamen Interessen und Ziele der Sprachvereine und Tochtergesellschaften, setzt sich ein für die Pflege des Rätoromanischen in Familie, Schule, Kirche und im öffentlichen Leben und bemüht sich um Kontakte zu den Behörden und den verschiedenen kulturellen Institutionen.

Aktionsprogramm

Die LR
- schafft und gibt Grundlagenwerke (Grammatiken, Wörterbücher, Anthologien, Bibliographien) heraus;
- fördert das Rätoromanische auf allen Schulstufen in Zusammenarbeit mit den kantonalen und kommunalen Instanzen;
- fördert die sprachliche Assimilation von Anderssprachigen (Kurswesen, Kontakte);
- schafft und verbreitet neues Sprachgut (Neologismen);
- fördert die rätoromanische Musik- und Gesangskultur;
- fördert das rätoromanische Volkstheater.

Das Sekretariat der LR mit Sitz in Chur hat neben den administrativen vor allem auch anregende, beratende, koordinierende und vermittelnde Funktionen.

2. Die Regionalgesellschaften der LR

Die Regionalgesellschaften wahren und pflegen die rätoromanische Sprache und Kultur in ihren Gebieten. Das Aktionsprogramm umfaßt, neben der Durchsetzung des Programms der LR:
- Herausgabe der Jahrbücher und anderer Bücher,
- Durchführung von Kursen und Erwachsenenbildung,
- Organisation von Begegnungen und Volksfesten.

2.1. Romania

(Katholische Teile der Surselva, Plaun/Imboden)

Die Romania ist am *15. September 1896* in Trun von Caspar Decurtins als ein Verein katholischer Studenten der Surselva gegründet worden. Nach einer Statutenänderung im Jahre 1911 wird Mitglied, wer das Jahrbuch *Igl Ischi* erwirbt. 1948 wird die Romania reorganisiert und in zwei Sektionen gegliedert: Romania Gronda, Romania Pintga (Die Studentensektion heißt heute: Romania da giuventetgna).

Publikationen

Seit 1897: *Igl Ischi* (Der Ahorn), mit Beiträgen über Sprache und Kultur, Leben und Wirken der Sursilvaner. Seit 1973 wird *Igl Ischi* von einem Redaktionskollegium redigiert und erscheint als *Ischi semestril* im Frühjahr und im Herbst.

Seit 1921: *Nies Tschespet* (Unsere Scholle); in Buchform erscheinen in dieser Reihe Werke älterer und modernerer Autoren. Caspar Decurtins gründete die Reihe 1891, Gion Cahannes nimmt die Edition 1921 wieder auf und besorgt die Redaktion bis 1945. Erscheint jährlich.

Seit 1941: *La Talina* (Kornhiste), Studentenzeitung, von P. Flurin Maissen als «Korrespondenz» zwischen den romanischen Studenten gegründet. Erscheint vier- bis sechsmal im Jahr.

2.2. *Uniun dals Grischs*

(Engiadina)

Die Uniun dals Grischs (UdG) ist *1904* als volksverbundener Verein in Samedan gegründet worden. Die UdG umfaßt das Gebiet Bravuogn – Engiadina – Val Müstair mit mehreren Sektionen in Chur und in der übrigen Schweiz, zeitweise sogar im Ausland. In jeder Gemeinde ist ein Verbindungsmann (cuvin) der UdG tätig. Periodisch werden besondere Sammelaktionen (La spüerta da sacrifici) zur

Verwirklichung wichtiger Projekte organisiert.

Publikationen

Seit 1911: *Il Chalender Ladin,* ein illustrierter Jahreskalender mit Beiträgen über Sprache und Kultur der Ladiner.

Seit 1912: *Il Dun da Nadal,* eine Zeitschrift, die jährlich um Weihnachten mit Beiträgen für Kinder (Märchen, Erzählungen etc.) erscheint.

Seit 1916: *L'Aviöl* (Die Biene) erscheint mehrmals im Jahr und spricht Schüler an (wird von der Conferenza generala ladina herausgegeben).

2.3. *Renania*

(Protestantischer Teil der Surselva, Schons/Schams, Tumleastga/Domleschg)

Die Renania ist im *Dezember 1921* aus der 1914 gegründeten «Uniun Rumantscha da Schons» und der 1920 in Ilanz gegründeten «Uniun Renana Romontscha» hervorgegangen.

Publikationen

Seit 1921: *La Casa Paterna/La Punt,* Wochenzeitung für das Gebiet der Renania.

Seit 1922: *Calender per mintga gi,* ein illustrierter Jahreskalender mit verschiedenen Beiträgen über Sprache, Volk, Geschichte usw.

Seit 1922: *Il Dun da Nadal* mit Beiträgen für Jugendliche, erscheint jährlich.

2.4. Uniung Rumantscha da Surmeir

(Val d'Alvra/Albulatal,
Surmeir/Oberhalbstein)

Die Uniung Rumantscha da Surmeir (URS) ist am *10. Oktober 1922* in Savognin gegründet worden. Die URS ist die Herausgeberin der 1939 erschienenen Grammatik *Normas ortograficas per igl Rumantsch da Surmeir* von Mena Grisch und Giatgen Battaglia.

Publikationen

Seit 1922: *Igl Noss Sulom,* ein Jahrbuch über surmiranische Literatur und Kultur.
Seit 1946: *La Pagina da Surmeir,* Wochenzeitung für das Gebiet des Surmeir.
Seit 1951: *Calender Surmiran,* ein Jahreskalender ähnlichen Inhalts wie *Igl Noss Sulom.*

2.5. Societad Retorumantscha (SRR)

1863 gründeten die Professoren Nuth, Sgier und Bühler eine erste Societad Rheto-Romana, die aber ihre Tätigkeit mangels Interesse und Verständnis beim Volk ein Jahr später einstellen mußte. Am *15. Dezember 1895* wurde dann die SRR gegründet. Ein Hauptanliegen der SRR ist das Sammeln und Bewahren der romanischen Sprachdenkmäler. Sie betreut die wissenschaftliche Erforschung des Rätoromanischen. Die SRR unterhält das Institut des «Dicziunari Rumantsch Grischun».

Publikationen

Seit 1896: *Annalas,* erscheinen jährlich mit wissenschaftlichen Beiträgen zu verschiedenen Sachbereichen in verschiedenen Idiomen.

Seit 1938: *Dicziunari Rumantsch Grischun* (DRG), ist das rätoromanische Idiotikon (Dialekt-Wörterbuch), welches das sprachliche Gut aller Bündner-Romanen erschließt. Mit dem Sammeln des Materials wurde 1904 begonnen. Der Sprachwissenschafter Robert de Planta war erster Redaktor des DRG. Der erste Faszikel erschien 1938.
Seit 1977: *Romanica Raetica,* eine wissenschaftliche Reihe mit Arbeiten aus dem churrätischen Raum.

2.6. Uniun da Scripturs Rumantschs (USR)

Die Vereinigung der romanischen Schriftsteller wurde *1946* gegründet. Die USR fördert mit verschiedenen Aktionen (Vorlesungen, literarische Preise) das rätoromanische Literaturschaffen und Literaturverständnis.

Publikationen

Seit 1946: *Litteratura,* eine Halbjahresschrift mit Originalwerken, Literaturkritik, Besprechungen. Ursprünglicher Name der Schrift: «Novas litteraras».

2.7. Cuminanza Rumantscha Radio e Televisiun (CRR)

Die CRR wurde *1946* in Chur gegründet. Die CRR fördert die romanische Sprache und Kultur in den Medien Radio und Fernsehen. Die CRR ist Mitglied der SRG.

Publikationen

Seit 1955: *Radioscola;* seit der ersten Schulfunksendung vom 27. Januar 1955 gibt die CRR Arbeitshefte mit zusätzlichen Informationen zu den Sendungen heraus.

H) ORGANE DER LIA RUMANTSCHA

1. Delegiertenversammlung (Aufsichtsbehörde)

Romania	Uniun dals Grischs	Renania	Uniung Rumantscha da Surmeir
18 Delegierte	14 Delegierte	7 Delegierte	6 Delegierte

Societad Retorumantscha	Uniun da Scripturs	Cuminanza Rumantscha Radio e Televisiun
5 Delegierte	5 Delegierte	5 Delegierte

= 60 Delegierte

2. Cussegl/Rat (Erweiterte Exekutive)

Romania	UdG	Renania	URS	SRR	USR	CRR
1	1	1	1	1	1	1

= 7 Mitglieder des Cussegl

3. Vorstand (Ausführendes Organ)

Romania	Uniun dals Grischs	Renania	URS	Präsident
1	1	1	1	1

= 5 Vorstandsmitglieder

Sekretariat
Die Delegiertenversammlung wählt die Vorstandsmitglieder und den Präsidenten. Der Sekretär wird vom Vorstand gewählt.

272

I) ROMANISCHE STIFTUNGEN

1. Fundaziun Planta, Samedan

Gründung
1. Oktober 1943 in Samedan.
Geschichte
Das Planta-Haus ist 1593 gebaut worden.
Am 1. Oktober 1943 errichtete die Familie von Planta, Samedan, eine öffentliche Stiftung.
Zweck
Aufbau einer lückenlosen rätoromanischen Bibliothek.
Seit 1973 organisiert die Stiftung im Sommer einen zweiwöchigen Einführungskurs in den praktischen Gebrauch des Oberengadiner Romanischen (Puter)

2. Fundaziun Chasa Rumantscha, Cuira

Gründung
1954 in Chur
Geschichte
Die Familie Vital baute 1861 an der Oberen Plessurstraße 47 die «Villa Heimet». Das Sekretariat der Lia Rumantscha arbeitet seit den 40er Jahren in diesem Haus. 1954 errichtete die LR eine Stiftung, um die Liegenschaft erwerben zu können.
Zweck
Die Stiftung stellt der LR und den ihr angeschlossenen Gesellschaften Räumlichkeiten für Büros, Sitzungen, Unterrichts-, Archiv- und Ausstellungszwecke zur Verfügung.

3. Fundaziun Retoromana Placi a Spescha/Laax

Gründung
25. März 1982 in Villa
Geschichte
1963 Gründung des Verlagshauses «Ediziuns Revista Retoromontscha» (RRR), das die «Revista Retoromontscha» herausgab. Die Quartalszeitschrift befaßte sich mit Sprache und Kultur der Sursilvaner. 1969 gründeten P. Flurin Maissen und Augustin Maissen in Rumein das «Institut de Cuors Retoromontschs» und organisierten die Sommerkurse zur Erlernung der rätoromanischen Sprache. Die Publikation der Studie *Der Tod des Romanischen*, herausgeben vom Institut im Verlagshaus der RRR, sprengte die Arbeitsmöglichkeiten des Instituts. Darum wurde die «Fundaziun Retoromana Placi a Spescha» mit Sitz in Laax gegründet.
Der Stiftung angeschlossen sind: das Verlagshaus RRR, eine Offsetdruckerei, eine Bibliothek und ein Buchladen in der Casa Cristallina in Laax.
Zweck
Die Stiftung setzt sich für Rettung, Pflege und Belebung der Kultur des Rätoromanischen ein. Sie organisiert Sprachkurse, publiziert Schriften über die Lage der Romanen, aber auch belletristische Werke.

K) ROMANISCHE ZEITUNGEN

GASETTA ROMONTSCHA

Erscheinungsort: Mustér/Disentis
Verbreitung: Surselva (vorwiegend im katholischen Gebiet)
Erscheint: Dienstag, Freitag
Tendenz: christlich-demokratisch
Auflage: 5500
Dauer: Seit 1. Januar 1857
Redaktoren: Placi Condrau (1857–1902)
Giachen Giusep Condrau (1902–1922)
Giusep Condrau (1922–1974)
Pius Condrau (1949–)
Dumeni Columberg (1969–1971)
Giusep Capaul (1971–)

Die «Gasetta Romontscha», die älteste und größte romanische Zeitung, wird von der Stampa Romontscha Condrau SA herausgegeben.

Erscheinungsort: Samedan
Verbreitung: Engiadina – Val Müstair – Bravuogn
Erscheint: Dienstag, Freitag
Tendenz: unabhängig
Auflage: 3600
Dauer: Seit 2. Januar 1940
Redaktoren: Robert Ganzoni (1940–1945)
Men Rauch (1940–1958)
Domenica Messmer (1960–1969)
Jon Manatschal (1970–)

Das «Fögl Ladin» wird von der Stamparia Engiadinaisa SA, Samedan, herausgegeben. Es ist das Nachfolgeblatt des «Fögl d'Engiadina» (Gründung: 1857) und der «Gazetta Ladina» (Privatzeitung, gegründet 1922 von Men Rauch). 1940 fusionierten die beiden Zeitungen. 1970 schloß sich «Il Giuven Jauer», die 1938 von Tista Murk gegründete Zeitung des Val Müstair, mit dem «Fögl Ladin» zusammen.

ORGAN DALL'UNIUN ROMONTSCHA RENANA (Renania)

Erscheinungsort: Chur
Verbreitung: Surselva, Sutselva, Tumleastga, Schons (vorwiegend im reformierten Gebiet)
Erscheint: Donnerstag
Tendenz: unabhängig, reformiert
Auflage: 1300
Dauer: Seit 1. Dezember 1920
Redaktoren: Peter Paul Cadonau (1920–1924)
Stefan Loringett (1920–1924)

Redaktoren: Hans Erni
(1924–1947)
Gallus Pfister
(1947–1951)
Christian Caduff
(1947–1974)
Gion Clopath (1974–)

Die «Casa Paterna/La Punt» ist ein Organ der Renania. 1976 fusionierte die «Casa Paterna» mit der sutselvischen Monatszeitung «La Punt», die 1951 als Privatzeitung von Stefan Loringett gegründet worden war. Jetziger Redaktor der «La Punt» ist Jacob Michael.

LA PAGINA DA SURMEIR

GA 7180 Disentis/Mustér
No 37, gls 17 settember 1982   lftavla annuala
l'umpara mintg emda

Editura: L'uniung Rumantscha da Surmeir
Redacziun: Rina Steier, Seidelvilla
7453 Savognin tel. (081) 74 12 83

Urgan da publicaziun per igls eveints
cumegns, las pleivs, umungs e societads da Surmeir

Prezi d'abunament: fr. 25.– ad on
Casa dall'URS Roms 70-3430
Inserats: 40 raps igl mm per colonna

Ampustaments alla redacziun o a
Guaigns Schmid Roms tel. 081 74 15 75

Erscheinungsort: Mustér/Disentis
Verbreitung: Surmeir, Val d'Alvra, Lantsch
Erscheint: Freitag
Tendenz: unabhängig, katholisch
Auflage: 1000
Dauer: Seit 6. Januar 1946
Redaktoren: Duri Loza
(1946–1949)
Gion Duno Simeon
(1949–1951)
Alfred Scarpatetti
(1951–1953)
Gisep Willimann
(1953–1955)
Vorstand der URS
(1955–1958)
Bonifaci Plaz
(1958–1961)

Redaktoren: Albert Camen
(1962–1968)
Cyrill Brenn
(1968–1976)
Franz Capeder
(1976–1979)
Rina Steier (1979–)

Die «Pagina da Surmeir» ist ein Organ der Uniung Rumantscha da Surmeir (URS).

REVISTA RUMANTSCHA

Erscheinungsort: Zernez
Verbreitung: hauptsächlich Engiadina, doch auch in der übrigen Schweiz und im Ausland
Erscheint: monatlich
Tendenz: unabhängig
Auflage: 800
Dauer: Seit 1. Oktober 1971
Redaktoren: Romedi Arquint
(1971–1981)
Jacques Guidon
(1971–)
Jon Plouda
(1971–1979)

Der Name der Zeitschrift, «Il Chardun» (die Distel), erklärt ihr Redaktionsprogramm: Satire, Karikatur, Pamphlet.

Neben diesen Zeitungen erscheinen in romanischer Sprache mehrere Amtsblätter und Zeitschriften unterschiedlichen Inhalts (La Tuatschina, Antenna, Pierrot, Pro Barvuogn, La Prouva, Comics Rumantschs).

L) RADIO UND FERNSEHEN

1. Cuminanza Rumantscha Radio e Televiun (CRR)

Die CRR ist Mitglied der Radio und Fernsehgesellschaft der deutschen und rätoromanischen Schweiz und der Schweizerischen Radio- und Fernsehgesellschaft (SRG). Als Vertreterin der romanischen Sprache und Kultur hat die CRR innerhalb der SRG die Stellung einer Region.
– Die CRR wahrt die Interessen der romanischen Bevölkerung inner- und außerhalb des Kantons,
– sorgt dafür, daß das Wesen und die Eigenart der romanischen Sprache und Kultur in ihrem Bestand und in ihrer Vielfalt zum Ausdruck kommen,
– wacht darüber, daß die romanischen Sendungen auch der Erhaltung und Förderung der romanischen Sprache und Kultur dienen.

2. Programmstelle Chur

Die Programmstelle in Chur realisiert und sendet die romanischen Radiosendungen. Die romanischen Fernsehsendungen werden in Chur vorbereitet, jedoch von Zürich aus gesendet.
Die Programmstelle beschäftigt 12 Radio- und 6 Fernsehmitarbeiter.

3. Radiosendungen in romanischer Sprache

Novitads – eine 10minütige Nachrichten-Sendung in rätoromanischer Sprache – ist eine Gemeinschaftssendung, die national ausgestrahlt wird und allen Rätoromanen die Gelegenheit bietet, wenigstens einmal täglich ihre Sprache am Radio zu hören. Sendezeit: täglich von 19.20 bis 19.30 Uhr über das UKW2-Netz.

Per la fin dall'jamna ist ein Samstagsmagazin mit Musik und Information, das jeweils von 12.00 bis 12.30 Uhr auf DRS 2 zu hören ist.

Scuntrada rumantscha, eine romanische Begegnung am Samstagabend mit sprachlichen, kulturellen, wirtschaftlichen und politischen Themen, ist jeweils von 19.30 bis 20.00 Uhr auf DRS 2 zu hören.

Emissiun purila, eine Bauernsendung, steht jeweils am Sonntag von 13.00 bis 13.20 Uhr auf DRS 2 im Programm.

Steila, steiletta, die rätoromanische Sendung für die Kleinen, wird jeweils am Sonntag von 18.50 bis 19.00 Uhr auf DRS 2 gesendet.

Radioscola, die rätoromanische Schulfunksendung, wird jährlich 18mal ausgestrahlt. Erstsendung: jeweils am Donnerstag, 09.05 bis 09.35 Uhr, auf DRS 2. Zweitsendung: jeweils am darauffolgenden Montag zur gleichen Zeit auf DRS 2.

Emissiun litterara heißt die literarische Sendung, die jeweils am 1. Sonntag im Monat um 20.05 Uhr auf DRS 2 zu hören ist.

Lokalsendungen, die jeweils am Dienstag von 17.00 bis 17.30 Uhr über die Bündner UKW-D1-Sender ausgestrahlt werden, bringen Themen für Kinder und Jugendliche, für die Frau, für die Kranken, für Betagte usw. Insgesamt spricht diese Sendung jährlich 52 verschiedene Zielgruppen an.

Im Kanton Graubünden werden die räto-romanischen Sendungen auch über Leitung 6 des Telefonrundspruchs ausgestrahlt. Zudem sendet «Schweizer Radio International» über die Kurzwelle wöchentlich zwei Kurzsendungen für die Rätoromanen im Ausland: «La Vusch Retica», in Chur produziert.

4. Fernsehsendungen in romanischer Sprache

Svizra romontscha ist eine 45minütige Magazinsendung über Sprache und Kultur der Rätoromanen. Die Sendung ist alle 4 Wochen jeweils um 16.15 Uhr im TV DRS zu sehen.
Telesguard, die 10minütige wöchentliche Informationssendung, wird vom TV DRS jeweils am Samstag um 17.45 Uhr gesendet.
La trucca d'historiettas, die Sendung für die kleinen TV-Zuschauer, steht wöchentlich zweimal auf dem Programm, nämlich am Dienstag um 17.45 Uhr und am Samstag um 17.35 Uhr im TV DRS.
In plaid sin via (Ein Wort auf den Weg) ist jeweils an Weihnachten, am Karfreitag, an Auffahrt und am 1. Sonntag im August zu sehen.
Verschiedene Fernsehsendungen werden jeweils wiederholt. Die entsprechenden Angaben dazu finden sich in den Programmzeitschriften.
Ab 1984 ist eine Erweiterung der Radio- und Fernsehsendungen geplant.

M) VERLAGSHÄUSER

1. Lia Rumantscha

Das größte romanische Verlagshaus ist die *Lia Rumantscha.* Die Dachorganisation der Romanen ist für Grundlagenwerke, wie Grammatiken, Wörterbücher, Anthologien zuständig. Sie publiziert regelmäßig Jugend- und Kinderliteratur, oft in Zusammenarbeit mit dem Schweizerischen Jugendschriftenwerk. Die LR gibt auch Langspielplatten, Kassetten und Theatertexte heraus.
Auch die Tochtergesellschaften der LR sind verlegerisch tätig (Jahrbücher, vereinzelt auch Sachbücher).

2. Casa editura Desertina/ Desertina Verlag Mustér/Disentis

Gründung: Placi Condrau gründete mit der Herausgabe der «Gasetta Romontscha» 1857 den Verlag. Seit 1953 baute Pius Condrau die Verlagstätigkeit bedeutend aus.
Verlagsprogramm: Werke in deutscher und romanischer Sprache, wobei das romanische Schriftgut in allen literarischen Gattungen gepflegt wird. Vor allem die surselvischen Autoren, zeitgenössische und verstorbene, erscheinen bei Desertina. Zum Beispiel Donat Cadruvi, Iso Camartin, Maurus Carnot, Giusep Condrau, Gion Deplazes, Carli Fry, Toni Halter, Vic Hendry, Flurin Maissen, Iso Müller, Gion Battesta Sialm, Hendri Spescha u.a.
Seit 1860 erscheint in der Desertina der

«Calender Romontsch», ein volkstümliches Jahrbuch.

3. Ediziuns Fontaniva Cuera

Gründung: 1963
Gründungsmitglieder: Ignazi Beer, Alexi Decurtins, Adolf Oberhänsli, Clemens Pally, Hendri Spescha.
Gründungsursache: Alternative schaffen zum Desertina Verlag, Linguistische Streitigkeiten innerhalb der Romania.
1963: erste Publikation:
Prosa Sursilvana
1974: vorläufig letzte Publikation:
Entagls von Theo Candinas.
In diesen zehn Jahren erschienen Jahr für Jahr Werke surselvischer Autoren (Theo Candinas, Flurin Darms, Gion Deplazes, Toni Halter, Vic Hendry) sowie drei Sachbücher.

4. Ediziuns Revista Retoromontscha (RRR) Laax

Gründung: 1963
Gründungsmitglieder: Alfons Maissen, Augustin Maissen, Flurin Maissen.
Die RRR publizierte die Quartalszeitschrift «Revista Retoromontscha», die sich mit Sprache und Kultur der Romanen befaßte. Unter dem Signet der RRR erschienen u.a. folgende Werke:
Studia Rätoromanica, Band 1 bis 10; eine wissenschaftliche Reihe herausgegeben von Augustin Maissen,
Taschenbücher (3 Ausgaben),
Gedichtsammlungen (4 Bände, vor allem von sogenannten Volksdichtern),
Il Novellist (8 Ausgaben, die belletristische Arbeiten beinhalten),
Grammatiken und Wörterbücher,
Übersetzungen aus anderen Sprachen,
Sachbücher (vor allem über die Lage des Romanischen).
Bei der RRR haben mehrere Autoren ihre Werke verlegt, so u.a. Luis Candinas, Donat Cadruvi, Paul Duff, Jean-Jacques Furer, Marcus Defuns, Mihel Maissen, Gion Artur Manetsch, Pieder Tuor etc.
Heute ist die RRR in die Fundaziun Retoromana integriert.

5. Octopus-Verlag Chur

Gründung: 1980 durch Andreas Joos
Romanische Erscheinungen: *Violetto*, ein Drachenmärchen von Hinnen/Appenzeller,
übersetzt surselvisch/ladinisch von Maria Cadruvi, Ernst Denoth.
Ab 1982–1984: Im Reprint-Verfahren erscheint die vergriffene *Rätoromanische Chrestomathie*, zwischen 1896–1916 von Caspar Decurtins herausgegeben; eine Sammlung der mündlich überlieferten Literatur aus dem ganzen bündnerromanischen Sprachgebiet. Neben den 13 vorliegenden Bänden werden auch das bis anhin nicht erschienene Buch über das Schams und ein Registerband publiziert.

6. Bischofberger AG, Buch- und Offsetdruck, Chur, und Stamparia Engiadinaisa SA, Samedan (Engadin Press AG),

drucken und verlegen zum Teil Publikationen (Jahrbücher, Zeitungen) der Tochtergesellschaften der LR und verwirklichen gelegentlich auch eigene Verlagswerke.

7. Zahlreiche Autoren

geben ihre Werke im Selbstverlag heraus. Gemeinden (Laax, Luven) publizieren ihre Monographien über Geschichte und Gegenwart.
Bedeutende literarische Reihen im Selbstverlag:
Chasa Paterna (Ladinische Prosa und Poesie), herausgegeben von der Familie Brunner, Lavin,
La Scena (Theaterliteratur), herausgegeben von Tista Murk,
Comics Rumantschs, herausgegeben von Bernina von Guaita.

N) ROMANISCHE BIBLIOTHEKEN

Wir führen die wichtigsten Bibliotheken in Romanischbünden auf. Für genauere Informationen wende man sich an den Bibliothekar.

Chur

1. Bistumsbibliothek
Reichhaltige Sammlung der rätoromanischen Literatur. Periodika, Jahrbücher, Zeitungen fast vollständig. Viele kleinere Broschüren und Flugblätter, große Sammlung religiöser Literatur, Heiligenbilder mit Text, Bildertafeln zum Andenken an die Verstorbenen.
Keine Ausleihe, Lesezimmer mit Arbeitsmöglichkeit.

2. Bibliothek des «Dicziunari Rumantsch Grischun»
Reichhaltige und ziemlich vollständige Sammlung aller rätoromanischen Druckwerke, auch benachbarter Gebiete.
Sammlung der Publikationen aus den Dolomiten und Friaul.
Breiten Raum nimmt die Linguistik ein.
Keine Ausleihe, Lesezimmer mit Arbeitsmöglichkeit.

3. Kantonsbibliothek
Als kantonale Institution sammelt sie alle Raetica. Die romanische Abteilung ist sehr reichhaltig, beinhaltet auch Publikationen aus den Dolomiten und Friaul. Die romanischen Werke sind ziemlich vollständig katalogisiert.
Ausleihe möglich, Lese- und Arbeitssaal.

4. Bibliothek und Archiv der Lia Rumantscha

Bibliothek als Informations- und Dokumentarstelle. Sammlung vor allem auch von Zeitungsausschnitten. Dokumentation der romanischen Sprachbewegung im Archiv der LR.
Keine Ausleihe, Lesezimmer mit Arbeitsmöglichkeit.

Mustér/Disentis

5. Romanische Klosterbibliothek

Bereits vor der Französischen Revolution existierte eine reichhaltige romanische Bibliothek, die aber von der französischen Besetzung zerstört wurde. 1883 gründete P. Baseli Berther die heutige romanische Bibliothek. Sehr umfangreich, vor allem Literatur aus der Surselva, viele Periodika, Jahrbücher und Zeitungen, Sammlung von Manuskripten, alte Theatertexte, Flugblätter, Bildertafeln zum Gedenken an die Verstorbenen. Wegen ihres Seltenheitswerts werden Bücher kaum ausgeliehen. Lesezimmer mit Arbeitsmöglichkeit.

Laax

6. Bibliothek der Fundaziun Retoromana

Sammlung der surselvischen Literatur, kleine Sammlung von Publikationen von Minderheitensprachen. Keine Ausleihe, Lesezimmer mit Arbeitsmöglichkeit.

Samedan

7. Bibliothek Chesa Planta

Eine der bedeutendsten romanischen Bibliotheken. Bibliothek der Familie von Planta – Samedan (4500 Titel, keine Ausleihe, nicht öffentlich). Daneben besteht die *öffentliche* romanische Bibliothek (ca. 3000 Titel), deren Grundstock die Bibliothek von Peider Lansel bildet. Reichhaltige Sammlung an Manuskripten, Abteilung romanischer Bücher aus den Dolomiten und Friaul, Abteilung in anderen Sprachen über die romanische Sprache und das romanische Gebiet.
Ausleihe möglich, Lesezimmer mit Arbeitsmöglichkeit. Handschriften und alte Bücher werden nicht ausgeliehen.
Geöffnet: Juli und August, Mo–Fr 9–11 und 14–16 Uhr.

O) MUSEEN IN ROMANISCHBÜNDEN

Glion/Ilanz

1. Museum Regiunal Surselva (Regionalmuseum Surselva)
Ort: Casa Carniec in der Altstadt
Geschichte: Die Casa Carniec ist ein 1611 erbautes Haus der Ilanzer Familie Schmid von Grüneck. 1978 bildete sich ein Stiftungsrat, der das Patrizierhaus für den Kauf sicherstellen und mit der Planung eines Regionalmuseums für die Surselva beginnen konnte.
Ausstellungsgut: Als Ergänzung zur Cuort Ligia Grischa in Trun, wo sich ein historisches Museum befindet, soll in der Casa Carniec ein Bauern-, Handwerker- und Gewerbemuseum eingerichtet werden.
(Museum noch im Aufbau).

Laax

2. Arcun da tradiziun (Ortsmuseum)
Ort: Alte Sennerei
Geschichte: Die Sennerei wurde 1887 nach einem Brand wiederaufgebaut. 1971 ging sie in den Besitz der Gemeinde von Laax über, nach Umbauten eröffnete die Pro Laax 1980 das Museum.
Ausstellungsgut: Heimatkundliche Sammlung.
Öffnungszeiten: Di, Do: 15–18 Uhr.

3. Privatsammlung Toja Isenring
Ort: La Cristallina Laax
Geschichte: Private Sammlung aus der Surselva, untergebracht in den Ausstellungskellern eines neueren Hauses an der Straße Flims–Laax.

Ausstellungsgut: Heimatkundliche Sammlung, Hinterglasmalerei, Sammlung bemalter Ostereier.
Öffnungszeiten: Mo–Sa: 15–18 Uhr, nach Vereinbarung.

Latsch

4. Heimatkundliche Sammlung
Ort: Bauernhäuschen in der Nähe der Poststelle
Geschichte: Seit 1974 öffentlich zugängliche Privatsammlung in einem Pächterhaus aus dem 19. Jahrhundert.
Ausstellungsgut: Heimatkundliche Sammlung
Öffnungszeiten: Mai–Okt.: Mo 9–12; 13–17 Uhr, nach Vereinbarung

Mustér/Disentis

5. Kulturhistorische Sammlung des Klosters Disentis
Ort: Kloster, ehemalige Marienkirche
Geschichte: 1923 begann P. Notker Curti mit der Sammlung von Objekten aus der Surselva.
Ausstellungsgut: Volkskundliche Objekte; Textilien; religiöse Volkskunde: sakrale Textilien, Hinterglasmalerei, archäologische (karolingische Stukkaturen) und frühmittelalterliche Objekte (Statuen).
Öffnungszeiten: Die Sammlung wird voraussichtlich um 1987 der Öffentlichkeit wieder zugänglich gemacht. (Das Museum ist zur Zeit wegen Umbauten geschlossen).

Müstair

6. Klostermuseum
Ort: Benediktinerinnenkloster
Geschichte: Die aus dem ausgehenden

8. Jahrhundert stammende Klosterkirche sowie die auf einen Neubau des 11. Jahrhundert zurückgehende Klosteranlage wurde mehrmals erneuert und erweitert. Eröffnung des Museums: 1938; Neueinrichtung: 1978

Ausstellungsgut: Sammlung christlicher Kunst, Fürstenzimmer (17. Jahrhundert)

Öffnungszeiten: Mo–Sa 9–11, 14–17 Uhr; So 10.30–11, 15–17 Uhr.

Samedan

7. Chesa Planta (Plantahaus)

Ort: Neben der Chesa Cumünela/Gemeindehaus

Geschichte: Das aus dem 16. Jahrhundert stammende Haus erhielt sein heutiges Aussehen im 18. Jahrhundert. Nach Erlöschen der Familie von Planta, Samedan, 1943 Errichtung der Fundaziun Planta.

Ausstellungsgut: Größtes Patrizierhaus des Engadins mit reicher Innenausstattung. Kostüme und Waffen der Familie von Planta. Bibliothek.

Öffnungszeiten: Juli und August. Geführte Hausbesichtigung Mo, Mi und Do, 16.30 Uhr.

Savognin

8. Museum regiunal

Ort: Bauernhaus, Dorfteil «Sot Curt»

Geschichte: 1979 kaufte die «Fundaziun Museum Curvanera Savognin» das aus dem 17. Jahrhundert stammende Bauernhaus. Eröffnung des Museums: 6. Juni 1982.

Ausstellungsgut: Heimatkundliche Sammlung, archäologische Funde.

Scuol

9. Museum d'Engiadina bassa (Unterengadiner Museum)

Ort: Altes Engadinerhaus auf dem Platz, in der Nähe der protestantischen Kirche.

Geschichte: 1954 gegründete und 1957 im sogenannten Kloster (1702–1704 umfassend ausgebaut) eingerichtete Sammlung.

Ausstellungsgut: Heimatkundliche Sammlung, Werkzeuge aus den Silberbergwerken von S-charl, romanische Bibliothek (Sammlung von Men Rauch).

Öffnungszeiten: Mai–Juni, Sept.–Okt.: Di, Do 10–11.30, 15–17 Uhr; Juli–Aug.: Mo–Fr 10–11.30, 15–17 Uhr.

San Murezzan/St. Moritz

10. Museum engiadinais (Engadiner Museum)

Ort: 1906 erbautes Haus an der Badstraße

Geschichte: Die von Riet Campell im 19. Jahrhundert angelegte Privatsammlung wurde 1906 in dem vom Sammler als Privatmuseum erbauten Haus eingerichtet. 1908: Ankauf durch die Gesellschaft zur Erhaltung des Engadiner Museums; seit 1920 Stiftung zur Förderung des Engadiner Museums.

Ausstellungsgut: Heimatkundliche Sammlung, Prunkzimmer.

Öffnungszeiten:

Jan.–April, Okt.–Dez.: Di–Fr 14.30–17.30 Uhr; Juni–Sept.: Mo–Sa 9.30–12, 14–17 Uhr; So 10–12 Uhr.

Tarasp

11. Chastè (Schloß)

Geschichte: Die um die Mitte des 11. Jahrhunderts erbaute und mehrmals vergrößerte Burg wurde 1907–1916 umfassend renoviert und mit neu erworbenem Kunstgut ausgestattet. Seit 1976 im Besitze des Vereins Kuratorium zum Schutze von Schloß und Region Tarasp.

Ausstellungsgut: Bündner und Tiroler Wohnkultur; Möbel und ganze Zimmer des 16.–18. Jahrhunderts, darunter drei Täferstuben.
Öffnungszeiten nach Anfrage.

Trun

12. Museum Sursilvan
(Oberländer Talmuseum)
Ort: Cuort Ligia Grischa/Klosterhof
Geschichte: Eröffnung 1932 im Klosterhof (17. Jahrhundert), dem einstigen Sitz der Bundesversammlung des Grauen Bundes.
Ausstellungsgut: Heimatkundliche Sammlung, Gerichtssaal des Grauen Bundes, Abtstube, Kunststube für die Surselva mit Werken von Alois Carigiet und Matias Spescha.
Öffnungszeiten: Mo–Sa 9.30, 10, 13.30, 14.45, 16 Uhr; So 13.30, 14.45, 16 Uhr (Führungen).

13. Curtin d'honur
Der Curtin d'honur (Ehrengarten oder Ehrenhof) der Ligia Grischa (Grauer Bund) ist im Jahre 1923 in Verbindung mit der Feier zum Jubiläum des Grauen Bundes in Trun angelegt worden.
Im Curtin werden verdiente Männer aus dem Gebiet des Grauen Bundes geehrt.
Mehr über diesen Curtin ist in der Gedenkschrift von 1971, publiziert von der Renania/Romania, oder in der Schriftenreihe «Nossa Patria Trun», 1970 vom Desertina Verlag herausgegeben, zu erfahren.

Valchava

14. Chasa Jaura Val Müstair
(Talmuseum Münstertal)
Ort: Chasa Jaura

Geschichte: Bauernhaus von 1663; 1965 vom Kreis Val Müstair aufgekauft. Eröffnung des Talmuseums und des Kulturzentrums: 1973.
Ausstellungsgut: Heimatkundliche Sammlung.
Öffnungszeiten: Juni–Sept.: Di–Fr 10–12, 14–17 Uhr; Sa, So 15–18 Uhr

Vnà

15. Museum local (Ortsmuseum)
Ort: Altes Schulhaus
Geschichte: Eröffnung durch die Società da museum: 1978.
Ausstellungsgut: Heimatkundliche Sammlung.
Öffnungszeiten: Juli, August, So 15.30–17 Uhr, nach Vereinbarung.

Vuorz/Waltensburg

16. Arcun da tradiziun (Heimatmuseum)
Ort: Crapmartin, Casa Cumin
Geschichte: Eröffnung: 1964 im 1580 erbauten Gerichtsgemeindehaus.
Ausstellungsgut: Heimatkundliche Sammlung.
Öffnungszeiten: Nach Vereinbarung.

Ziran/Zillis

17. Tgea da Schons
Ort: Bauernhaus bei der Kirche
Geschichte: Eröffnung 1970 in einem typischen mittelbündnerischen Bauernhaus aus dem 16. Jahrhundert mit Durchfahrt zur Scheune.
Ausstellungsgut: Heimatkundliche Sammlung, romanische Schriften aus dem Schams/Schons.
Öffnungszeiten: Juli, Aug.: Mo–So 10–12, 14–17 Uhr, Sept.: So 10–12, 14–17 Uhr.

P) ROMANISCHES KULTURLEBEN

Chöre und Theatergruppen sind in den Gemeinden für die romanische Sprachbewegung von besonderer Bedeutung. Einzelne Chöre sind weit über die romanischen Grenzen bekannt. Erfreuliche Aktivität entfalten seit einigen Jahren mehrere romanische Troubadouren.

Das romanische Theater verzeichnet in den letzten Jahren einen Aufschwung. Die Wahl der Stücke beweist, daß man sich bemüht, von veralteten Klischees und Theaterformen wegzukommen. Leider ist die zeitgenössische Originalliteratur noch sehr mager.

Die Gruppen sind deshalb auf Übersetzungen aus anderen Sprachen und Kulturen angewiesen.

Q) ROMANISCHKURSE

1. Sprachkurse für Zuzüger

Lehrgänge finden im ganzen romanischen Sprachgebiet statt und werden von der Lia Rumantscha, von den Tochtergesellschaften oder von lokalen kulturellen Vereinigungen organisiert. Ein Kurs umfaßt 8 Abende zu 2 Lektionen. Informationen können bei der LR, bei der Gemeindekanzlei des Wohnortes, bei den Sekretariaten der Gemeindeverbände oder im Schulhaus eingeholt werden.

2. Intensive Sommerkurse

Engiadina: Sommerkurse zur Erlernung des Puter, organisiert von der Fundaziun Planta *Samedan*.

Surselva: Sommerkurse zur Erlernung des Sursilvan, organisiert von der Fundaziun Retoromana *Laax*.

3. Erwachsenenbildung

Die Tochtergesellschaften der LR erarbeiten jährlich ein romanisches Erwachsenenbildungsprogramm. Wichtige Begegnungs- und Bildungszentren sind auch die «Casa Caltgera» in Laax und die «Chesa Fliana» in Lavin.

4. Kurse außerhalb des romanischen Sprachgebietes

Für die Romanischkurse außerhalb Graubündens wende man sich direkt an:
– Volkshochschulen,
– Universitäten,
– Migros-Clubschulen.

R) ROMANISCHE ORTSNAMEN, DIE SICH VOM DEUTSCHEN UNTERSCHEIDEN

Romanisch	A	Romanisch	A
Alvra	*Albula*	Purtagn	*Portein*
Beiva	*Bivio, Stalla*	Ramosch	*Remüs*
Bravuogn	*Bergün*	Riom	*Reams*
Breil	*Brigels*	Rona	*Roffna*
Brinzouls	*Brienz*	Roten	*Rodels*
Calantgil	*Innerferrera*		
Casti (Alvra)	*Tiefencastel*	Sagogn	*Sagens*
Casti (Schons)	*Casti*	Samignun	*Samnaun*
		Schlarigna	*Celerina*
Degen	*Igels*	Schluein	*Schleuis*
Domat	*Ems*	Schons	*Schams*
		Scuol	*Schuls*
Falera	*Fellers*	Segl	*Sils (Oberengadin)*
Farschno	*Fürstenau*	Seglias	*Sils (Domleschg)*
Ferrera	*Ausserferrera*	Sevgein	*Seewis*
Flearda	*Flerden*	Stierva	*Stürvis*
Flem	*Flims*	Surcasti	*Obercastels*
Foppa	*Gruob*	Surcuolm	*Neunkirch*
		Sotses	*Unterhalbstein*
Gelgia	*Julier*	Surses	*Oberhalbstein*
Givolta	*Rothenbrunnen*		
Glion	*Ilanz*	Tschierv	*Cierfs*
		Tschlin	*Schleins*
Lantsch	*Lenz*	Tujetsch	*Tavetsch*
La Punt-Chamues-ch	*Pontecampovasto*	Tumegl	*Tomils*
Lumnezia	*Lugnez*	Tumleastga	*Domleschg*
Luven	*Luvis*	Tusàn	*Thusis*
Mantogna	*Heinzenberg*	Uors	*Furth*
Murmarera	*Marmels*		
Müstair	*Münster*	Veulden	*Feldis*
Mustér	*Disentis*	Vignogn	*Vigens*
		Vuorz	*Waltensburg*
Parsonz	*Präsanz*		
Pasqual	*Paspels*	Ziràn	*Zillis*
Pigniu	*Panix*		
Plaun	*Imboden*		

S) LITERATUR-VERZEICHNIS

Es ist unmöglich, hier die ganze einschlägige Literatur aufzuzeichnen, deshalb beschränken wir uns auf wesentliche Publikationen. Wir weisen besonders auf «Bibliografia Retoromontscha», Band 1 und 2, und «Romanica Raetica – Studis Romontschs», Band 1 und 2, hin. In diesen Bänden findet der Leser fast sämtliche Titel des gedruckten bündnerromanischen Schrifttums sowie die Veröffentlichungen über fachspezifische Themen, die sich mit den Romanen befassen. Zudem gibt die Lia Rumantscha regelmäßig eine Broschüre, «Publicaziuns Romontschas», mit den verfügbaren romanischen Büchern heraus. Diese Broschüre kann bei der LR gratis bezogen werden.

Bibliographien

Bibliografia Retoromontscha 1552–1930: Bibliographie des gedruckten bündnerromanischen Schrifttums von den Anfängen bis zum Jahre 1930, LR, Cuera 1938.

Bibliografia Retoromontscha 1931–1951: Bibliographie des gedruckten bündnerromanischen Schrifttums von 1931–1952, LR, Cuera 1956.

Romanica Raetica I: Studis Romontschs 1950–1977. Bibliographisches Handbuch zur bündnerromanischen Sprache und Literatur, zur rätisch-bündnerischen Geschichte, Heimatkunde und Volksliteratur mit Ausblick auf benachbarte Gebiete. Band 1: Materialien, Società Retorumantscha, Cuera 1977.

Romanica Raetica II: Studis Romontschs 1950–1977. Band 2: Register, Società Retorumantscha, Cuera 1978.

Keller M.: Bibliographie rhéto-romanche 1931–1952. La vie littéraire au pays romanche. (Maschinenschrift), Genève 1955.

Publicaziuns Rumantschas (Verzeichnis der verkäuflichen romanischen Bücher): LR, Cuera 1982.

Widmer, A.: Bibliografische Hinweise zur bündnerromanischen Linguistik (Vervielfältigung), LR, Chur 1968.

Zaunmüller, W.: Bibliographisches Handbuch der Sprachwörterbücher. Ein internationales Verzeichnis von 5600 Wörterbüchern der Jahre 1460–1958 für mehr als 500 Sprachen und Dialekte. Stuttgart 1958.

Wörterbücher (Lexika)

Bezzola, R.R./Tönjachen, R.O.: Dicziunari tudais-ch–rumantsch ladin, LR, ^{2}1976.

Cavigelli, P./Peer, O.: Polyglott-Sprachführer Rätoromanisch: sursilvan/ladin. Polyglott Verlag, München ^{6}1981.

Dicziunari Rumantsch Grischun: Publichà da la Società Retorumantscha cul agüd da la Confederaziun e dal Chantun Grischun. (Dieses großangelegte Wörterbuch erscheint seit 1938. Es wird gegenwärtig von den Redaktoren Alexi Decurtins, Hans Stricker und Felix Giger betreut. Jedes Wort wird sprachwissenschaftlich beleuchtet, und die sprachwissenschaftlichen Abrisse am Ende des Bandes fassen die Resultate zusammen.)

Ebneter, Th.: Vocabulari dil rumantsch da Vaz, Niemeyer, Tübingen/Desertina, Mustér, 1981.

Maissen, Fl.: Plaids Frequents. Retoromontsch sursilvan, tudestg, engles, franzos, spagnol, talian. Revista Retoromontscha, Cuera 1972.

Mani, C.: Pledari da la Sutselva, LR, Cuera 1977.

Peer, O.: Dicziunari rumantsch ladin—tudais-ch, LR, [2]1979.

Scarry, R.: Mieu prüm dicziunari – Igl mies amprem dicziunari – Miu emprem dicziunari. Delphin-Verlag Stuttgart-Zürich 1973.

Sonder, A.; Grisch, M.: Vocabulari da Surmeir, rumantsch-tudestg/tudestg-rumantsch, LR, Coira 1970.

Vieli, R.; Decurtins, A.: Vocabulari Romontsch, sursilvan–tudestg, LR, Cuera [2]1981.

Vieli, R.; Decurtins, A.: Vocabulari Romontsch, tudestg–sursilvan, LR, Cuera [2]1981.

Grammatiken

Arquint, J.C.: Vierv ladin. Grammatica elementara dal rumantsch d'Engiadina bassa, LR, Cuoira [2]1982.

Candinas, T.: Nus discurrin romontsch. Grammatica sursilvana, LR, Cuera 1982.

Ganzoni, G.P.: Grammatica ladina. Grammatica sistematica dal rumantsch d'Engiadin'ota per scolars e creschieus da la lingua rumauntscha e tudais-cha. LR/UdG, Samedan 1977.

Liver, R.: Manuel pratique de romanche (français–sursilvan–vallader), LR, Cuera 1982.

Maissen, Fl.: Studis Reto-Romontschs. Grammatica concisa tenor G. Cahannes: Grammatica Romontscha per Sur- e Sutselva (1924). Morfologia. Adaptau als basegns dils Cuors linguistics a Rumein-Lumnezia. Revista Retoromontscha, Laax [6]1982.

Nay, S.M.: Bien di, bien onn. Lehrbuch der rätoromanischen Sprache (Sursilvan), LR, Cuera [6]1980.

Scheitlin, W.: Il pled puter. Grammatica ladina d'Engiadin'ota, UdG, Schlarigna [3]1980.

Schlatter, M./Viredaz, M.: J'apprends le Romanche, quatrième langue nationale. Grammaire abrégée du romanche de la Basse-Engadine, Lausanne [2]1973.

Schlatter, M.: Ich lerne Romanisch, die vierte Landessprache. Engiadina bassa, Tusan, [6]1980.

Thöni, G.P.: Rumantsch-Surmeir. Grammatica per igl idiom surmiran, LR, Coira 1969.

Anthologien

Bezzola, R.R.: The Curly-Horned Cow, an Anthology of Swiss-Romansh Literature, London 1971.

Billigmeier, R.; Maissen Ag.: Contemporary Romansh Poetry. An Anthology of Contemporary poetry written in the Romansh language of Switzerland. Antologia en lungatg engles da poets romontschs de nies temps. Publ. by the Romansh-American Foundation, México 1958.

Carnot, M.: Im Lande der Rätoromanen. Sprachliches und Sachliches vom Graubündner Inn und Rhein, LR, Disentis 1934.

Crespo, A.: Un siglo de poesia Retoromana, El Torro de Barro, Cuenca, Madrid 1976.

Kaehr, R.: Ni Italiens, ni Allemands, Romanches voulons rester. (Franz. Übersetzung von Gedichten und Prosa versch. rätoromanischer Autoren.) In: Revue Neuchâteloise 18 (1974–1975), Nr. 69, Neuchâtel.

Kramer, J.: Poesia sursilvana. Eine Auswahl aus der bündnerromanischen Dichtung des Vorderrheintales. Romania occidentalis Bd. 4, Gerbrunn bei Würzburg 1981.

Lansel, P.: Musa Romontscha – Musa Rumantscha. Antologia poetica moderna cun survistas da nossa fuormaziun linguistica e litteraria (eir in versiun francesa). LR, Samedan 1950.

Maissen, Ag./Popescu-Marin, M.: Antologie de poezié Romansă. Editura Academiei Republicii Socialiste România, Bucuresti 1980. (Antologia poetica romontscha – Antologia poetica rumantscha).

Mützenberg, G.: Destin de la langue et de la littérature rhétoromanes. Lausanne 1974.

Raetia '70: Antologjie de poesia ladinegrisone resinte. Antologia della poesia recente nel ladino grigioni. (A. Peer, T. Candinas, L. Famos, T. Murk, A. Planta, C. Taverna-Huder, C. Duri Bezzola, S. Camenisch, F. Giger) 1978.

Rumantscheia: Eine Anthologie rätoromanischer Schriftsteller der Gegenwart. Zürich und München 1979.

Weitere wichtige Werke

Allemann, F.R.: 25 mal die Schweiz, revidierte Neuauflage, München 1968.

Altenweger, A.: Der Dialog zwischen Schweizern, Jahrbuch 1981 der Neuen Helvetischen Gesellschaft, Bern, 1981.

Aubert, J.-F.: Traité de droit constitutionnel suisse, 2 Bde., Neuchâtel 1967.

Baumer, F.: Traumwege durch Rätien. Kulturgeschichtliche Wanderungen durch das rätoromanische Graubünden, Südtirol und Friaul. Passau 1981.

Baumgarten, F.: Demokratie und Charakter, Kindler Taschenbücher, Nr. 2054, Geist und Psyche, München 1968 (Erstausgabe, Zürich 1944).

Baur, A.: Wo steht das Rätoromanische heute? Bern 1955.

Béguelin, R.: Der Schutz der ethnischen Minderheiten und die Revision der Bundesverfassung, o.O., 1967.

Bernhard, R.: Beziehungen zwischen der alemannischen und der welschen Schweiz. Eine Bestandesaufnahme nach fünf Jahrzehnten, in: «Die Schweiz», Nationales Jahrbuch NHG, 1964, 123–147

– Alemannisch-welsche Sprachsorgen und Kulturfragen. Mit Beiträgen von *Friedrich Dürrenmatt* und *Alfred Richli,* Schriften des Deutschschweizerischen Sprachvereins, Heft Nr. 3, Frauenfeld 1968.

Bertogg, H.: Evangelische Verkündigung auf rätoromanischem Boden. Eine Besinnung über die Wechselbeziehung von Religion und Muttersprache, Gotteswort und Menschenwort, Chur 1940.

Bezzola, R.R.: Litteratura dals Rumantschs e ladins, LR, Cuira 1979 (Rätoromanische Literaturgeschichte).

Billigmeier, R.H.: A crisis in swiss pluralism, The Hague, 1979.

Camartin, I.: Rätoromanische Gegenwartsliteratur in Graubünden. Interpretationen. Interviews, Disentis 1976.

Caminada, Chr.: Die verzauberten Täler. Die urgeschichtlichen Kulte und Bräuche im alten Rätien, Olten 1962.

Candinas, T.: Rätoromanische Literatur,

Rätoromanische Sprache, Rätoromanische Mundarten. In: Enzyklopädie der aktuellen Schweiz, Bd. 3, Lausanne 1975.

Carnot, M.: Im Lande der Rätoromanen, Zürich, 1934.

Cathomas, B.: Erkundigungen zur Zweisprachigkeit der Rätoromanen. Europ. Hochschulschriften I/183, Bern, Frankfurt 1977.

Cavigelli, P.: Die Germanisierung von Bonaduz in geschichtlicher und sprachlicher Schau, Frauenfeld 1969.

Craffonara, L.: Ladinia, San Martin de Tor, 1981

Decurtins, A.: Il romontsch, in model per la sort da minoritads (romanisch-deutsch-englisch). Europäische Hefte, Hamburg 1976.

Decurtins, C.: Rhätoromanische Chrestomathie, herausgegeben von Caspar Decurtins, 12 Bände und 1 Ergänzungsband. Erlangen 1896–1919.

Egloff, P.: Zatgei eis ei dapartut. Zur soziokulturellen Situation abgewanderter Bündner Oberländer Romanen in Chur. Lizentiatsarbeit, Volkskundliches Seminar der Universität Zürich, 1981.

Etter, Ph.: Die staatspolitische Bedeutung des 20. Februar 1938, in: 25 Jahre vierte Landessprache, Rätoromanische Standortbestimmung, S. 5 f., Separatabdruck aus der NZZ vom 15. Februar 1963, Nrn. 605/606.

Falett, R., Denkpause. Sent 1981.

Flüeler, N. u.a. (Hrsg.): Die Schweiz, vom Bau der Alpen bis zur Frage nach der Zukunft. Ein Nachschlagewerk und Lesebuch, das Auskunft gibt über Geographie, Geschichte, Gegenwart und Zukunft eines Landes. (Zehnte Buchgabe des Migros-Genossenschafts-Bundes, Zürich 1975, Kap. Kultur, 444–577.)

Furer, J.-J.: La mort dil Romontsch/La mort du romanche/Der Tod des Rätoromanischen/La morte del romancio. Revista Retoromontscha, Cuera 1981.

Gieré, G.-R.: Die Rechtsstellung des Rätoromanischen in der Schweiz, Diss. Zürich 1956.

Grulich, R. und *Pulte, P. (Hrsg):* Nationale Minderheiten in Europa. Eine Darstellung der Problematik mit Dokumenten und Materialien zur Situation der europäischen Volksgruppen und Sprachminderheiten, Heggen-Dokumentation 12, Opladen 1975.

Haarmann, H.: Soziologie der kleinen Sprachen Europas: Bd. 1: Dokumentation; 2. veränderte und erweiterte A., Hamburg 1973.

– Grundfragen der Sprachenregelung in den Staaten der Europäischen Gemeinschaft, Hamburg 1973.

– Soziologie und Politik der Sprachen Europas, Deutscher Taschenbuch Verlag (dtv), Wissenschaftliche Reihe, Nr. 4161, München 1975.

Kaiser, D.: Cumpatriots in terras estras, Samedan, 1968.

Lasserre, D.: Schicksalsstunden des Föderalismus. Der Erfahrungsschatz der Schweiz, Zürich 1963.

Ligia Romontscha/Lia Rumantscha: Instanza al Cussegl Federal Svizzer
Requète au Conseil Fédéral Suisse
Richiesta al Consiglio Federale Svizzero
Eingabe an den Schweizerischen Bundesrat.
Cuera 1980.

Maissen, A.: Laax, Laax 1978.

Mani, B.: Heimatbuch Schams, Chur 1958.

Müller, P. E.: Bündner Haus – Bündner Dorf, Chur 1978.

Pieth, F.: Bündnergeschichte, Chur 1945

Plattner, H.: Bündner Maler, Bildhauer, Komponisten, und Schriftsteller der Gegenwart. Hg. von der Bündnerischen kulturellen Arbeitsgemeinschaft (Präsident H.P.), Chur 1960.

Rougemont, D. de: Die Schweiz. Modell Europas. Der schweizerische Bund als Vorbild für eine europäische Föderation, 2. A., aus dem Französischen übertragen von S. Eisler (Titel der französischen Originalausgabe: La Suisse. Ou l'histoire d'un peuple heureux.), Wien-München 1965.

Schäppi, P.: Der Schutz sprachlicher und konfessioneller Minderheiten im Recht von Bund und Kantonen. Das Problem des Minderheitenschutzes, Diss. Zürich, Zürcher Beiträge zur Rechtswissenschaft, NF, Hft 358, Zürich 1971.
Die rechtliche Stellung des Rätoromanischen im Bund und im Kanton Graubünden, in: Rätoromanisch – Gegenwart und Zukunft einer gefährdeten Sprache, Schriftenreihe des Philipp-Albert-Stapfer-Hauses auf der Lenzburg, Heft 8, Aarau 1974, S. 75 ff.

Schriftenreihe Stapferhaus 8: Rätoromanisch. Gegenwart und Zukunft einer gefährdeten Sprache. Schriftenreihe des Philipp-Albert-Stapferhauses auf der Lenzburg, Heft 8, Aarau 1974.

Simonett, Ch.: Geschichte der Stadt Chur, Chur 1976.

Straka, M. (Hrsg): Handbuch der europäischen Volksgruppen, bearbeitet im Auftrage der Förderalistischen Union Europäischer Volksgruppen unter ihrem Generalsekretär Poul Sakdegard, Ethnos, Bd. 8, Wien 1970.

Sutter, Ch.: Industrie und Landwirtschaft im Berggebiet, Diplomarbeit, Geographisches Institut der Universität Zürich, 1975.

Tomaschett, P.: Surselva, Disentis 1977.

Uffer, L.: Rätoromanische Literatur. In: Die zeitgenössische Literatur der Schweiz, hg. von Manfred Gsteiger. Stuttgart und Zürich 1974.

Viletta, R.: Abhandlung zum Sprachenrecht mit besonderer Berücksichtigung des Rechts der Gemeinde des Kantons Graubünden, Zürich 1978.

Villiger, H.: Bedrohte Muttersprache, Schriften des Deutschschweizer Sprachvereins, Heft Nr. 2, Frauenfeld 1966.

Zinsli, P.: Walser Volkstum in der Schweiz, in Vorarlberg, Liechtenstein und Piemont, 3., durchgesehene und durch Nachträge ergänzte A., Frauenfeld 1970.

Zürcher, R.: Friaul und Istrien, München 1982.

Sonstiges

Schweizer Museumsführer / Guide des musées suisses / Guida dei musei svizzeri
mit Einschluß des Fürstentums Liechtenstein, begründet von Claude Lapaire, vollständig neu bearbeitet von Martin R. Schärer, Bern und Stuttgart 1980.

Zeller, W: Kunst und Kultur in Graubünden. Illustrierter Führer. Herausgegeben vom Verkehrsverein für Graubünden, Bern 1972.